D0268830

Uitgeverij Cassandra Brasschaat. Eerste druk 2013.

ISBN 978-9090277288

André Cassiers

Mijn herinneringen.

EERSTE DEEL.

1942 - 1980

Opgedragen aan de nagedachtenis van mijn vader Leon Cassiers.

VOORBERICHT

Het schrijven van deze herinneringen werd onvermijdelijk toen ik besefte dat mijn vader in de vergetelheid zou raken. Van alle mensen in mijn leven, heeft mijn vader op mij de grootste invloed gehad.

Uit historisch oogpunt moest ik deze herinneringen schrijven. Zij zijn opgedragen aan de nagedachtenis van mijn vader.

Deze herinneringen zijn die van een getuige van een tijdperk, dat het einde van de straatgasverlichting en het begin van de ongebreidelde permissiviteit omvat. De getuige observeert fotografisch zonder afgunst noch passie alle pregnante gebeurtenissen tijdens zijn leven.

Deze herinneringen werden mede ingegeven door de constatering van de leegheid rondom mij en de mallemolen waarin en de prestatiedruk waarmede mensen zich in beroep, carrière en ambitie verliezen. De energieverspilling van de Streber verwonderde mij steeds.

Het zijn de herinneringen van een observator, die de vervreemding tussen mensen, ten gevolge van carriérisme, vaststelt.

Tot slot had deze observator tijdens zijn leven het geluk het absolute summum op het gebied van de zangkunst tussen 1955 en 1980 te beleven. Deze zangkunst zal bepalend zijn voor zijn gans zijn leven.

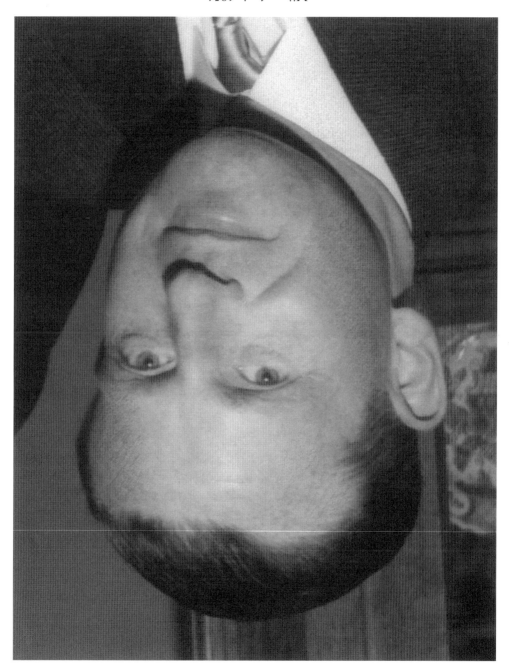

Mijn vader in 1954.

Mijn moeder in de eerste Vlaamse film "De Witte" in 1934.

Communiefoto *(van links naar rechts)* : mijn vader,
mijn broer Marco, ikzelf, mijn moeder, mijn broer Alex.

Marie-Louise Hendrickx als Elisabeth in Tannhäuser in 1962.

HOOFDSTUK I.

Mijn geboorte.

Ik ben geboren te Antwerpen, tijdens de vijandelijke bezetting, op 21 april 1942, dag op dag 2.695 jaar na de stichting van Rome op 21 april 753 vóór Christus.

Op 23 april 1942 werd ik in de Sint-Laurentiuskerk op de Marckgravelei gedoopt. Zoals in die tijd gebruikelijk en volgens de traditie kreeg ik drie doopnamen : André Paul Marcel. André zoals mijn peter, broer van mijn vader, Paul zoals mijn meter, Pauline Van Assche, mijn grootmoeder en Marcel zoals de overleden broer van mijn moeder. De naamgeving was toen zeer belangrijk en stoelde op oude gewoonten en gebruiken.

Het eerste officiële document in mijn leven was de aangifte van mijn geboorte, op 24 april 1942. Eén der twee getuigen, die de aangifte samen met mijn vader ondertekenden, was Luc Deleu, een vriend van mijn vader.

Volgens getuigenis van mijn moeder zou mijn vader de gebeurtenis onder vrienden in een plaatselijk etablissement gevierd hebben. Een officieel document bevestigt dit. Op 26 april 1942, om 3 uur in de ochtend, werd mijn vader op straat staande gehouden door twee afgevaardigden van de Feldgendarmerie, om, tegen het bevel van de Kommandantur in, de avondklok te hebben overschreden, zonder in het bezit te zijn van een « Nachtausweis », een soort nachtlegitimatie. Mijn vader was van voormelde feestelijke viering in een etablissement in de Driekoningenstraat, huiswaarts kerende, toen hij Oberfeldwebel Schulze en Unteroffizier Klein op zijn weg vond. Ik voeg hier uitdrukkelijk aan toe dat mijn moeder mij meermaals bevestigde dat mijn vader nooit dronken was, hoeveel hij ook gedronken had. Toch werd tegen hem een strafmaatregel onder de vorm van een « Ordnungsstrafverfügung », de Duitsers hielden van ingewikkelde gewichtig doende uitdrukkingen, genomen. Hij kwam ervan af met een geldboete van 200 frank, in 1942 een niet onaanzienlijk bedrag.

Dit moet ongeveer het zwaarst hem ooit ten laste gelegde vergrijp geweest zijn. Mijn vader leidde een onberispelijk leven en was niet in staat om ook maar een zweem van foute gedachte tot ontwikkeling te laten komen. Hij was voor mij een voorbeeld, iemand waar je naar opkijkt, een gentleman.

HOOFDSTUK II.

Mijn voorouders.

De naam «Cassiers» betekent *kaasmaker* en is afkomstig van het Latijn *caseus* dat kaas betekent. Via het Frans *caséinier* dat fabrikant van caseïne betekent, is door vervormingen over *casier en cassier* de naam «Cassiers» ontstaan. Het verst dat ik in de tijd ben geraakt is in de 16ᵉ eeuw bij een Peeter Cassier, geboren in Antwerpen. Peeter Cassier was schrijver en rederijker. Indien hij al familie mocht zijn, dan is het een mooie palmares. Alleszins komt de voornaam Petrus veelvuldig voor in onze stamboom. De naam «Cassiers» komt vanaf de 16ᵉ eeuw in Antwerpen en omstreken regelmatig voor.

De betovergrootvader van mijn betovergrootvader, Petrus Cassiers, is geboren in Wommelgem in 1660 tijdens de Spaanse overheersing. Zijn beroep is tot op heden niet teruggevonden. Vermoedelijk was hij ofwel smid ofwel bakker. De kleinzoon van Petrus Cassiers, Joannes Baptista Josephus Cassiers, verhuisde van Wommelgem naar Merksem in 1750 ingevolge huwelijk met een Merksems meisje, Joanna Catharina Van Bouwel. De familie bleef drie generaties in Merksem.

Mijn betovergrootouders maakten deel uit van de gezeten burgerij. Mijn betovergrootvader, Philippus Cassiers, geboren onder Napoleon in 1807 in Merksem, was fabrikant van zeemanskoeken, die hij leverde aan de Britse Navy en de koopvaardijvloot. Hij was welstellend en liet in 1857, in de beginperiode van de fotografie, van zijn vrouw en van zichzelf een daguerreotype nemen. Een erfstuk van Philippus Cassiers is nog steeds in de familie : een *"Histoire de Napoléon"* in vier delen van De Norvins verschenen in 1836. Hij had zes kinderen : het oudste, Joannes Josephus Cassiers, geboren in 1835, mijn overgrootvader, werd zeekapitein ter lange omvaart.

Joannes Josephus voer op Zuid-Amerika en had zeven kinderen, zes jongens en een meisje, het jongste daarvan, Leon André Cassiers, geboren in 1881, was mijn grootvader.

Leon André Cassiers was directeur op de «SOMEF», *Société d'Opérations Maritimes et Fluviales*, een maritieme maatschappij voor import en export, hoofdzakelijk op Zuid-Amerika. Hij stierf jong, in 1932, op eenenvijftigjarige leeftijd, aan de gevolgen van een beroerte.

Mijn grootouders waren bange mensen. Bij het uitbreken van de eerste wereldoorlog, op 4 augustus 1914, vluchtten zij met hun beide kinderen naar Marseille, waar mijn grootvader een betrekking in een filiaal van de «SOMEF» had kunnen verkrijgen. Zij verbleven gedurende gans de oorlog in Marseille.

HOOFDSTUK III.

Mijn ouders.

Geboren op 15 september 1908, was mijn vader samen met zijn vier jaar oudere broer André in Berchem opgegroeid. Vermoedelijk was hun opvoeding streng, mijn vader sprak er nooit over. Alleszins vermeldenswaard is het feit dat Gustav Mahler op 15 september 1908, de dag van de geboorte van mijn vader, in Praag zijn zevende symfonie creëert. Hier moet nog aan toegevoegd worden dat Mahler in september 1908 *"Das Lied von der Erde"* voltooid. Mijn vader is geboren onder een goed gesternte.

In Marseille liep mijn vader lagere school in de Ecole Saint-Adrien en werd er op 7 maart 1918 in de kerk van Saint-Joseph gevormd.

Na de wapenstilstand van 11 november 1918 kwam de ganse familie, over zee, via Londen terug naar Antwerpen. In Londen verbleef de familie nog enkele maanden tot begin 1919. Over deze bewogen periode in zijn leven vertelde mijn vader mij zelden of nooit. Terug in Antwerpen doorliep mijn vader de middelbare school op het Collège Albert I, volledig in het Frans. Mijn vader sprak vloeiend Frans, schreef het beter dan Nederlands en kon verbazend goed het dialect van Marseille.

Met zijn broer sprak hij gewoonlijk Frans met hier en daar een Nederlandse zin ertussen. Het was een plezier om beiden bezig te horen over *du temps de Marseille*. Hun ganse leven lang haalden ze herinneringen op over Marseille. Met de tijd ging mijn peter, die een patriciërswoning op de Belgiëlei 195 bezat, naar Brussel op de avenue Franklin Roosevelt 194 wonen. Antwerpen was voor hem te Vlaams geworden. Door zijn vrouw, Elza De Vos, was mijn peter meer en meer de francofonie ingeduwd. Elza De Vos was niet alleen een rabiate francofone, zij was ook een rexiste, aanhangster van de beweging van Léon Degrelle in de jaren dertig. Op het einde zag mijn vader zijn broer haast niet meer. Zij telefoneerden af en toe met elkaar. Zo 'n telefoongesprek duurde dan uitzonderlijk lang.

Vanaf 1927 moest mijn vader vier jaar militaire dienstplicht vervullen. Hij koos voor de ruiterij en werd hierdoor een uitstekend ruiter en zou later aan ruitersport doen. Vermoedelijk vanaf juli 1931 was hij gedurende een periode van twee jaar bediende op de « SOMEF », waar zijn vader actief was als directeur. Kort daarna stierf zijn vader, op 16 maart 1932, aan de gevolgen van een beroerte.

In april 1933 zag mijn vader deze baan voor bekeken en ging werken bij zijn broer in een handel van non-ferro metalen, kraanwerk en pompen. Deze handel, aanvankelijk gevestigd Congresstraat 33 te Antwerpen, werd einde 1933 naar een groter magazijn Groenstraat 64 in Borgerhout overgebracht. Daar heeft mijn vader in september 1934 de handel van zijn broer overgenomen en geleidelijk met andere producten uitgebreid. Vuurklei en porselein van de «Société Céramique» te Maastricht waren reeds aanwezig in 1933. Mijn vader werd depothouder van de Société Céramique, de eerste factuur ervan dateert van 30 augustus 1933. Deze Société Céramique fuseerde 1958 met Petrus Regout, eveneens uit Maastricht, samen werden beide firma's de « SPHINX ». Mijn vader werd eveneens depothouder van «La Nouvelle Montagne», een zinkproducent te Engis, later omgevormd tot «Société de Prayon».

Zink en lood waren de twee belangrijkste bestanddelen van de handel, onder de vorm van platen, bladen en buizen. Zowel toevoer als afvoer van sanitair water werden nog lange tijd in loden buizen gelegd en de afvoer van regenwater in zinken buizen, tot de komst van koper voor toevoer en PVC voor afvoer hier verandering in bracht. De belangrijkste leveranciers van mijn vader, buiten de geciteerde, waren de «Compagnie des Métaux d'Overpelt, Lommel & Corphalie» voor lood, de «Usines à Tubes de la Meuse » voor stalen buizen, de « Fonderies Samson » te Hoei, « La Couvinoise » te Couvin, «Edouard De Saint-Hubert » te Orp-le-Grand voor verschillende gietijzeren producten, waaronder pompen, afvoerbuizen en voetbuizen. Voor gietijzeren badkuipen was er « L'Industrie » te Leval. Kraanwerk was overvloedig aanwezig van in hoofdzaak Brusselse fabrikanten zoals René Van Bastelaere, Scapi, Beerts, Van Houte, Gilly, Vermonden, Rek, Van Brabant en Mornard. Alle producten waren Belgisch, met uitzondering van het Maastrichtse porselein. Verder was er geen import.

Einde 1934 leerde mijn vader mijn moeder kennen, op het ijs, tijdens het schaatsen, op de dichtgevroren wallen in Berchem. Dit is de officiële versie. Ik vond echter een brief van Ernest Claes, gedateerd op 15 oktober 1934, geadresseerd aan mijn moeder, terug. In deze brief schrijft Ernest Claes over een zekere Leon, waarover mijn moeder geschreven had, die hij wel zou willen leren kennen. Mijn moeder kende aldus mijn vader vóór 15 oktober 1934.

Mijn moeder, Betty Van Roey, kwam eind juli 1934 terug uit Berlijn, waar in de UFA-studio's de opnames van de eerste Vlaamse film *"De Witte"* van Jan Vanderheyden werden gedraaid en waarin zij een rol speelde. Er waren in België geen filmstudio's en om een film te draaien moest men naar Berlijn of Parijs. Ernest Claes, schrijver van *"De Witte"*, was bevriend met mijn grootvader, Alexander Van Roey. Tijdens een gesprek met mijn grootvader had Ernest Claes het over de cast van *"De Witte"*, die zo goed als volledig was. Vanderheyden zocht nog een jonge vrouw voor de rol van Marie-Louise, zuster van de onderwijzer. Waarop mijn grootvader repliceerde : *"Maar dat is een rol voor ons Betske"*. En op die manier is mijn moeder in *"De Witte"* op het witte doek vereeuwigd. In het gezelschap van Ernest Claes, als chaperon, is mijn moeder naar Berlijn gereisd voor de opnames. Het was tijdens de Hitlerperiode en mijn moeder vertelde de anekdote dat tijdens de thee in een etablissement in Berlijn, wanneer de Führer op de radio sprak, de Duitsers rechtstonden. Het waren dezelfde Duitsers die na de oorlog zeiden : *"Wir haben es nicht gewußt."*

Op het ogenblik dat mijn moeder mijn vader leerde kennen, was zij bevriend met Jacques Ros, een rijkeluiszoontje, die een industriële wasserij uitbaatte, en die om haar hand had gevraagd. Mijn moeder had haar antwoord in beraad gehouden, doch toen mijn vader op het ijs verscheen, heeft ze geen ogenblik geaarzeld. Eerst na de dood van mijn vader heeft mijn moeder mij bekend dat zij stapelzot verliefd was op mijn vader.

Mijn moeder liet niet alleen een luxeleventje met Jacques Ros, die anno 1934 met een tweezits Packard décapotable reed, achter, maar ook een voorstel van Jan Vanderheyden voor een grotere rol in een tweede Vlaamse film.

Mijn moeder had een uitmuntende opvoeding genoten. De lagere school had ze vanaf 1918 bij de Zusters Annonciaden in Berchem gelopen. In 1925 moest ze tegen haar zin op internaat naar het Institut des Ursulines in Onze-Lieve-Vrouw-Waver. Zij genoot er een deugdelijke katholieke opvoeding. Haar vader, Alexander Van Roey, was afkomstig uit Loenhout, waar diens vader bouwondernemer was. Mijn grootvader aan moeders kant studeerde aan de Academie van Antwerpen, waar hij in 1899 het diploma van architect haalde. Hij werd zoals zijn vader bouwondernemer en tekende zijn eigen plans. De beroepen van architect en aannemer waren toen dikwijls in één persoon verenigd. Toen de wetgeving eind van de jaren veertig de beroepen van architect en aannemer van elkaar scheidde, bleef mijn grootvader bouwondernemer. Hij bleef zijn plans verder zelf tekenen en liet ze door een bevriend architect ondertekenen. Begin jaren twintig werkte mijn grootvader met vijftig bouwvakkers. In de Pyckestraat bouwde hij tweehonderd arbeiderswoningen.

In het begin der jaren dertig werkte mijn moeder samen met haar zuster Mimi als modiste. Tante Mimi, een zeer actieve vrouw, had in Berchem een dameshoedenzaak die floreerde. In die tijd droeg iedere vrouw, jong of oud, op straat een hoed. Later begon tante Mimi een kledingzaak, *"Mary"*, die ze tot een belangrijk bedrijf wist uit te bouwen.

Volgens de overlevering zou mijn moeder, begin jaren dertig, de Charleston als geen ander gedanst hebben.

Mijn ouders zijn getrouwd, na de gebruikelijke verlovingstijd, op 10 augustus 1935 te Berchem. Na hun huwelijk woonden mijn ouders de Villegasstraat 29 te Berchem, de ouderlijke woning van mijn vader. Weduwe Cassiers betrok de eerste verdieping en mijn ouders het gelijkvloers van de woning. Mijn oudste broer Alex werd aldaar geboren op 26 juni 1936.

In 1939 was mijn vader medeoprichter van de Beroepsvereniging voor non-ferro metalen, toen nog Union professionelle des métaux non-ferreux. Prosper Prist werd voorzitter, Jozef Schiltz ondervoorzitter en mijn vader secretaris. Na de firma Prist, de belangrijkste groothandel van Antwerpen en de firma Schiltz, de tweede grootste en oudste, was de zaak van mijn vader de derde firma die zich in Antwerpen gevestigd had.

HOOFDSTUK   IV.

De oorlog.

Door de politieke onrust in Europa, het naderen van een onvermijdelijke oorlog, werd mijn vader tot tweemaal toe als militair opgeroepen en bevorderd tot wachtmeester tijdens de mobilisaties van 1938 en 1939. Mijn vader vertelde mij vaak over de twee mobilisaties. De eerste van 1938 was een regelrechte ramp. Het Belgische leger was niet opgewassen tegen de overrompeling van een mobilisatie. De tweede mobilisatie van 1939 was al beter voorbereid. Mijn vader liet bij kleermaker Dhont het vest van zijn uniform maken omdat het uniform van zijn legerdienst hem te klein geworden was. Il faut le faire : uit eigen zak een militair uniform betalen! Tijdens deze mobilisaties en bij afwezigheid van mijn vader heeft mijn moeder de zaak tijdelijk geleid. Mijn vader vroeg overplaatsing naar een eenheid in de omgeving van Antwerpen om aldus zijn zaak van dichter te kunnen opvolgen. De mobilisaties waren echter zulk een chaos dat overplaatsing uitgesloten was.

Tot overmaat van ramp werd zijn enige vrachtwagen op 9 mei 1938, bij de eerste mobilisatie, een tweedehands Fordson uit 1932 met twee ton draagvermogen, door het Ministerie van Landsverdediging opgeëist. Uiteindelijk, na de nodige bevelschriften en controles, werd mijn vader op 29 februari 1940 gedwongen zijn vrachtwagen in huur aan het Belgische leger af te staan. Na de vijandelijkheden, in 1945, kreeg mijn vader van het Ministerie van Landsverdediging, als vergoeding voor het in beslagnemen van zijn vrachtwagen, een Brits legervoertuig, achtergelaten door de Britten na de capitulatie van het Derde Rijk. Deze vrachtwagen was van een betere kwaliteit en van een recentere datum dan het voertuig dat hij had moeten inleveren.

Op 10 mei 1940, de dag van de Duitse invasie in België, was mijn vader gemobiliseerd en trok met het Belgische leger tot Diksmuide, waar, op 28 mei het voltallige staande leger capituleerde. Mijn vader had de achttien daagse veldtocht volledig meebeleefd. Hij werd ervoor na de oorlog gedecoreerd, maar ging de decoratie niet afhalen. Decoraties dragen was niet zijn stijl. Mijn vader kreeg het statuut van gecapituleerde militair en keerde per fiets, van Diksmuide, door de Duitse linies, naar Antwerpen terug. Onderweg werd hij door een afgevaardigde van de Duitse agressor gedwongen zijn lichtere Belgische fiets tegen een zwaardere Duitse fiets te ruilen. Blijkbaar waren de Belgen in fietsen bouwen beter dan de Duitsers. De anekdote verdiend te worden aangehaald om de legende van de Duitse technologische superioriteit te relativeren.

Op 30 mei 1940 was mijn vader terug in Antwerpen, terwijl mijn moeder met mijn oudste broer Alex nog in Frankrijk verbleef. Mijn moeder was op 10 mei 1940 samen met Alex en haar schoonzuster Elza, met dochters Jacqueline en Denise met de trein tot in Oostende gereisd. Van daaruit was het gezelschap per Quistax langs de kunst, uit schrik voor de Duitse agressor, tot in Calais gereden. Mijn moeder sprak steeds over vluchten ; om de periode te beschrijven gebruikte zij de uitdrukking *"met de vlucht"*. Er was onder de bevolking een grote schrik van de Duitse agressor, alhoewel de bezetting tijdens de tweede wereldoorlog minder hard was dan die tijdens de eerste wereldoorlog, volgens tante Mimi, die beide had beleefd.

Op 7 juni 1940 kreeg mijn vader van de gemeente Borgerhout, waar zijn zaak gevestigd was, een attest, met de gekke titel «Arbeitsbescheinigung», waardoor hij officieel als *kapitulierter Militär* erkend werd en zijn handel daardoor terug kon uitbaten. Met dit attest kreeg hij op 8 juni op de Kommandantur op de Meir een nieuw attest, ditmaal van de bezetter, dat hem officieel erkende als *belgische Kriegsgefangene* die op vrije voet werd gezet. De Duitsers hielden van attesten en legitimatiebewijzen die ze «Ausweis» noemden. Het attest van de Kommandantur was echter niet juist : mijn vader was geen *Kriegsgefangene* maar een *kapitulierter Militär*, wat een enorm verschil uitmaakte. Met hun fameuze *Pünktlichkeit* hadden de Duitsers een flater van formaat neergeschreven. Alleszins kon mijn vader met dit laatste attest ongehinderd zijn handel terug uitbaten. De *zaak*, zoals mijn vader zijn leven lang zijn firma noemde, was, ten gevolge van oorlogsomstandigheden, twintig dagen gesloten gebleven.

Tijdens de vijandelijke bezetting was mijn vader lid van een verzetsgroep. Hij heeft hierover nooit met één woord gesproken en toen hij na de oorlog een decoratie ontving, heeft hij die niet eens afgehaald.

Tijdens de oorlog was het moeilijk om aan goederen te geraken. Vooral kraanwerk was schaars, ten gevolge van de opeisingen van koper door de Duitsers. Mijn vader was bevriend met René Van Bastelaere, een Brusselaar, een echt ketje. Hij sprak een gezellig Brussels dialect en was kraanwerkfabrikant met eigen merk «R.V.B.». Hij bezat een fabriek in Sint-Agatha-Berchem en was uitvinder van een systeem met sluiting met 1/3 draai.

Om tijdens de oorlog kraanwerk te kunnen kopen moest je 110 % van het gewicht van het aan te kopen kraanwerk in oud koper, messing of brons bij de fabrikant inleveren. De klanten van mijn vader, hoofdzakelijk loodgieters, verkochten hem de oude metalen uit afbraak. Het transport naar en van Brussel was een hele klus, er was geen benzine meer. Met twee zwaar geladen koffers oud koper ging mijn vader met tram 3 van de Groenstraat naar het Centraal Station, waar hij de trein tot Brussel-Noord nam. Daar nam hij de tram naar Sint-Agatha-Berchem. Deze ruilhandel was niet zonder risico, de Duitse bezetter had alle koper en messing voor de oorlogsindustrie opgeëist.

Tegen het einde van de oorlog, na de bevrijding van België, was er te veel papiergeld in omloop, omdat de bezetter naar hartelust en zonder tegenwaarde in goud, Belgische franken had gedrukt, om collaborateurs, die goederen en diensten aan de vijand hadden geleverd, te betalen.

Mijn peter, die op de hoogte van zakentransacties was, had mijn vader geïnformeerd : *Er zal iets gebeuren met het geld, zorg dat je zo weinig mogelijk geld in kassa hebt.* Dit soort opmerkingen moest je aan mijn vader geen twee keer zeggen. Hij kocht een grotere partij lood. Twee weken later kwam de «operatie Gutt». Camille Gutt, Minister van Financiën en redder van de Belgische schatkist had een geniaal idee ontwikkeld om het te veel aan zwart geld uit circulatie te nemen. Er kwam een grote muntsanering. Camille Gutt liet nieuwe bankbiljetten aanmaken en iedere volwassen Belg kreeg 2.000 frank nieuwe biljetten tegen inlevering van hetzelfde bedrag in oude biljetten. Ieder bedrag boven de 2.000 frank, dat rechtmatig verdiend was en waarvan de oorsprong bewezen kon worden, werd door de Nationale Bank omgewisseld tegen nieuwe biljetten. Deze maatregel deed het land veel vlugger dan de buurlanden heropleven. Op het ogenblik van de operatie Gutt had mijn vader 500 frank in kassa. De oorlog eindigde voor mijn vader beter dan hij begonnen was, en in alle eer en wettelijkheid.

Begin 1944 verhuisden mijn ouders van de Villegasstraat naar een appartement op de Grote Steenweg 519 in Berchem, in een nieuw opgericht gebouw met drie verdiepingen. Daar is mijn jongste broer Marco kort nadien, op 29 februari 1944, geboren.

HOOFDSTUK V.

Mijn vroegste herinneringen.

Mijn allervroegste herinnering gaat terug tot september 1944. Ik was toen net geen twee-en-een-half jaar oud. Bij de bevrijding van Antwerpen door de geallieerden, waren er nog achterhoedegevechten op de Grote Steenweg in Berchem, tussen de terugtrekkende Duitsers en de oprukkende Britten. Naast de inkomdeur van ons appartementsgebouw, op het voetpad, werd door de geallieerden een Duits soldaat doodgeschoten. Jammer voor de man, weerstand was een nutteloze daad, de oorlog was voor Duitsland sowieso verloren. Over het dode lichaam werd een kaki legerdeken, gedeeltelijk met bloed doordrenkt, gelegd. Het beeld van de bebloede deken is mij bijgebleven, samen met dat van Britse pantserwagens die op de Grote Steenweg vanuit Mortsel, in de richting van Antwerpen reden.

Tijdens deze periode stortte een vliegende bom, een V1, op een braakliggende grond naast ons appartementsgebouw neer. Deze bom kwam als bij wonder niet tot ontploffing. De oudste broer van mijn moeder, nonkel Joseph, had minder geluk. Hij kwam op 14 maart 1945, onder een V1, gevallen op een in aanbouw zijnde gebouw, op de Mechelsesteenweg, waar hij aan het werk was, om het leven. Mijn vader, in allerijl ter hulp geroepen, heeft het dode lichaam van nonkel Joseph van onder het puin gehaald. Mijn grootmoeder verloor voor de tweede keer een zoon. Haar andere zoon, Marcel, was 1931, achtentwintig jaar oud, aan de gevolgen van een longontsteking, gestorven.

Mijn tweede herinnering brengt ons vier jaar verder, eind 1948, toen ik, enkele huizenblokken verder op de Grote Steenweg 489, school liep in het Instituut der Zusters van Onze-Lieve-Vrouw. In deze school zat ik eerst, in 1946, in de kleuterklas, om in september 1948 het eerste leerjaar aan te vatten. Dit eerste leerjaar werd eind 1948 onderbroken, toen mijn ouders per 1 januari 1949 van de Grote Steenweg in Berchem naar een woonhuis aan de Helmstraat 12 te Borgerhout verhuisden.

Ik was bijna zeven jaar oud en op deze plaats zou zich de volgende vijftig jaar, eerst van mijn jeugd en adolescentie, en daarna van mijn beroepsleven, afspelen. Mijn kinderjaren hebben mijn leven bepaald. De opvoeding door mijn ouders was er een van traditiegetrouwe degelijkheid, correctheid en eerlijkheid. Mijn ouders waren vol attentie voor hun kinderen. Zij hebben op mij geen druk uitgeoefend. Zij hadden geen blinde autoriteit over mij, maar hebben mij een levensdiscipline en een levensvisie met respect voor het gezag meegegeven. Wat heden niet meer het geval is, was het gezag in die tijd respectabel. Respect was er in de eerste plaats voor mijn vader waar ik naar opkeek. Hij gaf mij een gevoel van stabiliteit.

Mijn vader was voor mij een lichtend voorbeeld. Hij was een integer man met een onvoorstelbare correctheid. Ik heb hem nooit iemand van zijn personeel of anderen onrechtvaardig weten behandelen. Zijn taalgebruik was uitermate gepast. Hij vloekte nooit, gebruikte nooit onbetamelijke woorden en zocht steeds naar eufemismen om niemand te kwetsen. Hij was conservatief van instelling doch ging *met zijn tijd mee*. Hij was steeds deftig gekleed en droeg altijd witte maathemden met losse boord en manchetknopen. Hij was een perfectionist in alles wat hij deed, zowel zakelijk als privé en alles moest grondig gebeuren. Eén van zijn karakteristieke uitdrukkingen was : *Het moet in goede omstandigheden kunnen uitgevoerd worden*. Een andere uitdrukking tegenover iemand die zich te kort gedaan voelde was : *Dat heb je dan nog te goed*. Zijn opmerkingen waren filosofisch en van een zeer hoog kwaliteitsgehalte.

In 1946, toen er terug benzine was, gingen mijn ouders in de streek van Bastogne de gestrande Duitse tanks van het Von Rundstedtoffensief bekijken. Twee jaar na het ultieme Ardennenoffensief lagen de overblijfselen van een totaal zinloze aanval nog steeds naast de weg. Overnachting gebeurde in een typisch plaatselijk hotelletje *L'Hôtel du Vieux Moulin* in Barvaux.

Vanaf 1946 maakten mijn ouders met feestdagen en lange weekeinden, zoals Pasen, Pinksteren en Ons-Heer-Hemelvaart, uitstappen naar de Ardennen en het Groothertogdom, in gezelschap van vrienden, meestal echtparen, zoals de

18

Hansma's, Luc en Hilda Deleu, Edmond en Blanche Van der Voort, René en Mimi Van Bastelaere en Oscar Van Dael.

In augustus 1947 gingen mijn ouders, voor de eerste keer na de oorlog, op zomervakantie in de streek van Dinant, terwijl de drie kinderen in een kinderverblijfplaats in Mambeye verbleven.

HOOFDSTUK VI.

Het woonhuis Helmstraat 12.

Na de oorlog was er algemeen een grote vraag naar goederen, zodat de handel bloeide en mijn vader de omzet zag stijgen. In 1948 was het magazijn aan de Groenstraat 64 te klein geworden en mijn vader zocht een groter onderkomen. Dit vond hij in de directe omgeving, aan de Helmstraat 12. Het was een woonhuis met één verdieping en een dakverdieping aan de straatkant, met achteraan een magazijn met kantoor.

Op 1 januari 1949 arriveerde de ganse familie vóór het nieuwe woonhuis in de Helmstraat 12, in een bordeauxrode Chevrolet, 6 cilinder, bouwjaar 1946, die mijn vader van grootvader Alexander Van Roey in bruikleen had en later, in 1952, zou aankopen voor 22.000 frank, omdat mijn grootvader te oud was geworden om nog auto te rijden. Dat was de officiële versie. Voor kinderen was er steeds een officiële versie.

Mijn vader had nu geen tijdrovende verplaatsingen meer tussen woonplaats en werkplaats. Aan de straatkant bestond het gelijkvloers uit twee door groen geschilderde stalen rolluiken afgesloten inritten. Deze inritten, geschikt om een personenauto en een vrachtwagen te stallen, gaven uit op een achterliggend magazijn en kantoor, alles volledig onderkelderd. De kelders deden dienst als stockeerplaats. Het eigenlijke magazijn, waar een toonbank stond, was van grote afmetingen ; de hoogte was indrukwekkend, meer dan 6 meter. Deze hoogte liet het stockeren van koperen buizen rechtopstaand tegen een muur toe. Aansluitend aan dit magazijn bevond zich een klein kantoor met twee inkomdeuren, één naar het magazijn en één naar de inritten. Boven het magazijn, toegankelijk langs een houten trap, bevond zich een opslagplaats, die mijn vader tot toonzaal liet ombouwen. Het was zijn eerste toonzaal en er werden voor het eerst gekleurde badkamers in uitgestald. De dag dat mijn vader zijn eerste gekleurde badkamer had verkocht kwam hij dit officieel melden aan mijn moeder. Een gekleurde badkamer was er een waarvan het porselein en de badkuip in kleur waren, en dit was vrij nieuw en eerst na WO II ontstaan.

Tussen de twee inritten, aan de straatkant, bevond zich een zware, brede, groen geschilderde ijzeren voordeur, met ondoorzichtig, zwaar reliëfglas met waterdruppelmotief. Dit glas werd in een lijst met versierd smeedwerk vastgehouden. Op het smeedwerk was een messing uithangbord van 33 x 25 cm bevestigd. De tekst van het uithangbord luidde :

« L. Cassiers - Sanitaire Toestellen - Metalen »

De zeer brede, imposante voordeur gaf op een grote en lange inkomhal, waarvan de vloer betegeld was met *Wasserbillig* tegels. De inkomhal was in tweeën verdeeld : rechts een gang die uitgaf op een verbindingsdeur naar het achterliggende magazijn met inritten, links een steile, lange trap naar de eerste verdieping van het woonhuis. Tegen de muren in de inkomhal hingen twee slechte kopieën van Pieter Breugel de oude, geschilderd door een ver familielid namens Gilberte. Eén der twee schilderijen stelde een zaaiende landbouwer op zijn akker voor. Naast de inkomdeur stond een massieve, porseleinen voetstuk, een zwaan voorstellende, met daarbovenop een plant.

Onder de opwaartse trap bereikte men via een deur en langs een laddertrap, een lange, smalle wijnkelder, met houten rekken voor wijnflessen. In deze wijnkelder tapte mijn vader in 1949 aangekochte wijnvaten over op flessen. Hij had vier vaten bij een wijnimporteur aangekocht : een Saint-Emilion, een Pomerol, een Graves en een witte Meursault, allen van uitzonderlijke kwaliteit en van het jaar van de eeuw 1947. De Saint-Emilion was in 1980, na drieëndertig jaar, nog schitterend.

Bovenaan de opwaartse trap naar de eerste verdieping kwam men op een grote, brede, centraal gelegen overloop, die toegang tot alle vertrekken verschafte. Salon en eetkamer bevonden zich aan de straatkant, zeer ruim en door een doorgang in boogvorm gescheiden. Aan de gevel was een vaste vlaggenstok bevestigd. Deze vlaggenstok werd door mijn vader nooit benut, het was niet zijn stijl. Met vlaggen moet je partij kiezen : een Belgische driekleur of een Vlaamse leeuw en dat was al helemaal niet zijn stijl.

In salon en eetkamer stonden een aantal antieke kasten, drie ervan afkomstig van grootvader Alexander Van Roey. Iedere kast had een naam : de boerenkast, de vitrinekast en de koppenkast. De drie Van Roey-kasten waren sinds minstens vier generaties in familiebezit. De koppenkast, een renaissancemeubel met leeuwen- en engelenkoppen, was volgens mijn moeder authentiek uit de tijd van Rubens. Verder stond er een grote, brede bibliotheekkast in Louis XV, door mijn ouders begin jaren vijftig aangekocht. Het bezat een bruinbeige marmeren bovenblad, twee centrale glazen deuren en links en rechts daarvan twee gebogen deuren in notelaar met daarachter zes laden. Het meubel was van bijzondere kwaliteit. Met uitzondering van de koppenkast waren alle andere kasten van het type vitrine, om iets uit te stallen.

In de boerenkast stonden antieke tinnen maatbekers en andere tinnen voorwerpen. In de vitrinekast stond Chinees en Delfts porselein, alles uitsluitend blauw. Het Chinees porselein was uit de Kien-Long en Kang-Hé periodes. Het Delfts was 18e eeuws. De meesterstukken waren twee Delftse wandplaketten, voorstellende, de ene een barbiersinterieur met de tekst " Wel Kom Hier ", de andere een visser met zijn vrouw en een windmolen. Het porselein had mijn moeder door de jaren heen op veilingen aangekocht. Het was haar hobby. Mijn moeder kocht antiek uitsluitend op veilingen, nooit bij antiquairs, waar ze geen vertrouwen in had.

Het Louis XV dressoir bevatte boeken, in hoofdzaak de zesde druk van de *Winkler Prins-encyclopedie*, door mijn vader in 1955 aangekocht. Zolang ik thuis woonde, tot in 1963, maakte ik een intensief gebruik van deze uit 20 delen bestaande encyclopedie. Er stonden ook nog andere boeken in dit dressoir, waaronder een biografie van Napoleon in vier delen uit 1836, een erfstuk van Philippus Cassiers. Verder stond er een *Panorama de la Guerre* in zes delen, een geschiedenis van de eerste wereldoorlog, uitgegeven tussen 1916 en 1918, rijkelijk geïllustreerd met foto's en ingekleurde tekeningen, afkomstig van grootvader Cassiers.

Van de tweede wereldoorlog stond er een opmerkelijke *Geschiedenis van de oorlog der Verenigde Naties 1939-1945*, heel mooi uitgegeven, in groen linnen en in twee delen. Deze boeken had mijn vader gekocht in 1947. Verschillende biografieën, onder andere van veldmaarschalk Rommel, Leopold III en Franz Liszt, sierden eveneens deze bibliotheekkast. Zeer opmerkelijk was een *Geïllustreerde wereldgeschiedenis* in drie delen, in linnen, uitgegeven in 1962. Het was van oorsprong een Zwitserse uitgave van Stauffacher. Door de meeste boeken in deze bibliotheekkast was het duidelijk dat mijn vader geen romanlezer was, zich eerder voor geschiedenis interesseerde.

Opmerkelijk was een Chinees siertafeltje, ongeveer 90 cm hoog, zwart gelakt met ingekerfd blad van ivoor. Het was door mijn moeder op een veiling aangekocht. Nog meer opmerkelijk was een Friese stoeltjesklok die mijn ouders tijdens het interbellum hadden aangekocht. Zij was authentiek uit de zeventiende eeuw. Tegen één der muren hing een zogenoemde Vlaamsche Vitrien, door mijn vader aangekocht in 1935 bij een antiquair in de Schuttershofstraat. Aan deze vitrine hingen antieke tinnen paplepels.

Op de vensterbank van de eetkamer stond een miniatuur zeilschip, een driemaster, ongeveer 80 cm lang, met kanonnen. Dit zeilschip kwam van mijn overgrootvader, de zeekapitein Johannes Josephus Cassiers.

De muren van salon en eetkamer waren behangen met een bordeauxrood mat papier met goudkleurig motief. Mijn moeder had deze muren laten afstomen en met dit behangpapier laten behangen door het decoratiebedrijf Toebosch in de Huidevettersstraat.

Aan de overloop paalden nog vijf andere vertrekken. Tegen de achterbouw was een ruime keuken met een voor die tijd zeer moderne spoeltafel van chroomnikkelstaal, een groot gasfornuis en een grote koelkast. Alle kamers hadden individuele verwarming met gasradiatoren, bruin of groen gelakt, van het type kolom. Aansluitend met de keuken, gescheiden door een boogvormige doorgang, was een tweede, eenvoudigere eetkamer, waar de maaltijden door de week genomen werden. Alleen op feestdagen en bij bijzondere gelegenheden werden de maaltijden in de grote eetkamer aan de straatkant opgediend.

Tussen eetkamer en keuken hing op gezichtshoogte een schakelknop uit bakeliet van de radiodistributie, waarop een luidspreker aangesloten was. Radiodistributie gaf een betere geluidskwaliteit dan de radio-ontvangers vóór de opkomst van de frequentiemodulatie.

Parallel met keuken en eetkamer, aan de andere kant van de overloop, waren een vestiaire met kleerkast, salontafel met drie armstoelen en telefoontafel met telefoontoestel. Vanuit de vestiaire kon men via een smal gangetje naar de badkamer waar een groot bad, een wastafel en een bidet stonden. De badkamer was ook direct bereikbaar vanuit de overloop. Tussen vestiaire en badkamer, vanuit de overloop, leidde een opwaartse trap naar de dakverdieping.

Hier gaf een overloop en een nachthal, toegang tot vijf slaapkamers en twee zolderkamers. Aan de straatkant waren drie slaapkamers, één ervan was voor mijn ouders, er stonden een wastafel en een bidet in grasgroen porselein. De twee overige slaapkamers waren voor mijn jongste broer Marco en voor mijzelf. Aan de achterkant was de slaapkamer van mijn oudste broer Alex en een meidenkamer met wastafel met alleen koud water.

Eén der zolderkamers, de grote zolder genoemd, werd hoofdzakelijk gebruikt om, de ganse winter door, appelen, uitsluitend Cox Orange, te bewaren. Deze appelen lagen van elkaar gescheiden op houten planken. Na verloop van tijd werden zij gerimpeld doch bleven eetbaar de ganse winter door.

De andere zolder, de kleine zolder genoemd, deed dienst als poppenkastzolder. Mijn oudste broer Alex had een levensgrote poppenkast zelf in elkaar getimmerd. Op geregelde tijdstippen, voorafgaandelijk aangekondigd, werden door mijn broer zelf geschreven en zelf gecomponeerde stukken opgevoerd. Het bekendste stuk was « Roeland », geïnspireerd op *la Chanson de Roland*. Dit stuk werd op algemene aanvraag verschillende keren wederopgevoerd. Het bevatte het befaamde Roelandslied met martiaal thema, gecomponeerd door mijn broer. Ik kreeg van mijn oudste broer alleszins voldoende elementen om interesse voor theater en aanverwante producten te ontwikkelen.

In de achterbouw van de eerste verdieping bevond zich een kinderspeelkamer waar filmvoorstellingen met zelfgemaakte films op rekenmachinepapierrollen, die door de gleuven en een opengesneden scherm in een kartonnen doos werden afgespeeld. Het was een tijd waarin computerspelletjes en kindermobilofoons niet bestonden en waarin kinderen hun fantasie met zelfgemaakt speelgoed konden botvieren. Die kinderen hadden geen problemen met schoolmoeheid of kinderstress ; kinderzelfmoord was onbestaande en van autisme hadden we nog nooit gehoord : wij waren gewoon kind.

Dit huis was het huis van mijn kinderjaren waarin ik van 1949 tot 1962 opgroeide. Ik had er mijn eigen kamer met bed, een levensgrote kleerkast met drie deuren en een schrijftafel. De muren waren behangen met papier met een herderstafereel in bordeauxrood op witte achtergrond. Rechts van de inkomdeur hing een wijwatervat waarin zich nooit water bevond. Vanaf Palmzondag hing er een takje buxus aan dit wijwatervat. Er was geen verwarming op de slaapkamers en 's winters waren er ijsbloemen op de vensterruiten.

Toen mijn vader in 1951 het huis, dat hij aanvankelijk huurde, aankocht, liet hij in alle kamers centrale verwarming aanleggen. De installatie werd uitgevoerd door Henrard, een broer van Hilda Henrard, de levensgezellin van Luc Deleu.

In deze periode werden in de Van der Keilenstraat, een zijstraat van de Helmstraat, de laatste gaslantaarns afgebroken en vervangen door elektrische straatverlichting. De gaslantaarns werden door een lantaarnaansteker 's avonds aangestoken en 's morgens gedoofd, door middel van een lange houten stok met aan het uiteinde een haak en een brandende wiek. Met de haak opende de lampist het venstertje en het gaskraantje en met de wiek ontstak hij het gaskousje. Het gebeurde anno 1951, in een straat die parallel liep met de Turnhoutsebaan. In die tijd werden vele huizen nog verwarmd met kolen. Kolentransport met de typische kolendragers met grote zakken kolen op de schouder was toen een gewoon zicht in het straatbeeld.

De Turnhoutsebaan was anno 1951, alvorens Marokkanen het zouden bezetten, een deftige winkelstraat, gekend om haar meubelzaken. De zaak van mijn vader was anno 1951 uitzonderlijk goed gelegen. In de directe omgeving van de Helmstraat, was er, op de Turnhoutsebaan, een sigarenwinkel, een porseleinwinkel Roodhooft, een krantenwinkel, een kruidenier, een viswinkel, een horlogewinkel, een paardenbeenhouwer van een neef van mijn vader, Jacques Cassiers, een beenhouwer met als uithangbord *'t Klein Beenhouwerke*, een drogist *Sneeuwwitje*, een apotheker, een fietsenhersteller, een lederwinkel en een parfumerie *Gigi*. De viswinkel, recht tegenover de Helmstraat, heette *De Vismijn van Borgerhout* en kreeg dagelijks aanvoer van verse vis uit Oostende. Op vrijdag stonden de klanten tot buiten op het voetpad in een rij aan te schuiven. Mijn moeder sprak over de *Goudmijn van Borgerhout* in plaats van de *Vismijn van Borgerhout*.

In de Kerkstraat, een straat parallel met de Helmstraat, waren vier bakkers, een kaasboer, een likeurhandel en een Delhaize De Leeuw. De Delhaize-winkels waren toen nog zelfstandigen, aangesloten aan de coöperatieve. Deze Delhaize-winkel was gevestigd op de hoek van de Constitutiesstraat met de Kerkstraat. Boven de inkomdeur lag een plaasteren leeuw als embleem. Mijn moeder kocht er weinig, omdat er een kruidenier dichter bij huis, op de Turnhoutsebaan, was. Deze kruidenier heette Grietens en bood veel groenten en fruit. Voor de inkomdeur stond een aardappelschilmachine. Deze machine was enkel geschikt om kleine, jonge aardappeltjes te schillen. Het schillen ervan was meer een schrapen met behulp van een overvloedige waterstroom. De hele operatie duurde een eeuwigheid en zag er zeer oneconomisch uit.

Dieper in de Helmstraat, op de hoek van de Van Montfortstraat, was beenhouwer Frans Van Huyck, wereldberoemd om zijn worsten en gehakt, gevestigd. Frans Van Huyck was voorzitter van het slagersgilde. Hij verkocht het beste rundvlees van Antwerpen en mijn moeder bestelde er zo goed als alle vlees. Een specialiteit was rosbief. Mijn vader had het dikwijls over dit stuk vlees, op welke plaats het zich juist bevond en hoe de juiste benaming was. Volgens mijn moeder was de exacte benaming voor het beste deel van de rosbief *het puntje van de opleg van de dikke ziel*. Een andere specialiteit waren de rundskarbonaden van *de entvogel*. Van Huyck leverde worsten aan bijna heel

Borgerhout en op verloren maandag aan drie kwart van de bakkers van Borgerhout en omstreken.

Borgerhout was anno 1950 een zeer deftige buurt van Antwerpen. Door de komst van gastarbeiders na Expo 58 werd Borgerhout, door de ligging dicht bij het centraal station, langzaamaan door vreemdelingen ingepalmd. Eerst de achterbuurten, tussen de spoorweg, de Kortrijkstraat en de Borsbeekstraat, de armste buurten met kleine, verouderde arbeidershuisjes. Borgerhout werd het eerste slachtoffer van de bezetting door vreemdelingen door zijn nabijheid met het stadscentrum en de verwaarlozing van de arbeidershuisjes. Tegen 1990 was Borgerhout, door het wanbeleid en het non-beleid van de Stad Antwerpen een getto van Marokkanen geworden.

Een kozijn van mijn vader, Jacques Cassiers, in de familie *Jaakske* genoemd, had een paardenbeenhouwerij op de Turnhoutsebaan. Mijn moeder kocht geen paardenvlees en ging er nooit. Een andere kozijn van mijn vader, Henri Cassiers, was organist van de Sint-Willibrorduskerk en woonde aan de Constitutiesstraat. Vermoedelijk rond 1954 is mijn vader samen met mij bij hem op bezoek geweest, om eventuele lessen in notenleer te bespreken. Dit bezoek had geen gevolg. Het theoretische aspect van muziek sprak me niet aan en de notenbalken zou ik als autodidact leren.

Onze parochie was de Onze-Lieve-Vrouw-ter-Sneeuw op het Laar. De kerk, een afschuwelijk neogotisch gebouw uit 1860, was gelukkig in 1944 door een V1 zeer zwaar beschadigd. De beschadigde kerk werd afgebroken en op de plaats werd een nieuwe strakke, sobere kerk gebouwd. Notaris Jacques De Ridder vertelde me, dat de motor van de V1, die op de kerk viel, in hun tuin in de Helmstraat belandde. De inwijding van de nieuwe kerk vond plaats op 18 november 1954 door de toen hulpbisschop, later aartsbisschop, kardinaal en primaat van België Joseph Suenens.

Vóór de kerk bevond zich een groot plein, het Laar. In het midden van het plein stond een standbeeld van Lazare Carnot, een generaal van Napoleon, die in

1814, na de val van Napoleon, Antwerpen tegen de oprukkende Oostenrijkers verdedigde. Het standbeeld viel in de jaren vijftig, door een bekrompen gemeentebestuur, dat van geschiedenis geen kaas gegeten had, in ongenade en werd afgebroken. In de plaats kwam niets, zoals in de hoofden van het bekrompen gemeentebestuur.

In 1945 was op de Turnhoutsebaan, ter hoogte van de Reuzenpoort, een noodkerk ingewijd, als tijdelijk onderkomen van de zwaar beschadigde Onze-Lieve-Vrouw-ter-Sneeuw. De Reuzenpoort was een overblijfsel van het eerste gemeentehuis van Borgerhout. De Reuskens waren er in ondergebracht. De Reuskens, de oudste folklore van Borgerhout, waren met vieren en reden ieder jaar in september, op een platte wagen met platform, getrokken door vier Brabanders, uit. De Reuskens dansten op een oeroud melodietje geblazen door vier koperblazers.

Begin 1949 bezocht ik de lagere school van het Sint-Agnes-Instituut op de Turnhoutsebaan, geleid door Zusters Ursulinen.

Tijdens de zomer van 1948 gingen mijn ouders met vakantie naar Val de Poix en in 1949 naar Comblain in de Ardennen terwijl de drie kinderen in een kindervakantieverblijf in Mambeye in de buurt van Spa verbleven.

Veel speelgoed kregen we niet, wel met de juiste dosering, op het juiste ogenblik, met een verjaardag, met Sinterklaas en met Kerstmis. Dikwijls kreeg ik miniatuurautootjes, Dinckie Toys, uit gegoten zamac. Begin jaren vijftig, op een Sinterklaasdag, kreeg ik samen met Marco een zelfgemaakt indianenkamp met wigwams, totempalen en loden indianenfiguurtjes, gemonteerd op een geschilderde plaat van dik karton, met rivieren, voetpaden en vuurplaatsen. Het zelfgemaakte speelgoed trok meer aan dan alle plastieken rommel die veel later op de markt zou komen.

Op de Turnhoutsebaan was een snoepwinkeltje waar ik voor 25 centiemen een stok kalissiehout ging kopen. Ik was verzot op kalissiehout.

Vrij jong, zeven of acht jaar oud, reed ik alleen met de tram. Aanvankelijk alleen naar grootmoeder Van Roey, die ik veel bezocht. Zij woonde in Berchem, Van Hombeeckplein 2. Ik ging te voet van de Helmstraat tot het Astridplein, daar nam ik tram 15 of 7, die reden tot de Van Hombeeckplein. Mijn grootmoeder woonde aldaar in een huis met één verdieping. Zij bewoonde het gelijkvloers en verhuurde de verdieping. Je kwam binnen door een grote dubbele deur in een immense inkomhal met trapzaal naar de verdieping. Van de inkomhal ging het in een grote leefkamer aan de straatkant, met een immens breed raam. Op de vensterbank stond een blauw-rood-groene papegaai uit porselein. In het midden van de kamer stond een grote brede schrijftafel waaraan mijn grootvader werkte. Parallel met de woonkamer, ook aan de straatkant, bevond zich een kantoortje. Er stond een oude Remington-schrijfmachine, waarop ik mocht typen.

Mijn grootvader bouwde anno 1952, 76 jaar oud, nog steeds huizen. Hij berekende de kostprijzen zelf, zag niet meer goed en gebruikte een groot vergrootglas om de cijfers te kunnen zien. Op een dag was ik samen met mijn moeder ten huize van mijn grootvader, die bezig was met optellingen van kostprijzen. Toevallig zag mijn moeder dat mijn grootvader een optelfout gemaakt had. Hij had 1.000 voor 100 genomen ten gevolge van zijn slecht zicht.

Mijn grootmoeder ging iedere namiddag met tram 15 naar de Paon Royal, de taverne van de dierentuin op het Astridplein, waar ze een pale-ale dronk. Zij had in haar grote zwartlederen handtas steeds een papieren snoepzakje met belga's. Wanneer een bedelaar aan de deur aanbelde, gaf zij een dubbele boterham met peperkoek en een paar dikke, wollen sokken. Mijn grootmoeder was experte in het breien van wollen sokken en sjaals in dikke grijze wol. Mijn grootmoeder was een heilige, die in de hemel direct naast God de Vader zit. Zij heeft tijdens haar lange leven verschrikkelijke dingen meegemaakt : het verlies van haar beide zonen, twee wereldoorlogen en een autoritaire kolerieke man, die er een maîtresse op na hield, waaronder zij enorm geleden heeft.

Einde der jaren veertig ging mijn vader met het ganse gezin, met de Chevrolet, regelmatig naar de Belgische kust, voornamelijk naar Knokke. Dit gebeurde op verlengde weekeinden, zoals Pasen, Pinksteren en Maria-Hemelvaart maar ook op gewone weekeinden. Aan de kust was er uitgebreid strandvermaak, onder de vorm van het maken van bloemen uit crêpepapier op een stalen draad die met groen papier omwikkeld werd. De bloemen werden verkocht aan spelende kinderen tegen betaling in zeldzame schelpen. Buiten het bouwen van zandkastelen met grachten en bruggen was er ook het oplaten van vliegers. Met dit spel was je voor enkele uren zoet. Mijn vader was expert in het genre en kon ook telegrammen naar de vlieger verzenden. Samen met mijn broers reed ik in een Quistax op de dijk.

Bij de Ursulinen in Borgerhout bleef ik tot juni 1949, Vanaf het tweede leerjaar, in september 1949, liep ik school op het Sint-Jan-Berchmans-College op de Meir. Het was een strenge school, met strikte controle op aanwezigheid, zowel voor de lessen als voor het kapelbezoek voor allerlei liturgische diensten. In deze school werd ik opgenomen in de KSA, Katholieke Studentenactie, een jeugdbeweging van Vlaams-Christelijke strekking, met een rechtstreekse verwantschap met Baden Powell. Door mijn asociale karakter paste ik niet in een jeugdbeweging. Ik was te eigenzinnig om achter een gedachte of vlag te lopen. Af en toe gingen we als KSA op stap in rijen van drie. Ik herinner me een mars op de Meir tijdens dewelke enkele voetgangers de Hitlergroet brachten. Ik was toen acht jaar oud en wist niet wie Hitler was. Die individuen verwarden ons met de Hitlerjugend, nochtans droegen we blauwe hemden met een oranje das.

Mijn oudste broer Alex was reeds langer op het Sint-Jan-Berchmans-College en zat toen reeds in het middelbaar in de afdeling moderne humaniora. Alex was een primus inter pares, haalde enorm hoge percentages, rond de 90 % en was altijd de eerste van de klas. Alex heeft zijn volledig middelbaar in het Sint-Jan-Berchmans-College uitgedaan. Alex was ook bij de KSA, waar hij uiteraard na verloop van tijd een leidende functie verkreeg.

Tijdens de vakantie moest ik met de KSA op kamp in tenten slapen. Op zeker ogenblik, na een lange afstandsmars, had ik blaren onder de voetzolen. Het moet extreme proporties hebben aangenomen, vermits mijn vader me plots van het kampgebeuren kwam weghalen. Toen ik, een andere maal, de KSA-samenkomst op donderdagnamiddag had gespijbeld, kreeg ik strafstudie. Strafstudie werd na schooltijd in het strafstudielokaal, onder toezicht van een surveillant, uitgezeten en bestond uit honderd maal schrijven *Ik zal de KSA-samenkomst niet meer verzuimen.*

Schrijven gebeurde in schriften en gelijk wat je schreef begon steeds bovenaan links in de marge met de letters «J.M.J.». Deze letters stonden voor *Jezus, Maria, Jozef.*

De reis van de Helmstraat naar de Meir verliep aanvankelijk met tram 3. Ik stapte op de tram aan de halte Kerkstraat/Carnotstraat. Het traject ging door de Carnotstraat, over het Astridplein, de De Keyserlei en de Meir, waar mijn afstaphalte ter hoogte van Sint-Jan-Berchmans was.

Op die plaats, op de Meir, had op een bepaalde dag een trekpaard op één of andere manier een been gebroken en lag op zijn zij tegen de straatstenen. Ik hoorde de eigenaar van het arme dier zeggen : *Die zullen we moeten afmaken.* Plotseling verscheen een politieagent die met zijn dienstwapen een kogel door het hoofd van het arme dier joeg. Dit vond ik zo verbijsterend dat ik er dagenlang niet van slapen kon.

Ik moet vrij jong geweest zijn toen ik met tram 3 op zondag naar het Museum voor Schone Kunsten reed, vermoedelijk negen of tien jaar oud. Ik ging daar Rubens en Van Dyck bekijken. Op zeer jeugdige leeftijd had ik iets met schilderkunst. Het verblufte me. Ik kon er gewoon niet bij dat je met een penseel en verf een portret kon schilderen dat de fotografie verre overtrof. Het was een getuigenis uit het verleden, het enige directe contact met dat verleden. Veel meer dan een geschreven tekst, was het schilderij het vastleggen van een ogenblik in het verleden met alle boeiende details van kledij, decor en omgeving. Mijn leven lang was ik verwonderd over de historische betekenis van de schilderkunst. Mijn moeder vond het raar dat ik zo jong bezig was met schilderkunst en zei tegen kennissen en vrienden : *"Onze André is een speciale."*. Dit is ze heel mijn kindertijd blijven herhalen.

Ik had iets met tram 3, die ik, zonder bepaald doel, kon nemen tot aan de terminus en terug. Ik stond vooraan in het bestuurderscompartiment, door een klein klapdeurtje gescheiden van de reizigerscoupé. Het waren nog de vooroorlogse houten trams. Het besturingsmechanisme werd bediend met een hendel, die als een koffiemolen ronddraaide. Onder de voeten van de rechtopstaande bestuurder, was, in de vloer, een opening met een pedaal om een waarschuwingsbel te bedienen. Iets meer naar voren was een tweede pedaal om in noodgeval een opvangplank vóór de tramwielen te laten zakken, wanneer een voetganger er onder dreigde te vallen. In Antwerpen heette de bestuurder *wattman* en de conducteur heette *receveur*. Een tramrit was een avontuur en de bestuurder belde er lustig op los wanneer gelijk wie of wat te dicht in de buurt kwam. De rit werd voldaan bij de conducteur die ofwel de tramkaart knipte door middel van een perforatietang, ofwel een trambiljet verkocht. Dit document was bijzonder klein van formaat, ongeveer 6 x 3 cm. Mijn vader maakte er graag grappen over en had het steeds over bestellingen ontvangen van een loodgieter, geschreven op een *trambriefje*.

Het was de beginperiode van de stripverhalen in boekvorm. De meest voorkomende waren « Kuifje », « Quick & Flupke » en « Suske en Wiske ». Ik had een voorkeur voor Kuifje. Suske en Wiske was voor mij volksvermaak.

Iedere zondagochtend moest ik bij één van de bakkers in de Kerkstraat 20 pistolets halen. Deze pistolets waren van het type *vloereke* en moesten op uitdrukkelijk verzoek van mijn moeder hard gebakken zijn. De prijs van een pistolet was anno 1950 één frank.

Op zondagnamiddag mochten we naar de bioscoop in het stadscentrum. De vertoning was om twee uur in de namiddag en begon met actualiteiten van

Belga-Vox, zijnde de wekelijkse nieuwsberichten, met aansluitend reclamefilmpjes, afgesloten door een reclame voor roomijs Artic. Het eerste deel van de vertoning eindigde met een tekenfilm van Tom & Jerry, Donald Duck of enige andere Disney-figuur. De hoofdfilm na de pauze, was een western, een Chaplin, een Tarzan- of een Superman-film. Bijna alle films waren nog zwart-wit. Kleurenfilms kwamen slechts druppelsgewijs vanaf begin jaren vijftig.

Op school werd het inzamelen van zilverpapier, afkomstig van chocoladerepen, actief aangemoedigd. Het zilverpapier werd in schoendozen aan zuster- of pater-econoom afgeleverd. Het zou gaan naar de negertjes in Congo. Bij zuster-econome stond een spaarpot die een negerboy voorstelde. Bij het inwerpen van een muntstuk ging het hoofd van het negertje aan het knikken en de tekst «Dank U» kwam te voorschijn.

In de stations hingen distributieautomaten met chocoladerepen van Meurice en Martougin. De onveranderlijke eenheidsprijs voor een reep chocolade was gedurende jaren vijf frank.

Begin jaren vijftig was er een gezelschapsspel « Diabolo ». Het was een dubbele kegel van rubber, in de vorm van een zandloper, die men al draaiende op een koord, waarvan de uiteinden aan stokjes bevestigd waren, op en neer bewoog, in evenwicht hield, in de hoogte wierp en weer op het koord opving. Mijn moeder was experte in dit spel en won verschillende kampioenschappen met rivaliserende kennissen.

Ieder jaar in oktober werd op de Grote Markt in Antwerpen de *vette os*, op een speciaal daarvoor gebouwde bascule, gewogen. De zwaarste os kreeg de hoofdprijs en de slager die het dier aankocht mocht mee op de foto, die in alle kranten prijkte en uiteraard op de toonbank van de eigenaar-slager. In vele gevallen was het Restaurant Panaché die het dier aankocht.

Ieder jaar met Sinksen ging de ganse familie naar de *Sinksenfoor* op de gedempte zuiderdokken. Een der attracties was een vertoning van *de lutte met den beer*, waar een oude, tamme beer, zonder tanden en met afgeknipte klauwen, de strijd met een worstelaar, die het arme dier sinds jaren volledig mak had gemaakt, aanging. Op dezelfde attractie konden waaghalzen in de ring treden, om het op te nemen tegen een bokser of worstelaar. Bij overwinning kreeg de waaghals een beloning van 500 frank. Mijn vader nam ons ook mee naar een fotoschietkraam, waar hij steevast een foto schoot. Andere klassieke attracties waren het spookhuis, het spiegelpaleis en de *botsautootjes*. Bij Adriaantje, een gebakkraam met consumptiezaal, kregen we oliebollen of «Lackmans».

Bobonne Van Roey had een recept voor compote van peren met pruimen, die ze iedere herfst maakte. In de familie was deze compote gekend als « PP ». Mijn moeder kon zeer goed koken. Uitzonderlijk waren haar gevulde tomaten, kalfsfricassee, frikadellenkoek en rosbief. Befaamd was ook haar poularde : mijn moeder kocht geen kip, maar een poularde, die ze alleen bij de poelier Proost in de Korte Gasthuisstraat haalde. Tijdens de wintermaanden kregen we iedere dag een soeplepel levertraan. Deze melkwitte olie in een glazen fles stond boven op de koelkast en mijn moeder beweerde dat het brouwsel heel veel vitaminen bevatte en supergezond was. Het was een tijd dat de melkboer met paard en kar, met daarop grote melkbussen met verse melk, iedere dag aan huis kwam. Uit de melkbussen schepte de melkboer met een maatbeker van een halve of een hele liter de melk en goot die in een aluminium pot over.

In onze straat kwam ook een soepverdeler met, iedere dag, verse soep. Die bracht hij in aluminium kannen op een bakfiets. De soepfabriek was gevestigd in de Kerkstraat en heette Soep Van Boom. Oorspronkelijk was deze Van Boom slager. Hij had echter zo veel succes met zijn zelfgemaakte soep, dat hij na verloop van tijd meer dan honderd bakfietsen had rijden, die heel Antwerpen van verse soep voorzagen. Met de opkomst van verpakte gedroogde soep van «Royco» was zijn doodvonnis getekend. Toen even later soep in blik op de markt kwam kon Van Boom het faillissement niet meer afwenden. In Antwerpen sprak men van de zotte Van Boom. Hijzelf beweerde dat zolang men sprak over zotte Van Boom hij soep zou verkopen. Toen hij al lang geen soep meer verkocht, bleef het plebs zotte Van Boom zeggen.

Mijn moeder weigerde zelf linnen te wassen, ook na de opkomst van de elektrische wasautomaten begin jaren vijftig. *"De was uit huis"* was haar devies. Wekelijks kwamen de Gebroeders Goossens het vuile linnen in een grote, rechthoekige rieten wasmand die aan Falstaff deed denken, aan huis afhalen en terugbezorgen. Mijn moeder was verzot op faits divers, zij las *"Paris Match"* en *"Point de Vue"* omdat in deze tijdschriften alle mogelijke en onmogelijke roddels eerst aan bod kwamen.

Mijn moeder was er als de kippen bij om de allerlaatste nieuwe huishoudhulpjes aan te schaffen. Na de tweede wereldoorlog kwamen vele nieuwe huishoud- en keukenapparaten op de markt. Mijn moeder volgde nauwgezet iedere technische verbetering op de voet. Zij kocht steeds het nieuwste model van sledestofzuiger, keukenmixer, vruchtenpers, druksnelkookpan, elektrische koffiemolen, braadslede in onbreekbaar glas « PYREX » en nog vele andere utensiliën.

Op 20 november 1951 kocht mijn vader het woonhuis met magazijn aan de Helmstraat 12 van eigenaar Roevens. Het was de aanzet tot het opkopen van alle huizen die hoek vormden met de Turnhoutsebaan. Dit opkopen zou pas in 1994, drieënveertig jaar later, een einde nemen, door de aankoop van de hoek zelf, het handelsgelijkvloers Turnhoutsebaan 63. Roevens leefde gescheiden van zijn vrouw en weigerde alimentatiegeld te betalen, waarop mevrouw Roevens beslag liet leggen op alle inkomsten van het pand Helmstraat 12, inclusief de koopsom. Dit alles werd netjes geacteerd door de notaris in de verkoopacte. De koopsom ging uiteraard naar de notaris, die, overeenkomstig de wettelijke bepalingen, de verdeling tussen het echtpaar Roevens deed.

Een film die ik begin jaren vijftig meer dan één keer zag, was *"The great Caruso"* met Mario Lanza in de titelrol Enrico Caruso. De aanzet tot mijn levenslange belangstelling voor het medium opera komt zonder enige twijfel door deze film. Even later, in 1953, kwam de eerste film in cinemascope *"The robe"* met Victor Mature en Richard Burton. Het brede beeld en de schitterende kleuren van Technicolor maakten sensatie. Het was de bedoeling van de filmindustrie om met dit brede beeld de opkomst van het nieuwe medium televisie te counteren.

In dezelfde periode kwam nog een andere nieuwigheid op het gebied van film : de 3 D film, de drie dimensionele film. Bij de ingang van de bioscoop, kreeg je een kartonnen bril met een groen en een rood glas. Door de bril op te zetten tijdens het draaien van de film kreeg je een dieptegevoel en tevens de indruk dat de personages uit het beeld kwamen. De eerste film in 3 D was *"House of wax"* met Vincent Price. Het systeem heeft geen stand gehouden, het procédé was te omslachtig en het repertoire te beperkt. Van de verschillende breedbeeldsystemen bleef alleen cinemascope overeind.

Rond deze tijd kreeg ik een fiets in bordeauxrood van «The gold lion», een fietsenwinkel in de Lange Beeldekensstraat. Mijn fietsritten vanuit de Helmstraat gingen hoofdzakelijk naar het Rivierenhof in Deurne, waar vele mogelijkheden waren en waar ik alle fietsweggeltjes kende. Ik ontdekte er een doolhof en een openluchttheater.

Omstreeks 1952 was er een rage rond een jongensachtig dameskapsel genoemd Bobby kop, geïnspireerd op de *Bubikopf* uit de jaren dertig. Doris Day, een Amerikaanse filmactrice, maakte furore met deze pagekop. Van zodra een kapper in Antwerpen het kapsel in zijn repertoire had, liet mijn moeder zich dit knippen.

Het was de tijd dat ik geregeld het Jeugdtheater, geleid door Corry Lievens, gekend als Tante Corry, bezocht. Er werden sprookjes en jeugdtoneel opgevoerd. Tijdens de pauze kwam Tante Corry vóór het doek kinderliedjes zingen. Telkens kreeg zij heel de zaal mee om samen met haar te zingen. Het Jeugdtheater was gevestigd in de Huurschouwburg op het Kipdorp. Deze schouwburg, gebouwd in 1869, waarin voorheen het Nederlandsch Lyrisch Tooneel en de Nederlandsche Schouwburg gevestigd waren, werd in 1960 door monumentenmoordenaar Lode Craeybeckx afgebroken om er een smakeloze kantoortoren op te richten. Er kwam een nieuwe stadsschouwburg, aan het Hopland, een onpersoonlijke betonnen bunker met twee zalen met slechte akoestiek.

Door mijn sociaal onaangepast karakter belandde ik, voor korte tijd, als intern, in het Sint-Michiels-College in Vriesdonk. Een zekere Pater Jans had het speciaal op mij gemunt en dacht me te kunnen temmen met een houten kleerhanger, waarmede hij mijn posterieur bewerkte. Toen ik mij daarover beklaagde bij de overste, werd de man gedegradeerd en zou hij voor de rest van zijn miserabel bestaan, vuilnisbakken buitenzetten en leerlingen per autocar naar het zwembad begeleiden.

HOOFDSTUK VII.

Het Collège Cardinal Mercier 1952-1955.

Kort nadien, in september 1952, werd ik als intern, samen met mijn broer
Marco, op het Collège Cardinal Mercier in Braine l'Alleud, één der beste
colleges van België, ingeschreven. In dit college volgde ik de drie laatste
leerjaren van het lager onderwijs. Van de overschakeling van Nederlandstalig
naar Franstalig onderwijs heb ik niets gemerkt. Ik kreeg een kleine Larousse, de
zogenoemde *Nouveau Petit Larousse*, en daarmee moest ik het doen. Mijn vader
heeft toen de opmerking gemaakt, of het niet beter was een vertalend in plaats
van een verklarend woordenboek te kopen. Hierop werd door de leiding arrogant
en negatief geantwoord. Ik was tien jaar oud en kende zo goed als geen Frans.
De opmerking van mijn vader was volkomen terecht, maar ik zat op het college
van de Waalse Vlamingenhater Mercier. Van hem was de uitspraak :
La Belgique sera latine ou ne sera pas. De man heeft zich in zijn
bekrompenheid verregaand vergist, vermits België nog bestaat en niet Latijns is
geworden. Dit laatste kan men misschien betreuren als je het niveau van de
meerderheid der Vlamingen ziet. Alleszins was Mercier een eng mannetje dat
zijn roem te danken heeft aan de gekende postzegels.

Mijn vader had zijn studies volledig in het Frans gedaan, de lagere school in
Marseille en de middelbare school in Antwerpen in het Collège Albert I. Voor
het zakenleven achtte hij het noodzakelijk dat ik de Franse taal goed zou kennen.
Mijn vader las gedurende een tijd *Le Matin*. In Antwerpen bestonden toen nog
twee Franstalige kranten : *Le Matin* van liberale strekking en *La Métropole* van
katholieke strekking. Later schakelde mijn vader over op de
Gazet van Antwerpen. Mijn vader las ook lange tijd *'t Pallieterke*, een satirisch
weekblad van christelijk Vlaams-nationale strekking, waarin vrij scherp
politieke en culturele personen en instellingen werden gehekeld. *'t Pallieterke*
was onafhankelijk, ongebonden en weigerde iedere vorm van reclame.

In het Collège Cardinal Mercier moest je tijdens de lessen ook alles opschrijven
in een schrift. Je moest ook letters schrijven bovenaan iedere bladzijde links in
de marge. Maar hier waren het andere letters : «A.M.D.G.» Deze letters stonden

voor *Ad majorem Dei gloriam*, wat zoveel als *Tot meerdere glorie van God* betekend. Dit was al serieuzere kost dan het *Jezus, Maria, Jozef* van het Sint-Jan Berchmans-College. Het maakte ook meer indruk, omdat ik aan tien jaar nog onvoldoende Latijn kende om te begrijpen waarover het ging. Om de letters «A.M.D.G.» te onthouden waren er verschillende alternatieve versies. De versie die mij het meest aansprak was : *Adam melkt de geit.*

De opvoeding op het Collège Cardinal Mercier was rigide en streng katholiek. Het college werd geleid door abbés, toen nog in soutane. Enkele leraren waren geestelijken, de meerderheid was toen reeds leek. Je kreeg er een hoge morele waarde mee. Iedere ochtend was er, in de kapel van het college, verplicht bijwonen van de eucharistie, in het Latijn, en op kerkelijke feestdagen een reeks *ora pro nobissen*.

Het lezen van boeken werd door het college, met een eigen bibliotheek, aangemoedigd. Op woensdag- en zaterdagnamiddag werd de mogelijkheid geboden boeken uit de collegebibliotheek te ontlenen. Uiteraard bevonden er zich in de bibliotheek uitsluitend boeken goedgekeurd door het bisdom, met het keurmerk *imprimatur*, de toestemming om gedrukt te mogen worden. Boeken zonder toestemming kwamen op de index, een lijst van verboden boeken. Eén van die verboden boeken was *"Quo vadis"* van Henryk Sienkiewicz, een pseudo-historische roman over de christenvervolging tijdens het Romeinse keizerrijk. Wat verboden is trekt aan, vooral als het een boek is.

Een exemplaar van dit boek circuleerde op het college onder de internen. Ik slaagde erin het boek gedurende enkele dagen te lenen. De gewraakte passage, waardoor het boek op de index beland was, was aangeduid met een kruisje. Het betrof een scene in de arena, waarin christenen voor de leeuwen werden geworpen. De tuniek van het vrouwelijk hoofdpersonage, vastgebonden aan een paal, geraakte tijdens een gevecht tussen een stier en de mannelijke held verscheurd, waardoor het bovenlichaam van de zeer aantrekkelijke vrouw in kwestie vrij sterk ontbloot werd. De scene was kleurrijk en aantrekkelijk beschreven en dit was de reden waardoor het boek op de index was geraakt.

De internen mochten om de twee weken een weekeinde, van zaterdagmiddag tot zondagavond, naar huis. De reis heen en terug verliep per trein van Braine l'Alleud tot Antwerpen Centraal. Naar het station van Braine l'Alleud werden we per minibusje gebracht.

De internen werden in groepen volgens leeftijd ingedeeld : de allerjongsten, van zes tot tien jaar, kwamen terecht in *"Le groupe des petits"*. Vervolgens ging het steeds hogerop naar de groepen *"Les juniors"*, *"Les moyens"* en *"Les seniors"*. Iedere groep had zijn eigen huisvesting in een eigen gebouw met daarin een studieruimte, een slaapzaal met eigen sanitair, een ontspanningsruimte en enkele kamers voor de leiding. De eetzalen waren gegroepeerd rond de grootkeuken in een afzonderlijk gebouw. Alles was binnen de omheining van een domein, dat zich over verschillende hectaren uitstrekte en uit zeven gebouwen bestond. Buiten de groepsgebouwen, waren er een kapel, een kantoorgebouw voor directie met individuele kapellen en het eigenlijke hoofdgebouw, centraal gelegen, met de klaslokalen, bibliotheek, filmzaal en algemene turnzaal. Tussen de gebouwen lagen sportterreinen, waaronder een voetbalveld, een hockeyveld, een volleybalveld, een basketbalveld, twee tennisterreinen en een zwemdok.

Aanvankelijk werd ik in de *"Groupe des petits"*, samen met mijn broer Marco, ondergebracht. Deze groep stond onder het gezag van Mademoiselle Smits, een bazig, lelijk, betweterig, onvriendelijk manwijf met een wrat op haar kin. De enige vrouw in het college, voor zover vrouw.

Na enkele maanden mocht ik overstappen naar de *"Groupe des juniors"*. Mijn broer Marco bleef in de *"Groupe des petits"*. De *"Groupe des juniors"* stond onder de leiding van l'abbé De Wolf en had een apart gebouw in het domein van het college. L'abbé De Wolf had een vroeg grijs kalend hoofd, was een verstokte roker en daardoor voortdurend in ademnood bij de geringste inspanning. De slaapzaal, *le dortoir*, was immens groot, met twee lange rijen bedden, voet aan voet, gescheiden door een brede loopgang, waardoor de opzichter, bij het slapengaan, na het doven der lichten en de laatste aanmaning *silence*, een kwartier lang heen en weer liep om de stilte te doen naleven en toe te zien dat alle internen met de handen boven de lakens sliepen, om de verleiding tot masturberen te verminderen.

De maaltijden waren stipt op vaste uren en in de grootste orde en discipline. Ontbijt en avondmaal waren broodmaaltijden met afwisselend kaas, charcuterie, stroop en confituur. Het was toegestaan om van thuis extra's zoals honing, peperkoek of chocopasta mee te brengen. Deze extra's stonden in een speciaal daarvoor ontworpen rek met vakjes, een vakje voor iedere intern.

Bij het begin van iedere maaltijd was er zwijgplicht tot het ogenblik dat de opzichter het signaal *vous pouvez parler* gaf. Er werd tijdens de maaltijden nooit geroepen. Er heerste altijd de grootste orde en tucht.

Door het nationale melkoverschot kwam een drink-meer-melk-campagne op gang. Tijdens de recreatie werden kleine glazen flessen melk van 0,25 l tegen betaling aan de leerlingen aangeboden.

Het was de tijd van de schoolstrijd tussen staats- en vrij onderwijs. De Waalse socialistische minister van onderwijs Leo Collard, wilde de subsidies aan het katholieke onderwijsnet terugschroeven ten voordele van het officiële onderwijsnet. Dat was gerekend zonder de waard. Er werden acties gevoerd in alle katholieke scholen : «Neen Collard – Non Collard». Er volgden betogingen, stakingen, Collard werd uitgespuwd en weggehoond en moest uiteindelijk aftreden. Er kwam nooit een wijziging in het subsidiesysteem en Collard wordt nog steeds uitgespuwd.

Het was ook de tijd dat de acties van l'abbé Pierre in Parijs in het nieuws kwamen. Er was bewondering voor de manier van diens hulp aan daklozen en behoeftigen en de oprichting van het *Centre d'Emmaüs* met de inzameling van lompen en oude kleren. Het werd een overdonderend succes en l'abbé Pierre kreeg steun uit gans de wereld.

Op een dag moest ik, ten gevolge van een berisping, bij l'abbé De Wolf, na de studie op zijn bureau komen. In deze kamer stond in het midden een grote schrijftafel, in de hoek links erachter een veldbed en tegen een brede muur een imposant muziekmeubel van enorme afmetingen. Dit meubel, in donker glanzend fruitbomenhout, intrigeerde mij dusdanig, dat ik er een vraag over stelde. Het meubel was samengesteld uit een zeer uitgebreide radio-ontvanger, een versterker, een ingebouwde automatische platenspeler, twee luidsprekers en bergvakken voor grammofoonplaten. Doordat ik een vraag stelde, mocht ik, voor de eerste keer in mijn leven, naar klassieke muziek luisteren. L'abbé De Wolf legde een plaat op en ik mocht op een stoel zitten en luisteren. Het was de *Appassionata* van Beethoven. Het stuk duurt ongeveer twintig minuten en ik mocht de grammofoonplaat tot het einde beluisteren. Ik was elf jaar oud en Beethoven was de eerste componist met wie ik bewust in aanraking kwam. Ik was zeer sterk onder de indruk van deze muziek.

Tijdens lange winteravonden werden allerlei spelen en bezigheden georganiseerd. Men kon kaarten, dammen, schaken, domino spelen, Monopoly en nog vele andere spelen. Op zaterdagavond las l'abbé De Wolf voor, vóór de immens grote open haard, uit *"Le mouron rouge"*, een pseudo-historische roman van barones Orczy, een Hongaarse, die Richard Wagner tijdens haar jeugd nog had ontmoet. Het verhaal speelt zich af tijdens *la terreur*, het schrikbewind van Robespierre en beschreef de kunst van een Britse lord, Percy Blakeney, die de Franse adel van onder de guillotine redde en vervolgens naar Engeland begeleidde en telkens de Franse politie verschalkte. De voordrachtkunst van l'abbé De Wolf was zo boeiend en overtuigend dat ik me het boek aanschafte en las.

Onder het directiegebouw bevonden zich in een soort kelderverdieping verschillende kapellen waar de geestelijken dagelijks hun eucharistie celebreerden. Dat waren korte stille missen, waarvoor een misdienaar nodig was. Voor l'abbé De Wolf heb ik enkele keren als misdienaar moeten fungeren.

Op het einde van ieder schooljaar was er een groot feest voor de ouders, *"la fête des parents"*. Te dier gelegenheid werd er een toneelvoorstelling door de leraren en de laatstejaars studenten gegeven. Ik herinner me twee toneelstukken, het ene was *"Michel Strogoff"* naar een roman van Jules Verne, het andere *"Le bossu"* naar een roman van Paul Féval. Dit laatste werd in 1959 verfilmd met Jean Marais in de titelrol. Het Collège Cardinal Mercier gaf een algemene culturele bagage mee.

Op zondagen werden in de filmzaal van het college films geprojecteerd. Het waren meestal heiligen- of bijbelfilms, waaronder *"Bernadette van Lourdes"*, *"Fatima"* en *"Monsieur Vincent"* met Pierre Fresnay in de titelrol, het leven van Vincentius a Paulo. Westerns kwamen voor, Tarzan was ten strengste verboden vanwege de schaarse kleding van Jane. Door het verbod werd de aandacht nog meer op de mooie benen van Jane gevestigd.

's Winters maakten we karamel, die, op de vooraf schoongemaakte blauwe steen van de immens grote schoorsteenvloer, uitgegoten, en, afgekoeld, in rechthoekige stukken gesneden werd.

Na de lessen, in de late namiddag, vóór de studie, was er iedere dag verplicht een uur sport. Er werden ploegen gevormd en ik werd ingedeeld bij de voetbalploeg. Dit was niet mijn sterkste kant en ik vroeg aan de verantwoordelijke overplaatsing naar de hockeyploeg. De overplaatsing werd ingewilligd en ik kreeg een hockeystick van mijn ouders. Het was wel een verbetering tegenover voetbal, maar na verloop van tijd vond ik die stok te gevaarlijk.

Ik vroeg weer overplaatsing naar een andere sport, het kon mij niet meer schelen welke sporttak het zou worden. Dit werd onmiddellijk ingewilligd, omdat de leiding mij intussen totaal ongeschikt voor sport achtte. Ik kwam nu terecht in de volleybalploeg. Dit vond ik een leuke sport, ik moest niets doen, tenzij een beetje rondhuppelen, de bal heb ik in drie jaar tijd vermoedelijk twee keer geraakt. Voor de andere spelers was ik totaal nutteloos, wat ik als een voordeel aanzag.

Aan fantasie ontbrak het de opvoeders nooit. Tijdens de vele vrije uren werd op één der recreatieterreinen, door de internen, een houten chalet gebouwd. Ik behoorde toevallig tot de bouwploeg en, gelet op mijn leeftijd, elf jaar, mocht ik planken uitzoeken en aandragen en spijkers en schroeven zoeken. Het ernstige timmerwerk werd door internen van een hogere leeftijdsgroep uitgevoerd. Voor de chalet bevond zich een grote cirkelvormige vijver, waarin zelfgemaakte zeilbootjes te water werden gelaten. Ik gaf de voorkeur aan een zelfgemaakt vlot, bestaande uit takken en een mast met zeil er middenin.

Er waren niet alleen varende, maar ook vliegende experimenten met miniatuurvliegtuigjes met minuscule benzinemotoren en afstandsbediening. Na urenlang opwarmen van de motor door middel van het aanzwengelen van de propeller, kreeg je het ding één of twee minuten in de lucht. Het neerstorten van de toestelletjes was schering en inslag, waarna de trotse eigenaars weer urenlang konden herstellen en opwarmen. De bezitters van de vliegende machines waren rijkeluiszoontjes. De minder bevoorrechte kameraadjes mochten toekijken.

Door de vele animatie die geboden werd, werd je weggehouden van verderfelijke ontucht. Foto's van filmsterren werden onder de internen gretig verzameld en geruild. Deze activiteit was ten strengste verboden, vooral wanneer de filmsterren dames met weelderige boezems waren. De sterk gedecolleteerde boezems kregen veel aandacht. Bij het ruilen, moest je, om een zeer zwaar gedecolleteerde boezem te kunnen verkrijgen, minstens twee prenten aanbieden, zo niet drie. Dit was de zwaarste ontucht die op het college werd bedreven.

Het verzamelen van chromo's uit chocoladerepen was wel toegestaan. De onderwerpen van de chromo's varieerden tussen de geschiedenis van Buffalo Bill, indianenstammen en -stamhoofden, locomotieven, automobielen, schepen en wilde dieren uit Afrika.

De lessen op het college werden bijgewoond door de internen samen met externen uit de omliggende gemeenten Braine l'Alleud, Waterloo en

Mont-St.-Jean. Het college was tussen deze drie gemeenten gelegen, op een heuvel, niet ver van het slagveld van Waterloo.

Onze leraar geschiedenis nam ons geregeld mee naar het slagveld en gaf met een onwaarschijnlijke precisie aan waar Wellington had gestaan en van waar Blücher kwam opdagen en uiteraard waar Napoleons hoofdkwartier was opgesteld. Napoleon had weliswaar deze veldslag verloren, toch werd hij steevast als de held aanzien.

De spaarzin werd door de leiding aangemoedigd door een bezoek aan het hoofdpostkantoor van Braine l'Alleud. Daar werd de gelegenheid geboden om een spaarboekje van de ASLK, de Algemene Spaar- en Lijfrentekas, te openen. Ik opende effectief op 24 november 1953 een spaarrekening en mijn eerste storting was 80 frank. Aldaar op 24 november 1953 is mijn spaarzin ontstaan.

Ieder jaar in juni was er een schooluitstap per autocar naar een bezienswaardigheid. Op deze manier bezochten we de stuwdam van de Gileppe en de grotten van Han.

Begin februari 1953 wordt mijn moeder geopereerd aan de galwegen door Joseph Van Dael, broer van Oscar Van Dael, chirurg en lid van de Club der XII. Tijdens de operatie werden dertien galstenen ter grootte van een hazelnoot uitgehaald. Volgens de overlevering zou mijn moeder vóór de operatie zware galcrisissen hebben geleden.

HOOFDSTUK VIII.

Mijn communie.

Op 5 juni 1954 werd ik in de kapel van het college gevormd door hulpbisschop, later aartsbisschop, kardinaal en primaat van België, Joseph Suenens. Mijn plechtige communie was een traditionele feestelijkheid. Ik kreeg een grijs flanellen maatpak van meester-kleermaker Dhont uit de Osystraat. De stof werd door mijn moeder zorgvuldig uit een reeks staalboeken gekozen en ik kreeg drie passessies. Ik kreeg een missaal van fijn blauw leder en gedrukte bidprentjes. Ik kreeg een communiefeest in de salons De Laet in de Lamorinièrestraat.

Gans de familie zat aan aan het banket. Aan het hoofd van de tafel mocht ik zitten. Links van mij zat mijn meter, bobonne Van Roey, en rechts, waar mijn peter had moeten zitten, mijn moeder. Naast mijn moeder zat mijn peter André Cassiers. In totaal waren er 31 genodigden. Van vaders kant, mijn peter, diens vrouw Elza De Vos met dochters Jacqueline en Denise. Van moeders kant, mijn grootouders, bon-papa Alex Van Roey en bobonne Pauline Van Assche. Verder alle nog levende zusters van mijn grootmoeder met hun kinderen en kleinkinderen. De oudste, tante Bertha met haar twee dochters Paula en Gaby, beide ongehuwd; tante Marie uit Hingene met beide dochters Josine en Paula, deze laatste met haar man Julien De Proft, kinderloos en tot slot de twee dochters van tante Julia zaliger, tante Yvonne, ongehuwd en tante Juliette met haar man François Willemsens met hun vijf kinderen Annie, Mimine, Brigitte, Roberte en Pierre.

Van peter André kreeg ik een luxe bruin lederen boekentas van Delvaux. Nonkel André had een zelfstandig exportkantoor voor zeetransport van staal naar Zuid-Amerika en was geassocieerd met Coutinho, Caro &C° uit Hamburg. Met Nieuwjaar kreeg ik van hem een bankbiljet van vijfhonderd frank uit zijn immens grote zwart lederen portefeuille, samen met een envelop met postzegels van Zuid-Amerikaanse staten. Nonkel André deed altijd zeer gewichtig en had de allure van een diplomaat. Hij droeg steeds perfect op maat gesneden grijze pakken. Hij sprak ook steeds zeer voornaam en zijn Nederlands was dat van een francofoon die zeer goed Nederlands kent. Ik was er trots op dat de broer van mijn vader van hetzelfde formaat was.

Van Nonkel François kreeg ik een bruin lederen onderlegger met zwart marmeren pennenhouder. Van tante Bertha kreeg ik een zwarte Parker vulpen met vergulde dop.

HOOFDSTUK IX.

Het jaar 1953.

Mijn moeder had begin jaren vijftig een meid en een werkster. De meid heette Valentine, een slanke brunette met lang krullend haar. Met het weekeinde, van zaterdagmiddag tot zondagavond, mocht ze naar haar ouders. Ze mocht ook op zaterdagvoormiddag een bad nemen. Reeds vroeg geïnteresseerd in vrouwelijk schoon, keek ik door het sleutelgat van de badkamerdeur, terwijl Valentine in bad zat. De werkster heette Rosa Saeys en kwam twee keer per week met de buurtspoorweg van Blaasveld naar Antwerpen. Zelf had ze geen kinderen, maar was er wel dol op. Dikwijls bracht ze kleine geschenken voor me mee, tegen de zin van mijn moeder, die vond dat hard werkende mensen, hun zuur verdiende centen niet aan onnozelheden moeten uitgeven. Haar man, Fons Saeys, werkte voor mijn vader van 1961 tot 1965 als vrachtwagenchauffeur.

Op de hoek van de Turnhoutsebaan met de Kerkstraat was een ijzerwinkel gevestigd. De eigenaar ervan had een kalend hoofd met een grote lok haar er overheen om zijn kaalheid te camoufleren. Diens vrouw was uiterst koket opgedirkt en zwaar geschminkt en zag eruit als Olympia uit Hoffmanns Vertellingen. Mijn moeder noemde het paar *de pop en de krul*.

Op vrije zomerdagen ging mijn moeder met de drie kinderen naar Sint-Anna-Plage, in de volksmond Sint-Anneke, op de linker Scheldeoever. We namen een Flandria overzetboot, de zogenaamde Sint-Annekensboot, die vertrok vanaf het ponton Steen en voer naar de linkeroever. Op Sint-Anna-Strand was er een lange avenue, parallel met de Schelde, met een rits tavernes en restaurants. Op het einde van de wandeldijk was er het openluchtzwembad «De Molen». Aansluitend aan het dok was er een ligweide. Er was een mini golfbaan, een renbaan in de vorm van een arena voor gocarts en een vaarsloot met sloepen voor één persoon. In de vaarsloot werd het water in beweging gebracht door een watermolen, zodat de sloepen vanzelf hun weg in de vaargeul volgden. Om in een sloep te stappen, was er een sluis parallel met de vaargeul. Na het instappen duwde de eigenaar van de attractie het bootje terug in de vaargeul.

Op zondagen gingen mijn ouders samen met het paar Luc Deleu –
Hilda Henrard naar het voetbal. Zij waren supporters van voetbalclub Berchem
Sport, die in eerste divisie speelde. Antwerpen telde toen drie voetbalclubs in
eerste divisie : Antwerp, Beerschot en Berchem. Nieuwsgierig zoals ik was, wou
ik een voetbalmatch bijwonen. Om voetbal in die tijd te kunnen zien moest je
naar het voetbalstadion, televisie bestond niet en voetbal op televisie nog veel
minder. Ik heb dan één keer in mijn leven een voetbalmatch gezien op het
stadion van Berchem Sport. Het was de eerste keer en de laatste keer : ik vond
voetbal hoegenaamd niet interessant genoeg om je daar mee bezig te houden.
Het was een periode dat de interland voetbalmatchen tussen België en
Nederland erg populair waren. Toen was de nationale Belgische voetbalploeg
nog vrij goed. Het was een tijd dat Rik Coppens aanzien werd als één van de
beste voetballers aller tijden. Deze Rik Coppens zat ook in het nationale elftal.
Telkens er een interland België-Holland was won België, dat sterker was dan
Nederland. Wanneer België consecutief te veel matchen gewonnen had van
Nederland, deed België een geste door Nederland ook eens met een score van
0 – 1 te laten winnen, kwestie van de Hollanders niet met nog meer frustraties
op te scheppen. Het waren per slot van rekening ook nog handelspartners.

Dit alles gebeurde in het jaar 1953, in menig opzicht een opmerkelijk jaar. Het
jaar was niet goed begonnen : op 1 februari was er op de Noordzee een zeer
zware zeestorm met overstroming van Zeeland en Zeeuws-Vlaanderen. Het
Zwin, Knokke en Oostende hadden fors geleden, maar Nederland had de
zwaarste verliezen en overstromingen gekregen. Als gevolg van deze
overstromingen werd een aanvang genomen met zeer uitgebreide deltawerken in
Nederland. Het jaar 1953 was het jaar van de doorbraak van Marilyn Monroe als
seksssymbool. De viewmaster deed zijn intrede in België. Het was een
toestelletje om diapositieven op een ronddraaiende schijf gemonteerd, in 3D,
door een kijkvenster te zien.

Het is de tijd van de oorlog in Korea, waarheen België in opdracht van de VN,
troepen stuurt. Tegen het einde van de Koreaanse oorlog ontstond even de vrees
voor een nieuwe wereldoorlog. Door de paniek viel België in een
hamsterwoede. Mijn moeder, wereldoorlog II indachtig, deed ijverig mee aan
het hamsteren en begon een voorraad rijst, meel, koffie, cacao, thee, zout,

deegwaren en suiker, alles niet bederfelijke waren, aan te leggen. Bij de gigantische hoeveelheden suiker die op zolder werden opgestapeld, deed mijn vader de grappige opmerking dat België in verhouding tot zijn bevolking de grootste producent van suiker ter wereld was en dat er vermoedelijk nooit een tekort, laat staan een rantsoenering van suiker, in tijden van oorlog, zou komen.

HOOFDSTUK   X.

Mijn vader en paardrijden.

Vanaf 1952 begon mijn vader, als ontspanning, terug paard te rijden. In den beginne reed hij op huurpaarden van de stallingen van «In 't Witte Paard» in 's Gravenwezel, op de Schilde steenweg, een etablissement met taverne, terras, stallingen en piste. Daar heb ik een poging om paard te rijden ondernomen. Het is bij die ene poging gebleven. Mijn jongste broer Marco had meer aanleg en kon onmiddellijk met het paard overweg. Hij was ook sportiever dan ik en nam rijlessen. Later begon hij hindernissen te nemen, nam deel aan concours hippiques en werd een uitstekend ruiter.

Aanvankelijk maakte mijn vader paardenritten, samen met een vriend uit de kegelkluis, Oscar Van Dael, in de bossen en op de heide in de omgeving van het Witte Paard, die toen zo goed als onbewoond was, op enkele alleenstaande villa's na. Zij maakten omvangrijke ritten tot aan het fort van 's Gravenwezel, beter gekend als Schilde Strand, een plas water met kleedcabines en zwem- en roeimogelijkheden, en langs de Zwanebeek tot aan 't Hof van 's Gravenwezel. Enkele jaren later kocht mijn vader een eigen paard en stalde het in het 's Gravenhof, een taverne met stallingen en een grote piste, op het einde van een lange, enge kasseiweg, achter het Kattenhof. Nog later verplaatse mijn vader zijn paard naar de Brasschaat Riding Club op de Donkse Steenweg. Daar was een buitenpiste en een grote overdekte piste met galerie voor het publiek. Het paardenvolk, zoals mijn vader fanatieke paardenliefhebbers noemde, was hem in het 's Gravenhof net iets te gemeen geworden. Een illustere figuur uit die periode was Mariette Withages, een hartstochtelijk paardenvolkmens, jurylid in menig dressuurwedstrijd.

De smaak van het paardrijden had mijn vader tijdens zijn legerdienst bij de ruiterij opgedaan. Mijn vader heeft verschillende sporten beoefend, maar het paardrijden bleef zijn leven lang de belangrijkste sport. Later specialiseerde hij zich in dressuur, waarin hij een meester was, te danken aan zijn geduld. Het werd gelukkig op smalfilm vastgelegd.

Na zijn legerdienst heeft mijn vader gezeild, samen met vrienden, op de Oosterschelde. Einde jaren dertig begon hij te kegelen, ook met vrienden. Zij vormden een kegelclub en waren met z'n twaalven. Het werd de «Club der XII». Zij oefenden in de kegelkluis in de kelders onder de Boerentoren. Iedere woensdagavond werd er geoefend en men kon op de Schoenmarkt het omvallen der kegels horen. De ganse familie ging op donderdagavond zwemmen in het zwembad Astrid in de Lange Gasthuisstraat. Mijn oudste broer Alex was lid van zwemclub Scaldis en nam deel aan interprovinciale zwemkampioenschappen.

In augustus 1953 ging de ganse familie met vakantie naar Echternach in het Groothertogdom. Het was de eerste keer dat gans de familie samen met vakantie ging. De heen- en terugreis werd met de Chevrolet gereden. De route was onveranderlijk vanuit Antwerpen over Mechelen en daarna via Waver en Gembloux tot Namen. Vanuit Namen ging het over Marche-en-Famenne en Barrière de Champlon naar Bastogne. Bastogne was steeds een zeer belangrijke stopplaats, vanwege de Patton-tank die daar nog stond, maar ook vanwege een slager die de beste Ardense ham van België verkocht. Vanuit Bastogne was de richting Arlon en daarna Luxemburg-stad. Echternach ligt midden een natuurpark aan de Sûre op de Duits-Luxemburgse grens. We logeerden in het Grand Hôtel aan de oevers van de Sûre waarin we iedere dag gingen zwemmen.

René Van Bastelaere kwam ons met echtgenote in Echternach bezoeken. In Echternach kreeg mijn oudste broer Alex een fototoestel Zeiss Ikon. Niet veel later kreeg ik ook een fototoestel Gevabox. Dit toestel van Gevaert Photoproducten was een kopie van de beroemde Kodak box. Memorabel is het feit dat René Van Bastelaere een filmcamera had aangekocht en in Echternach de familie Cassiers-Van Roey daar heeft vereeuwigd op de pellicule. Na de bezetting was er nog veel contact met het echtpaar Van Bastelaere. Het echtpaar bleef kinderloos en René Van Bastelaere had een verhouding met zijn secretaresse, Mevrouw Goens. Toen René Van Bastelaere overleed ging de fabriek over in handen van Mevrouw Goens.

HOOFDSTUK XI.

Het jaar 1954.

In 1954 huurde mijn vader een buitenverblijf in Westmalle. Het was een gezellig huisje, dat wij *"Het villake"* noemden, het had echter een heuse naam : *"Het eekhoorntje"*. Het was gelegen tegenover het Trappistenklooster, ter hoogte van de watertoren, op 200 meter van de Steenweg op Turnhout en had een grote tuin met aardbeien.

Op zaterdagmiddag kwam ik, samen met mijn jongste broer Marco, per trein vanuit Braine l'Alleud in Antwerpen-Centraal aan. Van daaruit namen wij de buurtspoorweg op de Rooseveltplaats richting Turnhout tot aan de Trappisten. De stopplaats van de tram was aan café *De Trappisten*.

Mijn ouders dronken graag tripel Trappist van Westmalle. In Brasschaat was ook een trappistenbier waarover mijn vader graag grapjes maakte. Het bier werd gebrouwen in de brouwerij «De Drie Linden». De brouwer heette Verlinden en hij leverde o.a. aan restaurant «De Linde». De eigenaar van het restaurant heette Van der Linden en naast het gebouw van het restaurant stond een lindenboom. Mijn vader sprak van trappist van de Drie Linden van Verlinden in De Linde bij Van der Linden onder de linde. Dit was het soort grapjes waarvan mijn vader een waarmerk van maakte.

Op verlengde weekeinden, met Pasen, Pinksteren en Maria Hemelvaart ging de ganse familie naar de Ardennen of naar de Belgische kust. Vele van deze uitstappen gingen naar Val de Poix in de buurt van Saint-Hubert, naar Houffalize in de buurt van Bastogne of naar Noirefontaine in de buurt van Bouillon.

Uitstappen naar de Ardennen met overnachting in een Hotel-Restaurant waren meestal in het gezelschap van Luc Deleu en diens vrouw Hilda Henrard. Mijn vader reed met de Chevrolet en Luc Deleu met een lichtgrijze Citroën traction avant 13 CV, gekend als de gangsterauto. Deze autoritten begonnen zeer vroeg in de ochtend en waren van lange adem. Er waren nog geen autosnelwegen en de meeste wegen waren met Quenast-kasseien bestraat. Geasfalteerde wegen waren uitzondering. Een auto was een luxe en het verkeer op de wegen was beperkt. Door de slechte staat van de wegen en door de kasseien was een snelheid boven de 80 km per uur zo goed als onmogelijk. Een snelheid van 100 km per uur was razend snel.

Tijdens de autoritten telde ik de tegenliggers die wij kruisten en ik kwam tot een gemiddeld aantal tussen twee mijlpalen lager dan één. Tussen Antwerpen en Mechelen was het gemiddelde aantal hoger dan tien, tussen Mechelen en Leuven was het minder dan tien. Hoe verder men naar Wallonië reed, hoe minder auto's er op de weg waren. De wegenwachters van Touring Wegenhulp verplaatsten zich met een motor met een zijspanwagentje, dat dienst deed als gereedschapskoffer. Bij het kruisen, op de weg, groette de wegenwachter iedere tegenligger met een gebaar van de linkerarm. Mijn vader was de enige autobezitter van de Helmstraat. Stationeren voor je eigen voordeur kon altijd.

Luc Deleu was ook lid van de «Club der XII» en tevens administratief beheerder van het Torengebouw. Boerentoren mochten we van hem niet zeggen, omdat hij dat denigrerend vond. Gans Antwerpen sprak wel uitsluitend over de Boerentoren. De benaming Boerentoren was ontstaan bij de oprichting in de jaren dertig. De Kredietbank was oprichter en eigenaar van het gebouw en aanvankelijk was deze bank de bank van de landbouwers. Daarvan de benaming Boerentoren.

Luc Deleu was een bizarre man, steeds gekleed met een golfbroek en een Burberry regenjas. Het was net Kuifje, ouder en met een kaal hoofd in plaats van een kuif. Hij dronk op taverne uitsluitend whisky, zelfs in Frankrijk, waar een whisky op café toen een fortuin koste. Hij reed zijn ganse leven lang in een Citroën traction avant en woonde op de 23e verdieping van het Torengebouw. Hij verzamelde postzegels en bezat prachtige epauletten en medaillons.

Op een dag mocht ik naar de epauletten en medaillons kijken, slechts even, daarna werd het album weer opgeborgen in een brandkoffer. Soms kreeg ik van hem een enveloppe met postzegels afkomstig van correspondentie uit de ganse wereld. Ik begon toen postzegels te verzamelen. Met de postzegels die ik van nonkel André had gekregen, had ik een aanvang van een verzameling. Na een tijdje zag ik in dat de ganse wereld verzamelen onzin was en beperkte me tot België, Nederland, Frankrijk en Duitsland. In een tweede stadium herleidde ik mijn verzameling tot Duitsland. Nog later beperkte ik het verzamelgebied tot Danzig en Beieren.

Danzig was echte filatelie. Het had een zeer korte bestaansperiode die liep van 1920 tot 1939 en viel in een tijd met intens postverkeer. Beieren was in zekere zin nog boeiender. Hoewel het samen met de andere Oude Duitse Staten in 1870 tot de Duitse Bond was bijgetreden, behield het zijn postsoevereiniteit tot 1920. Een postzegel bleef een prentje zolang het niet gediend had. Vanaf het ogenblik dat een postzegel gebruikt werd voor frankering van een zending werd hij een historisch document. Er stond een stempel op met de lokalisatie van de afzender en bovendien een exact tijdsmoment met datum en uur van verzending. Op dat ogenblik was het geen postzegel meer maar een historisch document. Het was geen postzegelverzameling meer, maar filatelie.

Een andere vriend van mijn vader, lid van de «Club der XII», was Gust Vanheste, handelaar in oliën en vetten. Hij leverde aan mijn vader motorolie en antivriesvloeistof voor de vrachtwagens. Olie verversen werd toen zelf gedaan, daarvoor ging je niet naar een garage. Gust Vanheste bezat een eigen merk motorolie «Lionoil» en deed alles zelf en alleen: inkoop, verkoop, inblikken, verpakken, leveren, factureren, ontvangen en boekhouden. Een eenmanszaak met eigen merk was in die tijd nog mogelijk. Gust Vanheste was een imposante, grappige, Antwerpse figuur met zware snor.

Dit alles gebeurde begin jaren vijftig, de tijd van mijn kinderjaren. Een tijd waarin een vloereke één frank en een pak friet vijf frank kostte. Een tijd waarin een tramrit 2,75 frank tijdens de week en drie frank op zondag kostte. Het was de tijd dat mijn vader aan de koffietafel Luikse stroop *armemensenrookvlees* noemde. Het was de tijd dat Circus Krone op het Sint-Jansplein met leeuwen, tijgers en olifanten optrad en met orkest met kapelmeester speelde.

Het jaar 1954 was voor Frankrijk het jaar van het einde van de oorlog in Indochina, het was het jaar van het ontstaan van het tijdschrift «Playboy», het jaar van de opening van de eerste autosnelweg in België, die van Brussel naar Oostende ging. Het jaar 1954 was het jaar van de grote brand van «Den Bougie», de kaarsenfabriek van Borgerhout, het jaar van de wijding van de nieuwe kerk van Onze-Lieve-Vrouw-ter-Sneeuw in Borgerhout, het jaar dat *het werk van den akker* in Borgerhout aan de Turnhoutse Poort werd opgedoekt. Gedaan met de geneugten van de kleine man, voortaan zal het televisiekijken worden.

In augustus 1954 ging de ganse familie voor het eerst met vakantie naar Zwitserland. In 1951 waren mijn ouders zonder kinderen naar Lucerne en in 1952 naar Vitznau, aan het vierwoudstedenmeer, in het Parkhotel, op vakantie geweest. Het Parkhotel van Vitznau werd aanzien als het sjiekste en beste hotel van heel Zwitserland. In 1954 was de eindbestemming Lugano. Er waren nog geen autowegen, en een afstand van Antwerpen tot Lugano werd per auto in twee dagen afgelegd. De reis werd per trein ondernomen. Het treintraject was het klassieke over Luxemburg, Straatsburg, Bazel, Lucerne en de Gotthardtunnel en duurde ongeveer acht uren. In Lugano bleven we acht dagen in het *Grand Hôtel Eden au Lac*.

In Lugano mocht ik met mijn vader mee naar de bank waar hij reischeques tegen baar geld omwisselde. De operatie was vrij omslachtig. De travellercheques van American Express kocht men in België bij de bank. De cheques hadden een vast bedrag in dollars als waarde, stonden op naam met de handtekening bij vertrek. De uitbetaling gebeurde slechts na een tweede handtekening naast de eerste handtekening geplaatst op het ogenblik van de uitbetaling en mits voorlegging van een geldig paspoort. In geval van verlies of diefstal waren de cheques waardeloos. Een veilig betalingsmiddel.

Op 30 november 1954 overlijdt Wilhelm Furtwängler, een monument van de muziek der XXe eeuw, specialist in Beethoven, Wagner en Brahms.

Kerstmis 1954 werd bij nonkel Luc op de 23^e verdieping van het Torengebouw gevierd, oudejaarsavond 1954 bij de familie Edmond Van der Voort.

Het meest opmerkelijke feit van 1954 is dat mijn vader stopt met roken. Mijn vader had tot dan iedere dag een pakje van twintig sigaretten blauwe Davros gerookt. Tijdens een tavernegesprek met Oscar Van Dael, over stoppen met roken, hadden beide een weddenschap aangegaan. Oscar Van Dael begon na twee weken terug te roken, mijn vader heeft de rest van zijn leven geen sigaret meer aangeraakt. Maar mijn vader had karakter.

HOOFDSTUK XII.

Het jaar 1955.

Op Nieuwjaarsdag 1955 was er een Antwerpse koffietafel bij tante Mimi op de Grote Steenweg in Berchem, met de families Cassiers-Van Roey en Dellaert-Van Roey. Jan, de oudste zoon van tante Mimi, was reeds geëmigreerd naar de Verenigde Staten en niet aanwezig. Jan Dellaert had zich gespecialiseerd in het maken van pralines en was zich in Zürich bij Sprüngli gaan vervolmaken, had er een Zwitserse ontmoet, een zekere Brüni, was ermee getrouwd en ermee naar de VS getrokken. Ook bon-papa Van Roey was er niet bij, vermoedelijk ingevolge een conflict omtrent het bouwen van het gebouw voor de nieuwe winkel van tante Mimi. Mijn grootvader was te oud, volgens zijn dochter, om nog een groot werk aan te gaan en zij had een andere aannemer gekozen om het appartementencomplex op te trekken.

Het jaar 1955 was het eerste naoorlogse jaar met duidelijke vernieuwingen op allerlei gebied. De meest revolutionaire vernieuwing was de lancering in oktober 1955 van de Citroën DS. Hiermede toonde Frankrijk aan de wereld zowel technisch als esthetisch op alle andere autobouwers voorop te liggen. Frankrijk toonde duidelijk technologisch voor geen enkel land te moeten onderdoen. Een totale nieuwigheid was het luchtkussenschip Hovercraft, dat boven het water voortschreed. Revolutionair was de chemische reiniging van textiel, dat vanaf het eerste ogenblik de juiste benaming droogkuis meekreeg.

Opmerkelijk was de filmindustrie met *"Sissi"* met Romy Schneider, een natuurtalent en een totaal nieuwe, frisse verschijning, die afstak tegen de valse glamour van Hollywood. Van Hollywood kwam echter *"Helen of Troy"* met Rossana Podesta, ook een vernieuwing en een natuurlijke verschijning. Rossana Podesta was mijn eerste vlam, ik was dertien jaar oud. Toon Hermans geeft zijn allereerste one-man-show in Antwerpen en mijn ouders wonen een voorstelling bij en zijn meteen voor het genre gewonnen. Het jaar 1955 is het jaar van de schlager *"Only you"* door *The Platters*, een kwintet van vier mannen en een vrouw.

58

Het is de glorietijd van het kamertoneel. Studio Hermann Teirlinck, opgericht in 1951, heeft zijn eerste promotie met Jo Dua, Julien Schoenaerts, Denise De Weerdt en Willy Vandermeulen. Het NKT, het Nederlands Kamertoneel, opgericht in 1953 door Lode Verstraete en Denise De Weerdt, viert zijn hoogdagen. Theater wordt intiemer, gespeeld in kleine zalen met hooguit tweehonderd toeschouwers. Het is nog echt theater, geen verkrachting van theater zoals tijdens de jaren negentig door Luc Perceval en consorten.

In deze periode koopt mijn vader de zesde druk van de Winkler Prins encyclopedie in 20 delen, een zeer uitgebreide, tot dan beste encyclopedie van het Nederlandse Taalgebied. Deze encyclopedie zal ik jarenlang, zolang ik thuis woon, ijverig raadplegen. Ik maak een aanvang met de notitie van de spreekwoorden en gezegden van mijn grootmoeder, bobonne Van Roey. Ik mocht deze spreuken op de Remington-schrijfmachine van mijn grootvader typen.

Met Pasen en Pinksteren maakt de ganse familie verlengde weekeinden in het *Auberge du Moulin Hideux* in Noirefontaine, in de nabijheid van Bouillon. Mijn vader gaat er vissen, in gezelschap van Luc Deleu, in een grotere vijver, niet ver van het hotel. Er is zo goed als geen toerisme en het onthaal en de dienstverlening in het hotel zijn hartelijk en niet opgefokt zoals het vanaf de jaren zeventig het geval zal zijn. Je wordt er als een deel van de familie beschouwd.

In deze periode, ontstaan op zondagavond, tijdens de zomermaanden, op de weg van de kust naar Antwerpen, in Gent, de eerste autofiles, meestal vóór kruispunten, die niet aangepast waren aan uitzonderlijk verkeer. Een klassieke file was, die, op zondagavond, vóór de Waaslandtunnel, de zogenoemde konijnenpijp onder de Schelde. Het is een tunnel met één rijstrook per richting, gebouwd in 1930, de eerste tunnel van België, na de bouw van de Kennedytunnel, de oude tunnel genoemd.

Een grote, sterke, zwarte bokser, tijdens een wedstrijd in het Sportpaleis, door een ongelukkige stoot tussen de ogen blind geslagen, houdt zich geregeld op langs de De Keyserlei, waar hij potloden en naaigerief verkoopt. Op een dag staat hij aan het Centraal Station, klaar om over te steken, zijn witte blindenstok in de lucht zwaaiend. Ik heb met de man zo'n medelijden, dat ik hem aanbied met oversteken te helpen. Ik neem hem vast bij de bovenarm en merk zijn enorm gespierde biceps op. Voor de rest van mijn leven vergeet ik deze scène niet meer.

In de Helmstraat waren er op iedere hoek met de Van der Keilenstraat cafés van licht allooi. In het café op de linkse hoek zat een dikke cafébazin die haar minderjarige dochter aan jonge cafébezoekers uitleende en daarvoor dan af en toe een beurt voor zichzelf opeiste. De ontucht werd op de mansardekamer op de tweede verdieping van het café bedreven. De diverse gore taferelen kon ik als dertienjarige vanuit mijn kamervenster aanschouwen.

In augustus 1955 ging de ganse familie met vakantie, in gezelschap van Oscar Van Dael, toen nog vrijgezel, met de trein naar Beaulieu-sur-Mer aan de Franse Riviera. De trein vertrok vanuit Station Antwerpen Oost. In Beaulieu logeerde de familie Edmond Van der Voort in hetzelfde hotel, volgens voorafgaande afspraak. Zij was op eigen kracht, met hun auto van het merk Dodge, erheen gereden, wat toen voor een uitzonderlijke prestatie werd aanzien. Anno 1955, zonder autowegen, langs de *routes nationales*, Frankrijk van Noord tot Zuid doorkruisen, was een avontuurlijke, lange reis. Mijn vader verkoos de trein.

Edmond Van der Voort was getrouwd met Blanche Peré, zuster van de gekende Antwerpse huisschilder. Zij hadden een zoon, Carlo, een flapuit, van het volkse type. Vader Edmond was een ijdeltuit, sprekend lijkend op de baszanger Edward De Decker. Zijn vrouw Blanche, vrij koket, stond steeds in de schaduw van mijn moeder en nam dan een attitude aan van *ze moet weer de beste zijn*. Zij was meer van het kunstzinnige type en had in de jaren dertig Jacques Urlus als Siegfried in de KVO meegemaakt en daarmee kon ze pronken. Urlus was een legende en had in Bayreuth gezongen.

Het hotel in Beaulieu lag direct aan de kust. Er was geen strand, noch zand, wel keien. Men kon vanuit het hotel direct in het water, dat toen nog glashelder en onbezoedeld was : zo helder als bronwater. De baai van Beaulieu was ondiep, ideaal voor bestudering van zeeflora met snorkel en duikbril. Toerisme was zo goed als onbestaande. De hotelgasten waren in hoofdzaak Fransen. Belgen waren zowat de enige vreemdelingen, met hier en daar een verloren gelopen Brit.

Rond deze tijd gaan mijn ouders regelmatig naar het allereerste Chinese restaurant in België, in de Nationalestraat. Chinese keuken was een totaal nieuw verschijnsel na de tweede wereldoorlog. Door de haven was Antwerpen één van de eerste steden in Europa om Chinezen, die het communisme ontvluchtten, asiel te geven. Het lag voor de hand dat deze Chinezen in de gastronomie terecht kwamen. Het was het begin van een welig tierende Chinese keuken die in België de meest ideale thuishaven had gevonden. Als het om eten en drinken gaat roept de Belg onmiddellijk paraat.

Terwijl mijn jongste broer Marco en ik op het Collège Cardinal Mercier waren kwam mijn oudste broer Alex het laatste jaar humaniora aldaar overdoen om *"zijn Frans"* te perfectioneren. Op die manier kende hij vier talen grondig. Het meest opmerkelijke was dat Alex ook in dat jaar, in een voor hem toch vreemde taal, ook als primus inter pares eindigde.

Ieder jaar op 1 november ging de ganse familie naar het kerkhof van Berchem, waar alle overleden familieleden begraven lagen. Vóór de ingang van het kerkhof stonden bloemenverkopers op de middenberm van de Elisabethlaan met grote hoeveelheden bloempotten met grote witte bolvormige chrysanten. Mijn vader kocht telkens drie bloempotten, waarvan ik er een mocht dragen, mijn oudste broer Alex de tweede en mijn vader de derde. Vermits hij de jongste was, werd mijn broer Marco ontslagen van draagplicht. Eerst gingen we naar het familiegraf Van Roey, de mooiste grafzerk van gans het kerkhof. Aan het uiteinde van de zerk was een bronzen beeld van een treurende vrouw met ontblote boezem zittend op een stenen bank. Mijn grootvader liet het beeld in Milaan voor het graf van zijn in 1931 aan pneumonie gestorven zoon Marcel gieten. Anno 1931 spraken alle kwezelkens van Berchem schande over het naakte bovenlichaam van de treurende vrouw op de grafzerk. In 1945 was zijn tweede zoon, nonkel Joseph, in het familiegraf bijgelegd. Hij was op 14 maart 1945 tijdens een bomaanslag met een V 1 samen met 14 andere slachtoffers omgekomen.

Daarna gingen we naar het graf van de grootouders Cassiers, soberder maar stijlvol, met een bronzen Christushoofd in art-deco. Als derde en laatste statie gingen we naar het graf van Virginie Cassiers, tante Virge, de enige zuster van mijn grootvader. Omdat ze haar zeven broers ruimschoots overleefd had, had mijn vader er een bijzondere relatie mee. Tante Virge was de langstlevende van de vorige generatie. Zij was kinderloos en op haar graf lagen nooit bloemen, een reden voor mijn vader om er chrysanten op te zetten.

HOOFDSTUK XIII.

Het Lycée d'Anvers.

Na iets meer dan drie jaar op het Collège Cardinal Mercier, besliste l'abbé Evely, directeur van de instelling, dat ik voor hun opvoedingsmethode niet geschikt was en mijn ouders kwamen me terughalen, om me vanaf januari 1956, in het Lycée d'Anvers, aan de Nerviërsstraat, in te schrijven. Het was de beslissing van mijn vader en het was een goede beslissing. Het Lycée was de enige nog overlevende Franstalige school in Antwerpen. Het was een vrije school met zogenoemde transmutatieklassen, een omzeiling van de taalwetgeving betreffende onderwijs, om een Franstalige school op Vlaams grondgebied te rechtvaardigen. Transmutatieklassen waren in het leven geroepen om zogezegd anderstaligen op het Nederlandse taalregime voor te bereiden. Mij kwam het goed uit, ik kreeg de gelegenheid om de taal van Molière grondig te leren. Tweetaligheid heeft in België niet alleen economische voordelen, het grootste voordeel is cultureel. Je blijft niet hangen in het Angelsaksische gedoe en je komt terecht in de rijke gevoelswereld van de Latijnse cultuur. Weinig Vlamingen hebben dit begrepen.

Ik was terug extern en zou zes jaar op het Lycée blijven, er mijn volledig middelbaar doen. Het Lycée bezat alle studierichtingen gaande van Grieks-Latijn tot handel. Ik werd in de handelsafdeling geplaatst, waar extra veel aandacht voor talen was. Buiten het normale taalonderricht in het Frans, Nederlands, Duits en Engels, was er in de vier talen handelscorrespondentie. Veel aandacht ging naar boekhouding, economie, financiën en handelsrecht. Sommige vakken werden gemeenschappelijk met het Collège Marie-José, pendant van het Lycée voor meisjes, in de Lamorinièrestraat, gegeven. Voor bepaalde vakken waren in beide instellingen, Lycée d'Anvers en Collège Marie-José onvoldoende leerlingen om een klas te vormen. Bij deze gemengde lessen, moesten de meisjes op de banken links en de jongens op de banken rechts zitten. Naast een meisje gaan zitten was niet toegestaan. Op de speelplaats, tijdens de pauzes, waren de meisjes ook van de jongens gescheiden in een apart lokaal.

Op het Lycée moest verplicht een uniform gedragen worden. Het uniform bestond uit een grijs pak, een lichtblauw hemd, een donkerblauw gestreepte das, genre Britse *college* en een donkerblauwe debardeur of trui. De meisjes hadden eveneens een uniform, die was volledig blauw. De directeur van het Lycée was een zekere Naeye, een grauw, mager, gefrustreerd en benepen mannetje, met Hitlersnorretje. Hij was een verstokte cigarilloroker. Tijdens de vijandelijke bezetting was hij lid van het *geheim leger* geweest. Hij verzette zich hardnekkig tegen iedere vorm van amnestie voor collaborateurs en herinnerde constant aan de deportatie van Joden uit de Dossinkazerne in Mechelen. Vol verachting sprak hij over de Nazi-bezetter. Hij loofde de oorlogsburgemeester Delwaide, die weigerde lijsten van Joodse inwoners der stad Antwerpen aan de Duitsers te geven.

De prefect van het Lycée was een bange, schuchtere man zonder autoriteit. Hij stond 's morgens bij het binnenkomen van de leerlingen aan de inkompoort om de orde te handhaven. Wanneer de jongens van het Lycée de meisjes van het Collège Marie-José *les filles* noemden, corrigeerde de prefect constant met *les jeunes filles*. *Filles* was duidelijk iets anders.

Er was keuze tussen godsdienst en moraal, waarbij godsdienst de katholieke was. Uiteraard belande ik bij godsdienst, en dit was mijn geluk. De godsdienstleraar was een geestelijke, l'abbé Leytens. De man was van goeden huize en woonde op de hoek van de Britse lei en de Mechelsesteenweg, op de tweede verdieping van een gebouw uit de jaren dertig. Frans Leytens was geobsedeerd door beeldende kunst, architectuur en muziek. Van hem heb ik veel geleerd. Zijn kennis op het gebied van de beeldende kunst was indrukwekkend. Hij wist van ieder belangrijk doek of beeld in welk museum het hing of stond. Hij had alle belangrijke musea van Europa bezocht.

De leraar Duits was Paul Scapus, een gekend figuur in de Antwerpse kunstwereld. Het was een Luikenaar, ex-operazanger, had Lohengrin in drie talen gezongen en zong vanaf 1919 aan de KVO Faust, Don José, Lionel en Hoffmann. In 1946 was hij leraar operaklas aan het conservatorium van Antwerpen en recensent voor de KVO in *La Métropole*. Hij sprak vloeiend vier talen, liep over van opera-anekdotes en was getrouwd met de Antwerpse pianovirtuoze Mit Van Dommelen, lerares piano aan het conservatorium van Antwerpen.

Geschiedenis werd gegeven door directeur Naeye, oersaai en droog. Hij is er niet in geslaagd me weg te houden van de geschiedenis, die ondanks het saaie onderricht, boeiend blijft.

De meest merkwaardige figuur van het Lycée was Monsieur De Praetere, leraar Frans, welbespraakt. Hij had zijn naam niet gestolen. Eminent kenner van de Franse literatuur en grammatica. Op zijn naamkaartje stond *Docteur es lettres*. Edmond De Praetere was een Brusselaar en nam iedere dag de trein van Brussel naar Antwerpen om ons de taal van Molière ordentelijk bij te brengen. Daarin is hij geslaagd. Af en toe sprak hij een zin in het Nederlands om aan te tonen dat hij die taal ook machtig was. Hij had het dan over *en in de taal van Vondel*. Zijn lessen waren buitengewoon interessant en zijn voordracht van literaire teksten was van hoog niveau. Ik noteerde de meeste van zijn uitspraken tijdens de les. Tijdens één van de lessen grammatica meende een leerling een drukfout in de «Grammaire Grévisse» te hebben gevonden, waarop De Praetere repliceerde *Il faudra écrire à Monsieur Grévisse «Mon cher Maurice, ce n'est pas pour rien que tu te fasses éditer par Duculot.»* Een andere markante uitspraak was : *Jurez le sur ce qu'il y a de plus sacré : la grammaire française.*

Op het Lycée werd ik voor het eerst verliefd op een meisje, ik was veertien jaar oud. Haar naam was Christiane Paternoster. Zij was een jaar ouder en zat een klas hoger dan ik. Haar vader was leraar wiskunde op het Lycée. Er waren slechts zes meisjes op het Lycée, in de afdeling Latijns-wiskunde, omdat deze afdeling op het Collège Marie-José niet bestond. Deze kalverliefde was gedoemd om platonisch te blijven, vermits Christiane in een andere klas zat. Bovendien was contact tussen jongens en meisjes ten strengste verboden. Tijdens de speeltijden werden de meisjes afgezonderd in een klaslokaal terwijl de jongens op de speelplaats verbleven.

Algemeen was het contact met meisjes in die tijd afstandelijk, zelfs tijdens de *surpriseparty's* ten huize van één of ander rijkeluiszoontje met een grote woning. Zoenen op de mond was een zeer ver gevorderd stadium van intimiteit. Aanrakingen van het lichaam, wel te verstaan gekleed, was het absolute uiterste en werd uitsluitend in het duister, in bioskopen, beoefend.

HOOFDSTUK XIV.

Het wonderbaarlijke jaar 1956.

Het jaar 1956 was een heel bijzonder jaar, het belangrijkste jaar uit mijn jeugd en één van de belangrijkste jaren uit heel mijn leven. Nationaal en internationaal is het ook een bijzonder jaar. Het is in de eerste plaats het grote Mozartjaar. Het is 200 geleden dat Mozart geboren werd. Het Suezkanaal wordt door Egypte genationaliseerd, voorheen was het Frans en Brits bezit. In Cuba begint de Cubaanse revolutie onder Fidel Castro. In Hongarije wordt de opstand met Sovjettanks neergeslagen. Stan Ockers doet in het Sportpaleis tijdens de zesdaagse een dodelijke val. Jacques Tati presenteert zijn film *"Mon oncle"*. Bill Haley and his comets lanceren *Rock around the clock* en dit is een revolutie in de popmuziek. Het sekssymbool Brigitte Bardot wordt in Cannes met de film *"Et Dieu créa la femme."* gelanceerd. Op de kaaien worden de laatste trolleybussen afgeschaft en vervangen door gewone dieselbussen. Dit alles is voldoende om het jaar 1956 een heel bijzonder jaar te noemen. Maar er is meer, voor mij persoonlijk is het een wonderbaarlijk jaar.

Het jaar 1956 is het jaar van mijn eerste kennismaking met het medium opera dat voor de rest van mijn leven een uitermate belangrijke plaats zal innemen. Het is het jaar van mijn eerste kennismaking met Richard Wagner en Bayreuth en het jaar van mijn kennismaking met kunst en architectuur. Ik ben veertien jaar oud en voor het eerst in mijn leven heb ik een besef van een esthetiek. Deze esthetiek zal me mijn leven lang blijven begeleiden. Het is een esthetiek van mooie dingen, lelijke dingen zullen geen toegang krijgen. De belangrijkste instigator voor de vorming van mijn wereldbeeld was l'abbé Leytens, een man met een onvoorstelbare cultuurbagage in alle domeinen. Hij liet me voor het eerst *De vier jaargetijden* van Vivaldi via een grammofoonplaat beluisteren. Het eerste contact met deze muziek was voor een veertienjarige vrij ingrijpend.

HOOFDSTUK XV.

De reis naar Rome.

Deze reis naar Rome zal bepalend zijn voor de rest van mijn leven. Tijdens de paasvakantie kon men, via het Lycée, op een educatieve reis naar Rome inschrijven. Ik had bij mijn ouders zwaar aangedrongen om te mogen meegaan en werd hiervoor gesteund door l'abbé Leytens, die de leiding over de leerlingen kreeg. Er schreven zich zes leerlingen in, drie jongens en drie meisjes. De reis was vooraf georganiseerd en liep over Milaan en Florence naar Rome. Er werd een audiëntie bij Paus Pius XII via de nuntiatuur aangevraagd.

De verplaatsing verliep per trein vanuit Antwerpen en was nog met een stoomlocomotief, vermoedelijk één van de laatsten, de elektrificatie van het spoorwegnet was volop aan de gang. Het traject van de reis ging door Luxemburg, Frankrijk en Zwitserland. In Bazel kregen we een Zwitserse elektrische locomotief tot Chiasso. Daar werd terug een Italiaanse stoomlocomotief gekoppeld. Voor Zwitserland was een stoomlocomotief ondenkbaar, het volledige grondgebied was al decennialang geëlektrificeerd.

De eerste stopplaats was Milaan, waar onze groep zijn intrek nam in een *pensione*, een soort jeugdherberg, met gezamenlijke maaltijden op vaste uren aan lange houten tafels met lange houten zitbanken. In Milaan heb ik mijn eerste glas rode wijn, een Chianti, gedronken.

's Anderendaags bezochten we de dom en het *Cimeterio Monumentale*, een negentiende eeuws kerkhof met grootse, opzienbarende grafmonumenten met overvloedig beeldhouwwerk. Daarna bezochten we de pinacotheek *Brera* en het *Laatste Avondmaal* van Leonardo, in de refter van een klooster nabij de *Santa Maria delle Grazie*. Het gigantische werk was toen in slechte staat. Ik zag het in 1956, vóór de grote restauratie van 1976.

Na één dag Milaan reisden we verder per trein tot Florence, waar we twee dagen verbleven, eveneens in een *pensione*. In Florence zagen we hoofdzakelijk beeldhouwwerk en schilderijen. De beelden van Donatello maakten op mij een doorslaggevende indruk, veel meer dan die van Michelangelo. Wat me bij de David van Michelangelo onmiddellijk opviel, was de disproportie van de rechter hand. De David van Donatello, die ik onmiddellijk daarna zag, was veel verfijnder en natuurlijker. Het beeldhouwwerk van Michelangelo in de *Galleria dell' Academia* vond ik nogal ruw en ongevoelig. Waar Michelangelo dan wel schitterend is, zijn de madonna's, die hij een gelaten blik geeft. Buiten het overvloedig aanwezige beeldhouwwerk kreeg ik van l'abbé Leytens les in de diverse bouwstijlen, waarvan de Italiaanse renaissance mijn bijzondere aandacht genoot.

Het belangrijkste in Florence is de *Galleria degli Uffizi*, daar gewoon de Uffizi genoemd. In de Uffizi is een onvoorstelbare rijkdom aan schilderijen, vooral uit de Italiaanse en Vlaamse scholen. Veel aandacht ging naar de Portinari triptiek van Hugo Van der Goes, verbluffend goed geschilderd. Botticelli is in Florence overweldigend aanwezig met *Il Primavera* en *De geboorte van Venus* als belangrijkste werken. Van de Medusa van Caravaggio droom ik na meer dan vijftig jaar nog steeds. Rafaël is mooi, zacht en gracieus. Bij Perugino kun je duidelijk zien waar Rafaël de mosterd heeft gehaald. In het *Palazzo Pitti* zag ik een mooie Venus van Canova.

Op de Ponte Vecchio, een brug over de Arno, kocht ik een halssnoer van cultuurparels voor mijn moeder, die hiervoor de nauwkeurige opdracht en het geld had meegegeven. Het schaarse zakgeld werd uitgegeven aan prentkaarten van kunstwerken en een kunstgids van Florence. Na twee dagen verblijf in Florence, ging de reis, nog steeds per trein, verder tot de eindbestemming Rome.

In Rome verbleven we vijf dagen in *Pensione Plata* in de Via Firenze 48 in de directe nabijheid van de *Teatro dell' Opera* en het Centraal Station. De aankomst met de trein in Rome is een belevenis. Het *Stazione Termini* is reusachtig en bevindt zich in het centrum van de stad. Het plein vóór het station is eveneens zeer groot en je bent op loopafstand van het Colosseum. Net uit het station komt mij een venter tegemoet en overhandigt me een Parker vulpen en vraagt er 1.000 lire voor. Er waren twee mogelijkheden, ofwel was die vulpen gestolen ofwel was het namaak. Bovendien was de vulpen van mijn plechtige communie mooier en bezat ik geen 1.000 lire om uit te geven aan vulpennen. De koop ging niet door.

De dag van de aankomst in Rome zagen we diverse fonteinen, veelvuldig aanwezig in deze stad. De meest indrukwekkende, de *Fontana di Trevi*, zagen we als laatste. L'abbé Leytens was bezeten door architectuur en dit was ons geluk. Op vijf dagen tijd zagen we 33 kerken van Rome, inclusief Sint-Pieters. Diegenen die ik me nog herinner waren *Sant' Andrea della Valle, Santa Maria Maggiore* en *San Giovanni in Laterano.* In Sint-Pieters zagen we eerst de Sixtijnse kapel, afschuwelijk lelijk. De vrouwen zien eruit als mannen met opgeschroefde borsten. Michelangelo kon geen vrouwelijke vrouwen schilderen. Zijn Pieta is dan weer wel uitzonderlijk mooi. Het Vaticaan bezit een ontzettend groot aantal kunstwerken. De fresco's van Rafaël en Perugino zullen me eeuwig bijblijven.

Op 4 april hadden we een audiëntie bij Paus Pius XII , door bemiddeling van de Belgische ambassade bij de Heilige Stoel, verkregen. De verschijning van Pius XII op de Sedia Sestatori maakte een blijvende indruk. Je verwacht je er niet aan ooit een paus in levenden lijve te zien en zeker niet Pius XII. Het was een ontzagwekkende figuur, rijzig, slank en groot. Pius XII was het hoofd van een Kerk die in 1956 niet het minste van haar prestige en ontzag verloren had.

Op 5 april zagen we het Pantheon, het Forum Romanum en het Colosseum. Het Colosseum is verpletterend als je er voor het eerst voor staat. De indruk blijft je je hele leven lang bij. Op het Forum Romanum komt automatisch de gedachte dat daar tweeduizend jaar voorheen Caesar werd vermoord. Het Pantheon is het enige gebouw van het oude Rome dat intact is gebleven. De indruk bij het betreden van het Pantheon is gewoon onbeschrijfelijk.

In de Via Firenze, waar we logeerden, bevond zich het *Teatro dell' Opera*, de opera van Rome. Aangetrokken door het prachtige gebouw, was ik een dag voordien naar het affiche voor de voorstelling van deze laatste dag gaan kijken. Op het affiche stond *"I vespri Siciliani"*, een opera van Verdi, die ik niet kende. Van l'abbé Leytens kreeg ik de toestemming om naar deze voorstelling te gaan. Met mijn laatste lires kocht ik een studentenkaart voor 250 lire. Ik zat op het amfitheater, helemaal boven in de nok, op een stoel achter een zuil, zodat ik de ganse vertoning moest rechtstaan om ook maar iets te zien. Horen deed je daar des te beter. Het was een festijn. De muziek vond ik heerlijk. De hartstochtelijkheid en de theatraliteit deden mij dit medium onmiddellijk liefhebben. Het was nog de tijd van de lekkere ouderwetse regies, decors en kostuums. Ik was onmiddellijk gefascineerd door de zangstem en wat de zangers daar mee deden.

Tijdens deze Rome-reis werd de basis voor mijn interesseveld voor de rest van mijn leven gelegd: opera, het Romeinse Rijk, geschiedenis, schilderkunst en architectuur. Op 6 april keerden we per trein vanuit de *Stazione Termini* naar Antwerpen terug. De terugreis duurde 33 uur. In Bazel stond onze trein urenlang stil, door het wisselen van de locomotieven. Aldaar heb ik op het perron van een rijdend kraampje mijn eerste Zwitserse chocolade gekocht. Mijn moeder had me over de superieure kwaliteit van Zwitserse chocolade ingelicht.

HOOFDSTUK XVI.

In afwachting van Bayreuth.

Terug thuis, slechts vijf dagen na *"I vespri Siciliani"*, kreeg ik van tante Yvonne een kaart voor *"Lucia di Lammermoor"* op 10 april 1956 in de KVO. Het was een zogenoemde galavoorstelling van *De Mollekens*, een liefdadige instelling, met Italiaanse gasten. De hoofdrolbezetting was Italiaans, alleen het koor was van de KVO en zong in het Nederlands. Het orkest van de KVO stond onder de leiding van Hugo Lenaerts, een oudgediende van het huis, voorheen verbonden aan de *Royal*, de Franse opera, opgedoekt in 1930. De regie was van Anton Van de Velde, een illustere Antwerpse figuur uit de theaterwereld, schrijver van toneelstukken, leraar toneelklas aan het conservatorium en vertaler van operalibretti. De titelrolvertolkster, Maria Luisa Cioni, gaf een indringende interpretatie van de waanzinscène. Voor mijn eerste contact met deze muziek was deze Lucia van een kwalitatief hoog niveau.

Ik zag nu voor het eerst in mijn leven een opera van dichtbij, ik zat op het parterre, in Rome zat ik op den uil. De muziek van Donizetti en de dramatiek van het werk maakten op mij een persistente indruk. Dit was het ideale medium. Ik verstond nog geen Italiaans en toch begreep ik nauwkeurig wat de personages uitdrukten. Dit kwam door de muziek en door de uitdrukking van de zangers. Dit soort teksten kon je alleen maar zingen.

Twee weken later, op 24 april 1956, kreeg ik weer van tante Yvonne, een kaart, ditmaal een orkestzetel, voor weer een galavoorstelling, ditmaal van de Club Telegraphic. Op het programma stond *"Het land van de glimlach"* van Franz Lehar, uit het lopende repertoire van de KVO met het gezelschap van de KVO, met als bijzondere gast Rudolf Schock die uiteraard de originele Duitse tekst zong. Maria van der Meirsch zong Lisa, de vrouwelijke hoofdrol voor de gelegenheid ook in het Duits. De overige bezetting zong Nederlands. Dit soort toestanden was toen gebruikelijk. De aria *Von Apfelblüten einen Kranz* kreeg minutenlang applaus en moest door Rudolf Schock gebisseerd worden. De tweede aria *Dein ist mein ganzes Herz* was spetterend en het was de eerste keer in mijn leven dat ik zoiets hoorde. In 1956 was Rudolf Schock 41 jaar oud en op het absolute hoogtepunt van zijn stemmogelijkheden. Rudolf Schock was de eerste superster die ik meemaakte. Ik was net veertien jaar geworden en opera had me nu definitief in zijn greep.

Enkele dagen nadien kocht ik mijn eerste muziekencyclopedie: «X-Y-Z der muziek» van Caspar Höweler. Voor een beginneling het ideale muziekboek, met uitgebreide aandacht voor de belangrijkste opera's en een beknopte discografie die toen volstond. Er waren nog niet zo heel veel grammofoonplaten, de 33 toeren-era was nog maar acht jaar bezig, de meeste opnames waren nog uit de 78 toeren-era. Deze encyclopedie heb ik tot verslijten toe geraadpleegd.

Voor mijn vader was 1956 ook een bijzonder jaar. Op 8 mei kocht hij zijn eerste nieuwe auto, de vorige was een tweedehandse. Hij koos voor Opel Kapitän, zes cilinder, tweekleurig, met een hemelblauwe carrosserie met een wit dak en met witte sierzijvlakken aan de banden. Het *bicolore* was typisch voor de tijd, aanloop naar de Expo 58-stijl. Met deze nieuwe wagen, in een tijdperk dat er nog niet zoveel auto's rondreden, deden we geregeld uitstappen. Met Sinksen, op 20 mei 1956, reed gans de familie naar De Plasmolen, een voorloper van de recreatieparken. Recreatie betekende toen een roeiboot huren en nadien pannenkoeken eten met chocolademelk. Dit was voor ons heel bijzonder en we waren er heel blij mee. Andere uitstappen gingen naar Rupelmonde, Dendermonde, Hingene en Knokke.

Later in de lente reden we op zondag naar het 's Gravenhof. Mijn vader had er nu een eigen paard, Max Adolf, op stal staan. Mijn jongste broer Marco reed sinds enkele jaren paard en nam nu hindernissen. Hij was erg sportief en behaalde een reeks prijzen op springwedstrijden.

Op 15 juni 1956 kocht mijn vader, van de Chocolaterie Modèle Martougin, een magazijn gelegen Helmstraat 10, voor 610.000 frank. De chocoladefabriek van Martougin was eveneens in de Helmstraat, enkele honderden meters dieper de straat in, gelegen. Het magazijn was leegstaand, met drie verdiepingen, gelegen aansluitend met het woonhuis N° 12. Het werd opgetrokken in de periode rond de eeuwwisseling in rode baksteen en had aan de straatkant een dubbele inrijpoort in hout en een inkomdeur eveneens in hout. In de kelders stond grondwater tot op een hoogte van 15 cm. Het eerste wat mijn vader deed was de kelders waterdicht laten maken met het systeem «Decolith», vloeren en muren tot op een hoogte van één meter werden met dit product dichtgesmeerd.

Kort na de aankoop liet mijn vader dit magazijn ombouwen tot toonzaal en kantoorgebouw door architect René Bossaerts en aannemer Gaston Gedopt, beiden uit Deurne. Het was de gewoonte van mijn vader, bij bijzondere gelegenheden, zoals de diverse verbouwingen van de gebouwen aan de Helmstraat, een familieraad bijeen te roepen, om de plans van architect Bossaerts te bestuderen. Tijdens deze bijeenkomsten mocht ieder familielid zijn mening geven en eventueel commentaar leveren op de in het vooruitzicht gestelde werken. Diegene die commentaar te leveren had, moest er wel voor zorgen een beter alternatief voor te stellen.

De gevel werd volledig vernieuwd in glas met stalen ramen, zodat men vanaf de straat een ruim zicht had op de uitgestalde toestellen, ook op de verdiepingen. Architecturaal Expo 58-stijl, als utiliteitsgebouw geslaagd. Op het gelijkvloers was centraal een inkomportaal volledig in glas met inkomdeur, links en rechts daarvan etalages. In de achterbouw waren kantoren. De eerste en tweede verdiepingen waren eveneens toonzaal, bereikbaar via een grote trappenzaal met een trap in U-vorm in groen agglomeraat. De derde verdieping was een voorraadplaats voor gootstenen in vuurklei, zichtbaar vanop de straat.

In de toonzaal werden de apparaten op grote geschilderde houten panelen van multiplex tentoongesteld. Deze toonzaalstanden werden ook door architect Bossaerts in Expo 58-stijl ontworpen. Tafels, stoelen, papiermanden, paraplubak, kapstok, alles was in Expo 58-stijl. Het belangrijkste porselein dat mijn vader in deze nieuwe toonzaal presenteerde was «KERAMAG» van de *Keramische Werke* uit Ratingen, een Duitse fabrikant uit de topklasse. Er was veel porselein in kleur.

In datzelfde jaar 1956 kocht mijn vader zijn eerste televisietoestel van het merk Grundig. Het toestel was in een kastje van glanzend gelakt mahoniehout met twee afsluitbare deurtjes, het geheel op vier pootjes, ingebouwd, zodat je niet kon zien dat daarin een televisietoestel zat. Een televisietoestel werd ervaren als iets lelijks dat je te verbergen had. Televisie-uitzendingen waren in België in 1954 met twee zenders van het toenmalige «NIR», *Nationaal Instituut voor Radio-omroep*, een Nederlandstalige en een Franstalige, geïntroduceerd. In de beginjaren waren de uitzendingen tot enkele uren per dag, tussen 20 en 23 uur, beperkt. Meer dan een nieuws- en weerbericht, een feuilleton en een spelprogramma zat er niet in. Televisie werd aanzien als informatief en niet als entertainment.

HOOFDSTUK   XVII.

De eerste reis naar Bayreuth.

In ditzelfde wonderbaarlijke jaar 1956 had ik ook nog eens het onvoorstelbare geluk voor het eerst met Richard Wagner, Bayreuth en Astrid Varnay geconfronteerd te worden. Van Wagner wist ik niets af. Alleen van Verdi en Donizetti had ik kennis genomen. Mijn broer Alex, die in de KVO in 1953 al een volledige *"Ring des Nibelungen"* had meegemaakt, voorspelde me de meest fabelachtige toestanden in Bayreuth.

Tijdens de zomervakantie van 1956, in augustus, maakte ik, samen met mijn broer Alex, een reis dwars door Duitsland. De reis werd vastgelegd en uitgestippeld door de VTB, de Vlaamse Toeristenbond, verliep per trein vanuit Antwerpen, en doorkruiste gans Zuid-Duitsland. De eerste stopplaats was Rüdesheim am Rhein, centrum van de Duitse wijnbouw, gelegen op de rechteroever van de Rijn, ter hoogte van Bingen. De treinreis liep over Aken, Keulen en Koblenz en volgde de Rijn tot in Rüdesheim. Mijn ouders brachten, samen met mijn jongere broer Marco, op hetzelfde ogenblik, toeval of niet, hun vakantie door in Assmannshausen aan de Rijn, in Hotel Krone, een vijfsterrenhotel, op 11 km van Rüdesheim stroomafwaarts.

De sporen van de tweede wereldoorlog waren overal nog duidelijk zichtbaar, de natuurgebieden waren ongeschonden gebleven. De *Wiederaufbau* was volop aan de gang. Het was het duidelijkst zichtbaar in Aken en Keulen. In Rüdesheim kregen we logies in een jeugdherberg, zoals op al onze bestemmingen. In Rüdesheim dronk ik mijn eerste glas witte wijn in de Drosselgasse, een wereldberoemd smal straatje met wijntavernes, waar zo goed als uitsluitend Rijnwijn geserveerd werd. Met een stoomboot voeren we de Rijn af tot Sankt Goar en zagen verschillende middeleeuwse burchten op de hellingen tot we voorbij de Loreley voeren. Waarom deze Loreley in de Duitse literatuur en muziek zo hartstochtelijk bezongen wordt, is hier overduidelijk. Er hangt een beklemmende atmosfeer rondom deze rots.

Vanuit Rüdesheim ging de reis verder per trein over Wiesbaden, Mannheim, Karlsruhe, Baden-Baden en Offenburg tot Hornberg, een klein plaatsje midden in het Zwarte Woud, tussen Schiltach en Triberg. Het is een heuvelachtig gebied met vele wandelpaden tussen de bossen. Vanuit Hornberg bezochten we het nabijgelegen Triberg, centrum van de uurwerkindustrie en de koekoeksklokken. Triberg bezit de grootste waterval van Duitsland, met een hoogteverschil van 162 meter. Een wandelpad volgt de waterval tot op het hoogste punt. Anno 1956 was het toerisme beperkt tot een paar autocars en enkele schaarse auto's. Van Hornberg naar Triberg, een goede 12 km, namen we een autobus. Triberg, in het hartje van het Zwarte Woud, is een eiland te midden een reusachtig natuurgebied.

Vanuit Hornberg ging de reis verder per trein via het meer van Constans en Kempten naar Füssen, een stadje in Allgäu in Beieren, aan de voet van de Alpen, tegen de Oostenrijkse grens gekleefd. We namen onze intrek in een jeugdherberg en bezochten in de eerstvolgende twee dagen drie kastelen van Ludwig II.

Op de ruïne van één der drie oude burchten, Schwanstein, werd in de negentiende eeuw Hohenschwangau gebouwd. Dit kasteel ligt boven een meertje, de Alpsee, waarop zwanen dobberen. Hoger gelegen, op de top van een grote rots, verrijst Neuschwanstein, het sprookjeskasteel dat Ludwig II vanaf 1869, op de grondvesten van de ruïne van Vorderschwangau, liet bouwen. Door chronisch gebrek aan geld is het kasteel nooit voltooid. Een brede voetweg leidt stijl naar boven, met de auto kom je er gelukkig niet in. De talrijke zalen in het kasteel zijn in pseudo middeleeuwse stijl, niet bepaald smaakvol. De wanden zijn versierd met taferelen uit Wagneropera's : Ludwig II was door de muziek van Wagner bezeten en dit was het geluk van Wagner. Vanuit het kasteel is er een wondermooi uitzicht op de bergen. Richard Wagner heeft nooit één voet in dit kasteel gezet.

Vanuit Füssen deden we een uitstap naar de Kirche in der Wies, een kerkje midden in de wei, zoals de naam het zegt, afgelegen van iedere bewoonde kern, op 25 km van Füssen. De buitenkant van de kerk is van een sobere barok. De binnen decoratie is van een onvoorstelbaar overladen, smakeloze, Beiers rococo met goud en roze marmer. Het toppunt in het genre. Van de Wieskirche ging de excursie naar kasteel Linderhof, ongeveer 15 km van Oberammergau, tussen bossen en bergen. Linderhof, door Ludwig II gebouwd, is eveneens barok aan de buitenkant en rococo binnenin. In de tuinen bevindt zich een Venusgrot, decor voor de eerste acte van Tannhäuser, met een onderaards meertje, waarop Ludwig II, toen al knettergek, met een bootje, verkleed als Lohengrin, voer.

Vanuit Füssen ging de reis, nog steeds per trein, naar de eindbestemming, het heilige der heiligen voor Wagnerfanaten, Bayreuth, alwaar Richard Wagner in 1872 een theater om uitsluitend zijn werken uit te voeren, liet bouwen. In Bayreuth logeerden we in een jeugdherberg. Ik wist tot dan niets over Richard Wagner.

Voor mijn eerste kennismaking met het fenomeen Wagner kreeg ik direct het neusje van de zalm opgediend. Het was de voorstelling van 20 augustus 1956 van *"Der fliegende Holländer"*. Grote ster van de avond was Astrid Varnay in de rol van Senta. Samen met Martha Mödl vormde Astrid Varnay het tweespan van dramatische sopranen dat «Neu Bayreuth» na WO II uit de as hielp trekken. Dirigent was Joseph Keilberth, één der vier «K's», die in het nieuwe Bayreuth de dienst uitmaakten. De drie andere K's waren Karajan, Knappertsbusch en Krauss. Daland was de veteraan Ludwig Weber en de titelrol werd door Hermann Uhde vertolkt. Onbewust maakte ik voor het eerst in mijn leven kennis met Richard Wagner op het allerhoogste niveau. Zonder enige twijfel was de bezetting van deze Hollander de beste van de eeuw. Een jaar nadien kwam van Decca een grammofoonplaat van één der voorstellingen op de markt. Thans bestaan drie digitale persingen van drie verschillende voorstellingen van deze Hollander.

Alvorens de ouverture begint wordt het pikdonker, dan muisstil en er volgt een secondelange spanning. En dan de aanzet van de ouverture : om kippenvel van te krijgen. De ouverture is adembenemend, de akoestiek de beste van de wereld. Voor de rest van je leven vergeet je het niet meer. Het spookschip van de Hollander is een lichtbeeld *(in deze regie)*, eerst heel klein in de verte, dan altijd groter wordend, tot het één derde van het Bühnenbild in beslag neemt. Het was de eerste keer dat ik op een scène iets indrukwekkends zag. Tot nu kende ik alleen oubollige Bühnenbilder, Bayreuth was een openbaring.

Het koor bij Wagner, dat je met niets ter wereld kan vergelijken, is een personage, is integrerend deel van het drama. Het Bayreuther koor is het beste ter wereld. In de Hollander is het koor bijna constant aanwezig. In de derde acte is er een driedubbel koor. De drie koren: de matrozen van Daland, de meisjes van het dorp en de zeelui van het spookschip worden behandeld als drie personages. Koorregie en choreografie van de diverse koren, met een sensationele matrozendans waren voor mij totaal nieuw en openden een operawereld toen gekend onder de naam «Neu Bayreuth». Daarmee bedoelde men de regie waarmede Wieland en Wolfgang Wagner, kleinzonen van Richard Wagner, die vanaf 1951, na een periode van denazificatie, het muziekdrama op een drastische manier vernieuwden. De generatie van zanger-acteurs, ontstaan na WO II, was hier in Bayreuth anno 1956 op zijn absolute hoogtepunt met Astrid Varnay als bijzonder fenomeen. Haar ballade en nadien het duet met de Hollander was mijn allereerste *Sternstunde*, die ik in mijn leven slechts enkele zeldzame keren heb beleefd, met onder andere Martha Mödl en Hildegard Behrens. De voorstelling van 20 augustus 1956 van *"Der fliegende Holländer"* was een *Sternstunde* om nooit meer te vergeten. Ik was veertien jaar oud.

Tijdens dit wonderbaarlijke jaar 1956 had ik kennis gemaakt met Wagner en Verdi. Terug thuis uit Bayreuth zou Mozart de volgende openbaring worden. Door het Mozartjaar waren er in gans de wereld uitzonderlijke muziekuitvoeringen rond Mozart. Antwerpen deed bescheiden mee met de viering. Op 14 september 1956 woonde ik mijn allereerste concert, een Mozartconcert, bij, door *De Philharmonie*. De leiding had Hendrik Diels, tot 1944 eerste dirigent van de KVO, na WO II in ongenade gevallen, om gelijkaardige redenen als die golden voor Wilhelm Furtwängler in Berlijn. Op het programma stonden het concerto voor fluit KV 313 en het concerto voor piano KV 466.

In dit wonderbaarlijke jaar 1956 kocht ik mijn eerste elpee, een 25 cm Decca met het eerste tafereel uit de tweede acte van *"Lohengrin"*. Een live opname uit Bayreuth 1953 met Astrid Varnay, Hermann Uhde en Eleanor Steber onder Keilberth. Dirigent en twee van de drie zangers kende ik van de voorstelling van 20 augustus. Ik kon nu deze fantastische muziek verschillende keren na elkaar beluisteren. Een waar genot. De duetten tussen Ortrud en Telramund en daarna tussen Ortrud en Elsa waren een totaal nieuwe ervaring in vergelijking met Verdi- en Donizettiduetten. Bij Wagner was het een echte dialoog met een dosis *Sprachgesang* dat mij onmiddellijk boeide. Bij Wagner verstond en begreep je de tekst ook veel beter. De tekst was ook veel boeiender en door Wagner zelf geschreven. Het was een logica dat, als je zowel de tekst als de muziek zelf schrijft, het resultaat veel beter moet zijn.

Mijn oudste broer Alex had inmiddels van mijn vader een magnetofoon gekregen, waarmede hij van de radio rechtstreekse uitzendingen uit Bayreuth opnam. Eén van de allereerste opnames op magneetband was *"Die Walküre"* met Martha Mödl en Hans Hotter. Na het beluisteren van deze Walkure wist ik definitief dat Wagner, opera en muziek een grote rol in mijn leven zouden spelen. Ik was veertien jaar oud.

Tijdens de reizen naar Rome en Bayreuth werd de basis van mijn interesse voor muziek en kunst voor mijn verdere leven gelegd. Ik had ook frivole interesses zoals de heimatfilm *"Schwarzwaldmädel"* met Sonja Ziemann, één van mijn toenmalige vlammen. Het jaar 1956 werd afgesloten met een kerstfeest thuis met de ganse familie, in aanwezigheid van bobonne Van Roey, tante Mimi en nonkel Oswald. Dit was de enige keer dat deze drie familieleden samen bij ons op bezoek waren. Mijn grootvader, Alexander Van Roey was slechts enkele maanden voordien overleden.

Het jaar 1956 was overvol geweest, *des Guten zuviel*, het fundament van alle toekomstige interesses. Ik was veertien jaar oud en had een overdosis gekregen.

HOOFDSTUK XVIII.

Het jaar 1957. De opening van de tweede toonzaal.

Het jaar 1957 zette in met mijn eerste Beethovenconcert, op 14 januari, in de KVO. Mijn tweede contact met Beethoven was met de negende symfonie. Het orkest van de KVO stond onder de leiding van Lode de Vocht, een levende legende, leerling van Lodewijk Mortelmans, directeur van het conservatorium, componist en vooral dirigent. Het koor was het door Lode de Vocht opgerichte Chorale Caecilia. De altpartij zong Mia Greeve en de baspartij Renaat Verbruggen. Het was een memorabele avond, ik hoorde voor het eerst in mijn leven de negende en ik was erdoor zeer zwaar onder de indruk. Ik was veertien jaar oud.

Twee dagen later, op 16 januari 1957, overlijdt in New York Arturo Toscanini, de meest omstreden dirigent van de eeuw. Het doodsbericht in de krant *"Le Matin"* is mijn allereerste krantenknipsel.

Op 24 januari 1957 richt mijn vader zijn PVBA op onder de benaming

Etablissementen Leon Cassiers PVBA.

Voorheen was de zaak een eenmansbedrijf. Door het constante uitbreiden van de firma was een eenmanszaak niet langer praktisch. De oprichters waren mijn vader, die zaakvoerder werd, mijn moeder en mijn oudste broer Alex. Mijn jongste broer Marco en ik waren minderjarig en kwamen niet in aanmerking om vennoot te worden. Ingevolge de oprichting van de PVBA liet mijn vader zich op 5 maart 1957 in het Handelsregister van Antwerpen onder het nummer 34.645 inschrijven.

Maar het jaar 1957 is ook nog rijk aan andere fenomenen. Tussen 1957 en 1963 verwerven alle Afrikaanse landen, die tot dan kolonies waren, hun onafhankelijkheid. Op 25 maart 1957 wordt het Verdrag van Rome door Frankrijk, Duitsland, Italië en de Benelux ondertekend. Op 20 september 1957 sterft Jean Sibelius, de laatste der giganten, 91 jaar oud. Tussen 1949 en 1957 gaan achtereenvolgens Richard Strauß, Furtwängler, Toscanini en Sibelius in de eeuwigheid. Een tijdperk is nu definitief afgesloten. Op 4 oktober 1957 lanceert de Sovjetunie als eerste een ruimtetuig, de *Spoetnik*.

Op 12 februari 1957 maak ik kennis met mijn tweede Verdi-opera: *"Il Trovatore"*, een galavoorstelling met Italiaanse gastzangers in de KVO. Drie weken later, op 3 maart 1957, zie ik een tweede voorstelling van deze opera, maar nu in het Nederlands als *"De Troubadour"*, met het gezelschap van de KVO. Dit was mijn eerste opera in het Nederlands, met Jan Verbeeck als Manrico en Gilbert Dubuc als Graaf Luna. Jan Verbeeck deelde met Frans Gijsen en Marcel Vercammen alle belangrijke tenorrollen van het repertoire. Ik wilde na de eerste auditie van *"Il Trovatore"* deze opera terugzien door de overvloedige melodierijkdom, want de opera op zich is een draak met zeven koppen. Mijn leven lang was ik verbaasd over het onvoorstelbaar aantal melodieën bij Verdi.

De KVO, Koninklijke Vlaamse Opera, opgericht in 1893 als *Nederlandsch Lyrisch Tooneel*, in 1907, onder impuls van Peter Benoit, omgevormd tot *Vlaamsche Opera*, was een repertoiregezelschap, dat met 33 solisten, een orkest van 71 musici, meer dan 200 voorstellingen van 31 verschillende opera's per jaar gaf. Een hele prestatie. Dirigenten waren Johannes den Hertog, een Nederlander, eerste dirigent van de KVO, specialist in Richard Wagner, voormalig dirigent van het Concertgebouworkest, en Hugo Lenaerts, voormalig dirigent van de Franse Opera in de Bourlaschouwburg.

Ik maakte de twee laatste speeljaren van het tijdperk «Baeyens en Van Zundert», de seizoenen 1956-1957 en 1957-1958, mee. Tijdens deze twee seizoenen oude stijl zag ik 12 operavoorstellingen. *"De Troubadour"* was de eerste. Gilbert Dubuc als Graaf Luna was de ster van de avond. Hij was een Luikenaar die perfect Nederlands zong. Je verstond ieder woord en ik begreep onmiddellijk hoe belangrijk het is de tekst te verstaan in de opera.

Vier weken na *"De Troubadour"* zag ik in de KVO voor de tweede maal
"De vliegende Hollander", ditmaal in het Nederlands, met Edward De Decker
als Daland. Op 23 mei zag ik Edward De Decker terug in de vier demonen in
"Hoffmanns Vertellingen". Jan Verbeeck zong de titelrol en Lucy Tilly
Olympia. Bij het binnenkomen in de KVO, stond in de inkomhal een venter met
het theaterweekblad van Antwerpen *"Het Toneel"*. Het was een potsierlijke
figuur die om de vijftien seconden "Het Toneel met volledig program" riep. In
het blad stonden recensies van voorgaande opvoeringen, korte inhoud van de
stukken en bezettingen.

In deze periode kocht ik mijn eerste Caruso-opname op een 45 toeren *extendet
play*. Op die schijfjes stonden meestal vier of vijf aria's. Op mijn schijfje
stonden twee aria's uit *"Rigoletto"* : *Questa o quella* en *La donna è mobile*,
twee aria's uit *"Il Trovatore"* : *Ah si, ben mio* en *Di quella pira* en één aria uit
"La forza del destino" : *O tu che in seno agl'angeli*. Caruso was voor mij vanaf
de eerste dag een fenomeen. In zijn repertoire, in hoofdzaak het Italiaanse met
Verdi als belangrijkste exponent, is hij tot op de dag van vandaag niet
geëvenaard. Caruso had een natuurlijke zangtechniek met weinig scholing. Hij
kan me steeds opnieuw boeien.

In 1957 verscheen het eerste deel van een nieuwe muziekencyclopedie in zes
delen, de eerste in het Nederlands van zulke ruime afmetingen. Mijn broer Alex
schreef in op deze *Algemene Muziekencyclopedie*, die tussen 1957 en 1963 zou
verschijnen. De redactie stond onder de leiding van August Corbet, eminent
Benoit-kenner, en Wouter Paap. Het was een samenwerking tussen Nederland
en België met het zwaartepunt in Vlaanderen, met een Vlaamse uitgever in
Antwerpen, de *Zuid-Nederlandse Uitgeverij*, en met een uitstekende typografie
in *Horley Old Style*. Er was een zeer brede plaats voor Vlaamse muziek, musici
en interpreten. Toen mijn broer in 1963 naar Brussel verhuisde heb ik deze
encyclopedie lange tijd moeten missen, tot ik ze in 1978 toevallig antiquarisch
op de kop kon tikken. Het was de gouden tijd van de encyclopedieën.

Gedurende het jaar 1957 deed mijn vader regelmatig, op zon- en feestdagen, uitstappen met de nieuwe auto. We bezichtigden de in aanbouw zijnde Boudewijnsluis aan de Schelde, toen de grootste sluis van België.

In deze periode heb ik pogingen ondernomen om Roberte Willemsens, een volle nicht, tijdens de Sinksenfoor in Antwerpen, op de scooters, op te vrijen. Deze pogingen zijn bij pogingen gebleven : Roberte was koel, afstandelijk, bijna frigide en ontoegankelijk. Bovendien had ze een snor en was ze totaal oninteressant.

Mijn ouders gingen regelmatig naar de bioscoop en soms mocht ik hen vergezellen. Na de filmvoorstelling gingen we een belegd broodje in Restaurant Panaché in de Statiestraat eten. Een favoriet broodje van mijn vader was een open broodje met américain nature met uien en augurken. De avond werd afgesloten met een bezoek aan een etablissement zoals *Café Marcel* op de De Keyserlei. Andere etablissementen die mijn ouders in die periode bezochten waren : *Café Bodega Old Dutch* in de Appelmansstraat, waar «Urquell» op vat geschonken werd. Mijn vader leerde mij deze unieke pils appreciëren. Urquell op vat werd ook bij Anneke van de *Maro* in de Schuttershofstraat geschonken. Een ander wereldvermaard etablissement in Antwerpen was *Café Pelgrim* in de Boomgaardstraat tegenover de brouwerij De Koninck. Daar kon je een *bolleke* Koninck met een *gistje* krijgen. Het *gistje* was een minuscuul klein glaasje met zuivere gist dat, vóór het drinken van het *bolleke*, in eenmaal moest worden gedronken. In *Café Pelgrim* werden ook gezode worsten geserveerd. Hiervan was mijn vader een groot liefhebber.

Een heel speciale figuur die men in Antwerpen op straat kon tegenkomen was Marc Baert, die een zelfgeschreven en zelfgedrukte krant «Het Licht» verkocht. Hij schreef, drukte en verkocht zijn schrijfsels in cafés. Hij stond op de lijst van de gemeenteraadsverkiezingen met een éénmanspartij «Caganovemus». Zijn naam had hij niet gestolen, hij droeg een lange baard en men kon in menig Antwerps etablissement met hem uren lang in discussie treden over alle mogelijke en onmogelijke onderwerpen..

Twee opmerkelijke films liepen in de Antwerpse bioscopen, de ene was
"The bridge on the river Kwai" met Alec Guinness in de rol van zijn leven, de
andere was een vreemde Zweedse prent *"Det sjunde inseglet"* of
"Het zevende zegel" van Ingmar Bergman.

In de directe omgeving van de Helmstraat, in de Lammekensstraat, was een
instrumentenbouwer, Armand De Prins, gevestigd. Hij bouwde koperen
blaasinstrumenten en regelmatig hoorde men een trompet of hoorn schallen. Het
was het teken dat De Prins weer een instrument had klaargekregen. Het werd
dan op tonaliteit en juistheid getest.

In de Helmstraat kwam iedere nacht een nachtwacht van de
Garde Maritime & Commerciale. Mijn vader sloot zich aan en kreeg op de gevel
een wit geëmailleerd ovalen schild als bewijs van aansluiting. Iedere nacht werd
een klein papieren kaartje in de brievenbus gestoken als bevestiging van
controle door de «Nachtronde». Toegangsdeuren en rolluiken werden op
regelmatigheid van sluiting gecontroleerd.

In juli 1957 ging mijn broer Alex voor de eerste keer naar Londen en
Stratford-upon-Avon. De reis werd georganiseerd door het Conservatorium van
Antwerpen waar Alex lessen volgde. In het gezelschap was, buiten de leerlingen
van het Conservatorium, Lea Daan, lerares bewegingsleer, een Antwerpse
beroemdheid. In Londen zag hij *"Titus Andronicus"* met Laurence Olivier en
Vivian Leigh. In Stratford zag hij *"Julius Caesar"*, *"Cymbeline"* en
"King John". Mijn oudste broer was een Shakespeare-fanaat en is het zijn leven
lang gebleven en bezocht ieder jaar diverse Londense theaters..

In augustus 1957 ging de ganse familie voor de tweede keer met vakantie naar
Lugano. De rit Antwerpen-Lugano werd in twee dagen, voor de eerste keer met
de auto, de nieuwe Opel Kapitän, afgelegd. De eerste dag ging over Arlon,
Nancy, Colmar, Mulhouse en Bazel tot Liestal. In Liestal bleven we in hotel
«Engel» overnachten. 's Avonds was er een maaltijd in het hotel. De ganse weg
ging over nationale wegen, er was nog geen enkele autosnelweg. De tweede dag

ging over Lucerne, Altdorf, de Gotthart, Biasca tot Lugano. In Altdorf hebben
we een oponthoud gemaakt om een foto met het vermaarde standbeeld van
Willem Tell te maken.

In Lugano verbleven de ouders in het *Grand Hôtel Eden au lac*, in de
deelgemeente Paradiso, aan het meer, buiten het centrum van de stad. De drie
kinderen verbleven in *Hôtel Beaurivage*, een annex van en gelegen tegenover
het hotel Eden. De maaltijden waren gezamenlijk in het restaurant van het hotel
Eden, direct boven het meer, met zicht op de nabij gelegen bergen
Monte San Salvatore en *Monte Generoso*. Dagelijks maakten we wandelingen
lungo lago, langs het meer, naar het centrum van Lugano, de sjiekste stad van
Zwitserland, bijna niet meer Zwitsers en nog geen Italië.

Het toerisme in Lugano was anno 1957 beperkt tot enkele Duitsers en uiteraard
de Zwitsers zelf, en dan alleen in de hotels en albergo's. Eendagstoerisme,
caravans en kamperen bestonden toen niet. Een van de geliefkoosde bezigheden
van mijn vader, wanneer hij aan zee of aan een meer was, was de inspectie van
de visserij en de scheepvaart. Mijn vader kon urenlang in de omgeving van de
steiger rondslenteren om de vertrekkende en aankomende stoomboten of de
terugkerende vissers gade te slaan. Zoals op alle meren in Zwitserland, deden de
boten dienst als openbaar vervoer. Zij deden alle oevergemeenten aan. Een
bediende van de *Navigazione Lago di Lugano* riep vóór het vertrek van de boten
de gemeenten die werden aangedaan, af. Hij riep het volgende: Lugano -
Paradiso – Carabbia – Campione – Caprino – Castagnola – Gándria, met een
speciale klemtoon op Gándria om duidelijk te maken dat Gándria de
eindbestemming was.

In Lugano aten we voor het eerst polenta, een regionale specialiteit op basis van
maïsmeel. Mijn vader was steeds geïnteresseerd in streekgerechten. Hij was van
mening dat je het minstens één keer moest uittesten, om het dan eventueel
nadien nooit meer te eten.

Terug uit Lugano riep de schoolplicht. Op het Lycée ging ik definitief de handelstoer op. We kregen nu ernstige vakken zoals *Economie financière*, *Economie politique* en *Droit civil*, buiten de vakken die we al hadden, zoals *Droit commercial* en *Comptabilité industrielle* en uiteraard handelscorrespondentie in vier talen.

In september 1957 opende mijn vader zijn splinternieuwe toonzaal onder massale belangstelling. In Antwerpen was deze toonzaal, na Prist, de tweede met een totaal nieuw concept. Op nationaal vlak was het één van de vijf moderne toonzalen. In vergelijking met zijn vorige toonzaal, die zich boven het magazijn, niet zichtbaar vanaf de straat, bevond, had mijn vader met de nieuwe toonzaal een vooruitgang met zevenmijlslaarzen gemaakt. Deze toonzaal was met een uiterste zorg ingericht.

Op 4 november 1957 knoopte ik terug aan met het concertgebeuren met een groot symfonieconcert in de oude feestzaal van de dierentuin op het Astridplein. Het was mijn eerste bezoek aan deze concertzaal en het was een concert in het seizoen van de dierentuin zelf, met het orkest van *De Philharmonie* van Antwerpen, voorloper van het Filharmonisch Orkest van Vlaanderen. De leiding had Eleazar de Carvalho, een Braziliaanse dirigent en componist. Op het programma stond het pianoconcert van Ravel. Pianiste was Jocy de Oliveira, eveneens Braziliaanse, piepjong, onder de vleugels van de Carvalho. De avond werd afgesloten met de vierde symfonie van Tsjaikofski. Ik zat boven op de gaanderij, akoestisch schitterend.

Het was een concertzaal in de vorm van het Concertgebouw van Amsterdam, typisch voor de eeuwwisseling, ingehuldigd door Peter Benoit in 1897 met de Rubens-cantate met 725 uitvoerenden. Enkele jaren later, tijdens de Antwerpse afbraakwoede van Lode Craeybeckx, burgemeester van Antwerpen, notoir socialist, cultuurbarbaar en moordenaar van monumenten, zou ze worden gesloopt en vervangen door het akoestische wangedrocht *Elisabethzaal*.

Een week later, op 12 november 1957, zag ik mijn eerste *"Carmen"*, een galavoorstelling, Frans gezongen. De vertolkster van Carmen was klein en niet erg slank. Dit zette een domper op de avond. Nog een week later, op 19 november, woonde ik mijn eerste barokconcert bij, in de Bourla, met het *Societa Corelli di Roma*, met vier concerti grossi van Corelli, Vivaldi en Boccherini. Van Vivaldi kende ik alleen de *Vier jaargetijden*, van Corelli en Boccherini hoegenaamd niets. Het was zeer aangename muziek, de zogenoemde *stile galante*. Vivaldi zou me vanaf nu meer en meer gaan interesseren, Boccherini kwam eerst veel later aan de beurt. Barokmuziek was in die tijd eerder zelden te horen.

Het absolute hoogtepunt van 1957 kwam aan het einde. Ik was erin geslaagd een kaart te bemachtigen voor de voorstelling van 29 november 1957 van *"Die Walküre"* in de Muntschouwburg in Brussel, in aanwezigheid van koningin Elisabeth. Het was een uitzonderlijke gastvoorstelling door het voltallige gezelschap van Bayreuth, in een regie van Wieland Wagner. Eigenlijk dezelfde regie als die in Bayreuth sinds 1951 gold. Het was een topbezetting met Wolfgang Windgassen, Hans Hotter en Josef Greindl onder de leiding van Wolfgang Sawallisch.

Jammer genoeg was Martha Mödl voor Brünnhilde indisponibel en werd vervangen door Siw Ericsdotter, de stand-in van Bayreuth. Siw Ericsdotter, een Zweedse *Hochdramatische*, 38 jaar oud en in *full voice*, was aantrekkelijk maar een categorie onder Martha Mödl en Astrid Varnay. Opmerkelijk, Mina Bolotine zong die avond Ortlinde. Het was het eerste optreden van Bayreuth buiten het Festspielhaus. Deze voorstelling, voor mij de tweede door het gezelschap van Bayreuth, was een openbaring. Nog meer dan met de Hollander, zag ik nu de stijl van «Neu Bayreuth» : de regie van Wieland Wagner was scenisch wereldschokkend. Deze voorstelling was mijn tweede *Sternstunde*.

HOOFDSTUK XIX.

Het EXPO 58 jaar.

Het jaar 1958 was in meer dan één opzicht een doorbraakjaar, waarvoor 1957
een aanloopjaar geweest was. In 1957 was in België de eerste Supermarkt van
Europa in Brussel door Delhaize geopend. Het jaar 1958 was een jaar van vele
uitvindingen en nieuwe producten. De meest opmerkelijke uitvinding was de
«Xerocopie» van Rank Xerox, een droge fotokopie op basis van inktpoeder.
Voordien bestond alleen de klassieke fotokopie met negatieve pellicule. De
stereofonische grammofoonplaat zag ook het licht in 1958. En ook de *Jukebox*.
Opmerkelijk waren de bewaardozen voor voeding en drank van «Tupperware»
en de bouwstenen van «Lego», speelgoedblokjes waarmede men letterlijk alles
bouwen kon.

Gelijktijdig met de Wereldtentoonstelling van Brussel 1958, EXPO 58, is er de
allereerste opkomst van de Beatles, een popgroep bestaande uit vier musici,
afkomstig uit de laagste sociale klasse van Liverpool. EXPO 58 en de opkomst
van de Supermarkt betekenen een definitieve vestiging van de
consumptiemaatschappij en een gelijktijdige breuk met de
parochiezaalmentaliteit. De allereerste verschijnselen van lange haardracht bij
mannen doen zich voor. In de schaduw van EXPO 58 ontstaat ook Bokrijk, een
openluchtmuseum in Limburg, waar historische hoeven en huizen worden
heropgebouwd. Het openluchtmuseum is geboren.

EXPO 58 werd groots aangekondigd, de ganse wereld kwam naar Brussel,
nieuwe wegen werden aangelegd en er was het «Atomium», een Belgische
constructie, een wereldwonder, van een Belgisch architect, André Waterkeyn.
En er was het revolutionaire Philipspaviljoen van Le Corbusier. Het Paviljoen
van de Sovjetunie was imposant, in zuivere Sovjetstijl, met, in de inkom de
Spoetnik I en in de grote hal een immens standbeeld van Lenin.

Er werd een nieuw woord uitgevonden : *fairhostess*. EXPO 58 bracht in de
architectuur de atomaire stijl. Design, meubelen, apparaten, accessoires, auto's

ondergingen een invloed door EXPO 58. Een voorloper van EXPO 58 was de Citroën DS. Niets zou meer zijn zoals vóór EXPO 58, die een nieuw tijdperk inluidde. Het tijdperk van de autosnelwegen, de supermarkten, de *fast food* (het woord kenmerkt het tijdperk : *sneller eten*), de overconsumptie en de weggooimaatschappij. De mens zou zogezegd vanaf nu gelukkiger worden, maar de mens zou ook vanaf nu meer problemen krijgen en eenzamer worden. De vooruitgang mocht je echter niet tegenhouden. Oom Oswald bezocht, naar eigen zeggen, dagelijks EXPO 58, wat, gelet op zijn activiteiten, best mogelijk moet zijn geweest.

Met Sinksen 1958 slaagde mijn vader erin, op het strand in Knokke, een papieren vlieger vrij hoog en redelijk lang in de lucht te houden, iets wat mij nooit is gelukt. Samen met mijn ouders zag ik in het Cabaret Cyrano op de De Keyserlei, Anton Peeters, Jef en Çois Cassiers in enkele kabaretnummers. Jef en Çois Cassiers waren geen familie, hadden alleen maar hun naam gemeen met ons. Samen met mijn moeder zag ik Gilbert Bécaut in de *Ancienne Belgique* op de Kipdorpvest. De presentatie deed Yvonne Lex, die meer allure had dan Gilbert Bécaut. Op de Stadswaag was een Jazz-kroeg, de *Gard Sivik*, die ik door het ondermaatse niveau slechts één keer bezocht.

Mijn vader had zijn eigen paard, Max Adolf, gestald in het 's Gravenhof in 's Gravenwezel. Mijn moeder was experte in een nieuwe sport, de *hoelahoep*, ook mijn beide broers waren er zeer bedreven in. Mijn moeder liep hoog op met Helmut Zacharias, een wonderkind, dat aan 6 jaar viool speelde, en, in 1958, toen 38 jaar oud, met een strijkersorkest een Europatoer ondernam. In Antwerpen streek hij neer in zaal Rock Ola aan het Astridplein en speelde Johann Strauß en zoetgevooisde melodieën. Mijn moeder was er verzot op, net als op Jos Van der Smissen, een violist die in taverne *Nocturne* in de Anneessensstraat speelde. Een geliefkoosde uitstap van mijn vader was café *De Trappisten* in Westmalle. Daar kon men de beste *Triple* van België drinken.

Het jaar 1958 was een scharnierjaar. In Frankrijk keert Generaal de Gaulle terug op het politieke toneel, midden een totale chaos van de particratie. Hij creëert de vijfde republiek, zet de dekolonisatie in, wordt eerste minister en daarna staatshoofd en geeft de onafhankelijkheid aan Algerije, na een staatsgreep der militairen. Het *Gaullisme* is geboren en zal Frankrijk uit het zwaarste dieptepunt sinds de Franse revolutie halen.

Door het sparen van *Artispunten* op voedingswaren kon ik twee *Artisalbums* over Vlaamse schilderkunst bestellen. Het eerste deel ging van Van Eyck tot Matsys, het tweede deel was uitsluitend aan Rubens en Jordaens gewijd. Het waren mijn twee eerste kunstboeken.

In augustus 1958 ging de ganse familie met vakantie naar Tremezzo aan het meer van Como, niet ver van Lugano. De reisroute was identiek aan die naar Lugano, alleen ging die verder, langs de noordkant van de *Lago di Lugano* tot Menaggio aan het *Lago di Como* en van daar zuidwaarts richting Como. We reden voor de tweede keer met de Opel Kapitän, maar ditmaal over de *Tremola* van de Gotthart in plaats van op de autotrein onder de spoorwegtunnel.

Op de eindbestemming logeerden we in het *Grand Hôtel di Tremezzo*, in alle opzichten groot, niet in het minst het restaurant. Het avondmaal was een ritueel met veel personeel en veel gedoe, een uitstekende service en de grote stijl van een echt Grand Hôtel. In het meer van Como kon je zwemmen, er was echter noch strand, noch lido. Tussen het hotel en het meer liep de hoofdweg naar Como. Het verkeer was toen uiterst beperkt, de weg overlopen ging zonder gevaar. Om te zwemmen ging je vanuit het hotel direct naar het meer in badjas. Onmiddellijk achter het hotel ging het bergopwaarts via trappenstraatjes. De omgeving was bloemen- en plantenrijk, met vele negentiende eeuwse villa's met chic en vergane glorie. We maakten vele wandelingen tussen deze villa's met terrassen. In het stadje Tremezzo werd dagelijks onder de arcades een fruit- en groentemarkt in een typische Italiaanse sfeer gehouden.

Naast het Grand Hôtel lag de *Villa Carlotta*, een grote klassieke villa met terrasgewijs aangelegde tuinen. De *Villa Carlotta* bezit een mooie verzameling beeldhouwwerk. Er staat een kopie van de *Amor en Psyche* van Canova, waarvan ik enkele jaren later in het Louvre het origineel zag, zonder ook maar enig verschil te merken. Het beeld wordt aanzien als het beste werk van Canova en moet het hoogtepunt van het neoclassicisme voorstellen. Het is heel sensueel en bekoorlijk. Telkens ik dit beeld zag werd ik getroffen door de levensechtheid ervan. Ik zag het beeld twee keer in het Louvre en twee keer als kopie in Tremezzo en zag nooit enig verschil.

Vanuit Tremezzo maakten we met de auto daguitstappen, *lungo lago*, naar Como, Milaan en Varese. In Como zagen we de vermaarde dom in een zeer Italiaans eclectische stijl. De *Piazza del Duomo* heeft een aantrekkelijke atmosfeer. In Milaan zagen we ook de dom, gotisch, vrij uniek in Italië, imposant door zijn omvang. Vanuit de *Piazza del Duomo* gingen we door de Galleria die uitgeeft op het *Teatro alla Scala*, waar in de inkom een borstbeeld van Toscanini naast dat van Verdi prijkt. Toscanini was eerst één jaar voordien overleden en in Milaan ten grave gedragen. In de inkom van de Scala was het alsof hij samen met Verdi vereeuwigd was. Toscanini was een deel van de Scala en een deel van Verdi.

Het jaar 1958 was ook in andere opzichten een keerjaar. Op 9 oktober 1958 ging Paus Pius XII in de eeuwigheid en met hem een tijdvak. Zijn opvolger, Paus Johannes XXIII, was in alles het tegenovergestelde van zijn voorganger. Hij was een boerenzoon, rondborstig, gezellig en open. Pius XII was groot, mager, ascetisch, ernstig, intellectueel, aristocratisch en conservatief. Johannes XXIII luidde een nieuw tijdperk in, door het tweede Vaticaans Concilie, dat de Kerk op zijn grondvesten deed daveren, samen te roepen. Het was het begin van het einde van de Katholieke Kerk. Het Latijn werd vervangen door de volkstaal, de priester stond oog in oog met de gelovigen, de liturgie werd grondig vereenvoudigd. Het mysterie was weggenomen, de mensen begrepen de teksten die ze vroeger in het Latijn niet begrepen. De kerken liepen leeg en de Kerk werd alleen nog gebruikt als ceremoniemeester voor doopsel, communie, huwelijk en begrafenis.

Bij Anneke van de Maro maak ik kennis met Wim Grupping, een Wagneriaan, fan van Wolfgang Windgassen en Festspielgast. Hij had in Bayreuth Windgassen als Lohengrin gezien en vond Lohengrin het ultieme werk van

Wagner. Tannhäuser kon hij niet hebben, hij vond het personage pervers. Later vernam ik dat Wim Grupping problemen had met meisjes. Hij was zeven jaar verloofd met een meisje dat de relatie uiteindelijk verbrak. Toen ik Wim Grupping jaren later, eind jaren zeventig, ontmoette, bleek dat hij homofiel was, maar dat hij het van zichzelf niet geweten had of niet aanvaarden wou, ingevolge zijn katholieke opvoeding. Hij kon zijn geaardheid niet accepteren en was misogyne geworden. Nu begreep ik waarom Lohengrin, wiens huwelijk niet geconsumeerd werd, zijn ultieme held was, terwijl Tannhäuser, die aan sensualiteit ten onder ging, voor hem verderf betekende.

In 1958 kocht ik mijn tweede langspeelplaat, terug een 25 cm Decca met twee duetten uit *"Tosca"* en *"Madama Butterfly"*, *Love duets* was de suggestieve titel van het album, gezongen door Renata Tebaldi en Giuseppe Campora. Het was het soort muziek dat ik toen graag hoorde, naast Wagner en Verdi. Van Puccini hield ik het meest van *"Tosca"* door zijn extreem hoge dramatiek.

Het jaar 1958 was mijn eerste theaterjaar en ik kreeg vanaf de eerste dag Shakespeare voorgeschoteld met *"De koopman van Venetië"* met Luc Philips in zijn glansrol Shylock, en Frans Van den Branden als Koopman. Ik zag Jeanne De Coen, een levende legende, in *"De kersentuin"* en Dora Van der Groen, piepjong, aan het begin van haar carrière, in *"Busstop"*.

De KNS, *Koninklijke Nederlandse Schouwburg*, speelde toen nog theater. De vaste stek was de Bourlaschouwburg. Ik zag er verschillende keren Julien Schoenaerts als jonge jeune premier. Julien Schoenaerts ging door als de Vlaamse Marlon Brando en was zonder enige twijfel onze beste acteur.

Het *Jeugdtheater* speelde ook nog theater voor kinderen in de *Huurschouwburg* aan het Kipdorp. Tijdens het jaar 1958 werd het daar door beeldenstormer en moordenaar van monumenten Lode Craeybeckx, socialistisch burgemeester van Antwerpen, weggejaagd en verplicht ondergebracht in de afgedankte bioscoopzaal *Majestic* in de Carnotstraat. Dit ter voorbereiding van de afbraak van een theatergebouw met de beste akoestiek van Europa, volgens Laurence Olivier.

Voor de Vlaamse Opera, de KVO, was 1958 ook een keerjaar. Het was het laatste speeljaar van de oude garde, het tweespan Baeyens en Van Zundert. Tijdens dit laatste speeljaar oude stijl zag ik drie nieuwe Wagner' s en het begon op 11 januari met *"Lohengrin"*, die mijn favoriete opera zou worden. Elsa werd gezongen door Marie-Louise Hendrickx, 36 jaar oud, op het absolute hoogtepunt van haar mogelijkheden. Zij bezat een uniek mooi timbre en was een uitstekende actrice. Zij interpreteerde Elsa zeer vrouwelijk. Zij was de beste kracht van het operagezelschap. Ortrud werd gezongen door Mina Bolotine, een monument van de Vlaamse Opera, 53 jaar oud, op haar retour, maar nog steeds indrukwekkend. Behalve Ortrud zong Mina Bolotine in het Wagnerrepertoire Isolde, Kundry en Venus. Brünnhilde had ze al opgegeven. Bolotine was van het type dramatische sopraan met mezzo-inslag en zong ook rollen zoals Eboli en Dalila en zelfs Carmen. De titelrol werd gezongen door Marcel Vercammen, de Antwerpse Wagnerheldentenor. Hij had nog les gekregen van Max Lorenz. De koning was Edward De Decker, een ander monument van de KVO. De regie van Karel Schmitz dateerde uit Wagner' s tijd.

Op 8 februari 1958 zag ik *"De heilige van Bleecker Street"* van Menotti, toen een hedendaagse opera, gecreëerd in 1954 in Broadway. Op 1 maart 1958 zag ik *"Schuld en Boete"* van Arrigo Pedrollo, eveneens toen hedendaags, thans volkomen vergeten, gebaseerd op de roman van Dostojefski. In beide werken zong Marie-Louise Hendrickx de hoofdrol, de enige reden om naar deze opvoeringen te gaan.

Op 24 maart 1958 woonde ik een concert van *De Philharmonie* in de KVO bij. De leiding had Jef Alpaerts, zoon van Flor Alpaerts. Solist was John Browning, een jonge Amerikaanse pianist, 2^e laureaat van de Elisabeth-wedstrijd 1956. Hij vertolkte het vierde concerto van Beethoven en het tweede van Chopin.

Op 4 april 1958, op goede vrijdag, zag ik in de KVO mijn eerste *"Parsifal"* in de oude regie van Karel Schmitz. Het was tevens de laatste KVO-Parsifal oude stijl. Mina Bolotine zong Kundry, nog uitermate genietbaar met een grootse vocale présence. Marcel Vercammen zong de titelrol en Edward De Decker Gurnemanz.

Op 14 juni 1958 zag ik één van de laatste voorstellingen van het tijdperk Baeyens en Van Zundert. Het werd mijn eerste *"Tannhäuser"* en mijn vijfde Wagneropera. Mina Bolotine was door het stadsbestuur voor het volgend seizoen 1958-1959 als directrice benoemd. Zij zong die avond haar laatste Venus. Het werd een memorabele avond, afsluiting van een epoque. Die avond zal ik voor de rest van mijn leven niet meer vergeten. De keuze van het werk was ook gedenkwaardig. Even werd gevreesd voor een Antwerpse versie van het Parijse Tannhäuserschandaal van 1861, door toedoen van een clique aanhangers van het naar zijn einde lopende tijdperk Baeyens en Van Zundert. De Antwerpse politie was uitzonderlijk, versterkt, doch discreet, in de zaal aanwezig, wat menig politieagent het genoegen verschafte voor het eerst in zijn leven gratis van Wagner en Marie-Louise Hendrickx te kunnen genieten. In deze voorstelling kreeg men het volledige Antwerpse Wagner-zangerensemble te horen. Edward De Decker als landgraaf, Marcel Vercammen in de titelrol, Renaat Verbruggen als Wolfram, Mina Bolotine als Venus en Marie-Louise Hendrickx als Elisabeth, één van haar glansrollen. Vocaal was deze *"Tannhäuser"* van hoog niveau.

De interventie *Ik smeek voor hem, ik smeek U voor zijn leven* in het tweede bedrijf tijdens de zangwedstrijd door Marie-Louise Hendrickx was onvoorstelbaar ontroerend en is door geen enkele zangeres ooit geëvenaard. Als Tannhäuser-Elisabeth zag ik haar acht keer en ik heb nu nog spijt dat ik haar in deze rol niet nog meer gezien heb.

In juli 1958 maakte ik, op de Grote Markt in Antwerpen, een historisch moment in de Vlaamse muziekgeschiedenis mee. Zonder het te beseffen was ik getuige van de laatste uitvoering van de *"Rubenscantate"* van Peter Benoit. Het koor en het orkest van de KVO, uitgebreid door 16 mannen-, vrouwen- en kinderkoren, stonden onder de leiding van Lodewijk De Vocht. Een tijdperk ging ten einde, op vele vlakken, en ik was er getuige van. Ik was zestien jaar oud.

HOOFDSTUK XX.

De reorganisatie van de zaak.

Rond deze tijd was mijn vader in contact met «George S. May», een reorganisatiebedrijf uit de Verenigde Staten met een Europese zetel in Düsseldorf. Mijn vader was een perfectionist en wou alles correct en netjes binnen de krijtlijnen. De zaak van mijn vader groeide snel na de opening van de nieuwe toonzaal in de Helmstraat in 1957. Van een eenmanszaak was zij nu uitgegroeid tot een kleine onderneming met twaalf personeelsleden. Mijn vader had organisatorische problemen op het vlak van voorraad, herbevoorrading, orders, leveringen, facturatie en boekhouding. Verkoop deed hij zelf en was dus niet het probleem. Aan mijn oudste broer Alex, sinds 1956 als bediende in dienst van de zaak, had hij een grote hulp; hij miste echter een vlotte organisatie.

De reorganisatie door «George S. May» bestond uit een reeks gesprekken met alle medewerkers, die haarfijn vanaf het eerste ogenblik dat ze 's morgens hun taak aanvatten, moesten uitleggen wat ze precies deden. Daarna werd een schematische voorstelling van alle taken en functies voor iedere werknemer opgesteld. Veel belang werd gehecht aan de *Route de la commande*. De af te leggen weg van de opdracht tot de levering was een essentieel onderdeel van de organisatie. «George S. May» stelde een organigram op met vaste omlijning van taken en functies van het personeel. Het was het ontstaan van een strak keurslijf waarin het bedrijf vanaf nu zou voortbestaan en dat het uiteindelijk fataal zou worden.

Een andere belangrijke vernieuwing was het houden van een permanente inventaris aan de hand van steekkaarten waarop dagelijks iedere stockbeweging genoteerd werd en waarvan men op ieder ogenblik de stocksituatie kon vaststellen. Het was een grote vooruitgang tegenover de vorige situatie waarin de herbevoorrading aan de hand van een schatting of een telling moest gebeuren. De kostprijs was een bediende met een voltijdse dagtaak. Anno 1958 was het revolutionair en was een bediende met een voltijdse dagtaak minder duur dan twintig jaar later.

Bij belangrijke gebeurtenissen riep mijn vader steeds een familieraad samen. Op zulke familieraad mocht eenieder zijn opinie betreffende de problematiek kenbaar maken. Vermits mijn vader de initiatiefnemer van de operatie was, durfde niemand hem tegenspreken. De cruciale vraag was: "Is dit noodzakelijk?". Alvorens de reorganisatie te laten uitvoeren, kwam een délégué de procedure uiteenzetten. De ganse familie was aanwezig bij de uiteenzetting door de gedelegeerde. Opvallend was het taalgebruik en de gewichtigdoenerij. Het volledige betoog werd door mijn oudste broer Alex op magnetofoonband opgenomen.

Het was het prille begin van wat later een rage zou worden : *reorganisatie*. De reorganisatie door «George S. May» had voordelen, vermits iedere werknemer wist waar hij stond in het bedrijf en de administratie vlotter verliep. De nadelen zaten in het strakke keurslijf met een rigide hiërarchie die te veel rekening hield met de bevoegdheden van de diensthoofden, *les chefs de service.* Want het hele gedoe was in het Frans. De reorganisatoren waren Fransen, er was nog geen Belgische zetel van «George S. May».

Het bedrijf zou later zwaar te leiden hebben aan overorganisatie en een te kort aan bewegingsruimte. De aanvang van deze overorganisatie is hier door «George S. May» gelegd. Het bedrijf was nochtans goed gestructureerd. Mijn vader wou alles correct en netjes binnen de krijtlijnen, volgens de regels der kunst, zoals hij het uitdrukte. De klant had recht op een goede service, vermits hij ervoor betaalde.

Mijn vader had vele contacten met architecten en aannemers en ontwikkelde in de loop der jaren verschillende ingewikkelde procedures van levering aan of via aannemers en installateurs. De mogelijkheden van afroep voor levering en facturatie waren legio. De bestelde goederen konden eindeloos in reservatie in de magazijnen blijven staan. Het was goed bedoeld en het was vooral om klanten aan te trekken en de omzet te verhogen.

Door het feit dat er steeds minstens drie partijen waren : een aannemer, een installateur en een eindverbruiker, waren de verantwoordelijkheden niet steeds duidelijk afgelijnd en kon er een conflictsituatie ontstaan. Diegene die het conflict moest klaren was de leverancier, die meestal aan het kortste eind trok. Er was veel onduidelijkheid in de afhandeling van de opdracht, die door de eindverbruiker werd gegeven, aan de aannemer werd gefactureerd en door de installateur werd geplaatst. Bovendien ontving de installateur een commissie, onder de deknaam *risicopremie*, op de goederen. Het was ook de installateur die de gereserveerde goederen, in verschillende stadia, naargelang de vooruitgang der werken, afriep voor levering. Soms kwam er een vierde personage opdagen, onder de vorm van de architect, die steevast partij koos voor zijn klant en een extra commissie opeiste. In extreme gevallen werden drie commissies op één opdracht uitbetaald : één aan de installateur, één aan de aannemer en één aan de architect. Het ergste was de zeer zware administratie die het hele gedoe met zich mee bracht.

Gedurende gans mijn loopbaan heb ik me afgevraagd of er geen eenvoudiger afhandelingsprocedure met minder administratie mogelijk was. De installateur was echter de sterkste partij. De installateur bepaalde waar aangekocht werd. Toen de groothandel dit besefte, begon een kortingenoorlog zonder einde, tot één der partijen sneuvelde.

De Antwerpse sanitaire markt werd anno 1958 door de concurrentiestrijd tussen Prist en Schiltz beheerst. Desco, eerst 1947 ontstaan uit de samenwerking tussen een boekhouder van Prist, Pierre Schotmans, die de kennis leverde, en de zoon van een bioskoopuitbater van Deurne, Pierre De Decker, die het geld leverde, had toen nog geen betekenis. Door de hevige concurrentie, sneuvelde eerst Schiltz die failliet ging in 1980. Prist sneuvelde later in zijn machtsstrijd met Desco en werd opgekocht door Van Marcke, marktleider van België. Desco werd groot door het sneuvelen, eerst van Schiltz, later van Prist.

In 1958 heeft mijn vader na lang aarzelen Jules Corens, handelsreiziger, ontslagen. Zijn prestaties waren ondermaats, bovendien had hij een spraakgebrek, hij lispelde, wat voor een handelsvertegenwoordiger niet direct een voordeel is.

In 1958 was er regelmatig contact met René Van Bastelaere, die we op zijn buitenverblijf in Jezus-Eik bezochten en waar we werden onthaald op braadkippen met Beaujolais. Dat was de manier waarop een Brussels ketje een Sinjoor ontving. Mijn ouders gingen in deze periode regelmatig naar restaurant «Don Quichot» op het Vleminckveld, samen met het echtpaar Edmond Van der Voort, om er mosselen te eten, echter nooit vóór september, de eerste maand waarin de mosselen voldoende kwaliteit en smaak hadden. Mosselen eten tussen de maand mei en de maand augustus was uit den boze. Door overconsumptie werden later mosselen het ganse jaar door zonder onderbreking aangeboden. De populaire consument besefte zelfs niet dat er ooit zoiets bestaan had als een dode periode, waarin het taboe was om mosselen te eten.

In zaal «Elckerlyc» op de Frankrijklei werd een zeer belangrijk debat tussen Paul Scapus en Hendrik Diels met als thema *Opera in de originele of de volkstaal* uitgevochten. Paul Scapus, hartstochtelijk verdediger van de originele taal, ging in debat met zijn aartsrivaal Hendrik Diels, verdediger van de volkstaal, zeer bekwaam dirigent van de KVO tijdens het interbellum, door oorlogsomstandigheden aangebrand, van ieder officieel mandaat uitgesloten. Het publiek werd gevormd door heel artistiek Antwerpen. Tijdens de pauze stond ik oog in oog met levende legende Jef Van Hoof. De man, met zijn rijzige, voorname gestalte, maakte zoveel indruk op mij, dat ik het woord tot hem niet durfde te richten. Jef Van Hoof, na Peter Benoit, de belangrijkste Vlaamse componist, was imposant en stond voor mij. Ik was zestien jaar en je vergeet het nooit.

Alle argumenten pro en contra de volkstaal werden naar voren gehaald en het werd een boeiend debat. Ik was aanvankelijk een voorstander van de volkstaal door de verstaanbaarheid van het libretto. Later gaf ik de voorkeur aan de originele taal, omdat de muziek door de componist aan het woord werd aangepast. Het ging hem om de koppeling tussen woord en toon, die in een vertaling niet meer overeenkwam. Opera in de volkstaal liep op zijn laatste benen. In Duitsland heeft men nog zeer lang vastgehouden aan de Duitse versie van de libretti. In gans de wereld werd naar de originele taal teruggegrepen.

In deze periode ging tante Mimi tijdens het tussenseizoen met mijn grootmoeder met vakantie naar Menton aan de Franse Riviera, tegen de Italiaanse grens, tussen San Remo en Monte-Carlo. Zij vlogen dan tot Nice en namen een taxi van Nice naar Menton. Mijn tante, die een karaktervolle, zeer actieve vrouw was, wenste haar moeder, na een leven van hard labeur en vele verschrikkingen, een mooie oude dag te geven. Tijdens de volgende jaren zou tante Mimi deze reizen naar Menton en naar Nice ieder jaar herhalen.

HOOFDSTUK XXI.

De era Bolotine in de KVO.

Eindelijk was het zover, na lang wachten, als gevolg van technische aanpassingen van toeschouwersruimten en toneel, heropende de KVO laattijdig op 23 oktober 1958, onder de nieuwe directie van Mina Bolotine.
De verwachtingen waren hoog gespannen. In navolging van «Neu Bayreuth» werden overal in de wereld vernieuwingen aan de operaregie aangebracht. Zo ook in de KVO door Mina Bolotine, die in 1954 en 1955 in Bayreuth de derde Norn had gezongen en stand-in als Isolde voor Martha Mödl en Astrid Varnay was. Mina Bolotine, vertrouwd met de naoorlogse Bayreuther vernieuwingen, een gekende figuur in het Antwerpse operaleven, lerares aan het Antwerpse Conservatorium, stralende Brünnhilde en schitterende Isolde, had alle grote mezzopartijen gezongen : Dalila, Carmen, Amneris, Eboli, Orfeo, Alceste, Ortrud, Venus en Kundry. Haar debuut in 1927 in de KVO als Reinhilde in *"Herbergprinses"* behoorde tot de Vlaamse historische operagebeurtenissen.

Door de aangekondigde grote vernieuwingen had ik een abonnement op het parterre voor de premières van mijn vader gekregen. Dit abonnement heb ik gedurende drie seizoenen van de era Bolotine hernieuwd. Zodoende zag ik alle producties minstens één keer. Sommige zoals *"Tannhäuser"* en *"Norma"* tot vijf keer toe. De heropening op 23 oktober 1958 was met *"Turandot"* en Bolotine had voor een verrassing gezorgd. De grote ster van de avond was Maria Dolores in de titelrol.

Maria Dolores, een dramatische sopraan voor het Italiaanse repertoire, was afkomstig uit de Verenigde Staten en was van Braziliaanse oorsprong. Zij was een mulattin met een slanke figuur en een mooie stem. Haar Nederlands was niet schitterend, maar dat was het probleem van de meeste buitenlanders die, een taal die ze niet kenden, louter fonetisch aanleerden en zongen. Bolotine had zich extra ingespannen om een memorabele openingsvoorstelling te brengen.
Berthe Van Hyfte, een oudgediende uit Gent, zong die avond een heel mooie Liu. Dirigent was Luigi Martelli, een Italiaan die aan het conservatorium van Milaan gestudeerd had en onder Richard Strauß gewerkt had. Hij verbleef al

lang in België, had nog in de Hippodroom gedirigeerd en was tussen 1953 en 1958 hoofddirigent in de Opera van Gent. Hij was een belangrijke aanwinst voor de KVO, dank zij Bolotine, en zou tot 1973 aanblijven, voor hoofdzakelijk het Italiaanse repertoire, met Verdi en Puccini als zijn sterkste troeven.

Bolotine had flink wat gerommeld in koor en orkest, die een stuk beter klonken dan een jaar voordien. Op het gebied van orkestdirectie, regie en decor waren er reuze vorderingen gemaakt. Naast Luigi Martelli, kwamen dirigenten zoals Daan Sternefeld en André Van der Noot. Onder de regisseurs waren Edward Deleu, Lode Verstraete en Jo Dua. Een andere vernieuwing waren de balletavonden. Het Ballet van de Vlaamse Opera, later overgegaan in het Ballet van Vlaanderen, kreeg, dank zij Bolotine, zijn eigen Noerejef. De KVO had tot dan alleen een sterdanseres, Andrée Marlière; nu kreeg het ook een sterdanser, Vladimir Brosko. We kregen zowaar een authentieke choreograaf, Leonide Katsjoerofski. Dit was nooit gezien in de KVO.

De hoofdbekommernis bleef de opera, die tijdens het eerste seizoen onder Mina Bolotine opmerkelijke vernieuwingen doormaakte. In de eerste plaats was er de uitzonderlijke opvoering van *"Norma"*, op dat ogenblik buiten de Scala, de Metropolitan, de Colon, Covent Garden en Mexico-City, in de rest van de wereld nog niet opgevoerd. In de KVO was *"Norma"* sedert 1924 niet meer uitgevoerd. Bolotine had met Maria Dolores een zangeres die de partij de baas kon. Buiten Maria Callas durfde geen enkele zangeres de rol aan. Milanov had de rol al enkele jaren opgegeven. Joan Sutherland en Leyla Gencer moesten de partij nog voor het eerst zingen. In de periode van de jaren vijftig was Maria Dolores één van de weinige zangeressen die, naast Maria Callas, de moeilijkste aller belcantopartijen aankon.

"Norma" was voor mij een revelatie, in die mate, dat ik alle voorstellingen, vijf in totaal, bijwoonde. Bellini was voor mij in 1958 een ontdekking. Ik merkte het grote verschil met zijn tijdgenoot Donizetti, waarvan ik *"Lucia di Lammermoor"* kende. Frappant waren de lange cantilenen. Bellini zou me voor de rest van mijn leven, naast Wagner, Mozart en Richard Strauß, blijven boeien. Naast *"Norma"* vielen me *"I Puritani"* en *"La Sonnambula"*

op, door hun zangerigheid en melodierijkdom. *"Norma"* werd na 1959 in de KVO niet meer opgevoerd.

Tijdens één van de vijf voorstellingen van *"Norma"* zat ik naast Cor Stedelinck, een acteur waarmede ik in de KVO tijdens een pauze had kennisgemaakt. Na de grote aria *Casta diva* in het eerste bedrijf, gevolgd door een stormachtig applaus, zei Cor Stedelinck tegen mij : *"Grandioos, een tweede Callas"*. Deze uitspraak was net iets overdreven, toch was Maria Dolores toen, in het begin van haar carrière, van uitzonderlijke kwaliteit. Het was voor mij de eerste keer dat ik dit soort belcanto-toestanden beleefde.

Een andere grote vernieuwing onder Bolotine was de regie van *"Parsifal"* door Walter Eichner, een assistent van Wieland Wagner in Bayreuth. De regie van Walter Eichner was volledig in de geest van «Neu Bayreuth» en was in 1959 voor Antwerpen een revolutie in vergelijking met alles wat voorafgegaan was. Antwerpen was één van de eersten die na Bayreuth de vernieuwende regiestijl bracht. Lode Craeybeckx, voor zoveel burgemeester van Antwerpen, had van opera geen kaas gegeten, brak liever theaters af en besefte zelfs niet dat hij in de KVO een vrouw had, die Antwerpen op de internationale operakaart had kunnen brengen. En niet alleen op de internationale operakaart, maar ook op de kaart *tout court*. Lode Craeybeckx was wel specialist in het opstapelen van oud ijzer in zijn openluchtmuseum Middelheim en in het heffen van glazen bier.

Bolotine zong, in deze Parsifal van 30 maart 1959, haar laatste Kundry en was nog steeds indrukwekkend. Indrukwekkend was ook Daan Sternefeld, specialist in Wagner en Richard Strauß, die deze eerste Parsifal nieuwe stijl dirigeerde.

Tussen 1958 en 1963 zag ik het volledige operarepertoire, hoofdzakelijk in de KVO, maar ook in de Munt, in Gent, Keulen en Amsterdam. *"Tannhäuser"* zag ik vijfmaal in één seizoen (1959) door toedoen van Marie-Louise Hendrickx, de meest ideale Elisabeth.

Op 27 oktober 1958 hoorde ik voor de eerste keer het keizerconcerto. Pianist was Alexander Uninsky en dirigent van *De Philharmonie* Jef Alpaerts. Mijn allereerste kennismaking met ballet was in de KVO, op 4 november 1958, met de Bolero van Ravel en *"Le spectre de la rose"* van Weber, gedanst door Vladimir Brosko en het Ballet van de KVO. Op 1 december 1958 hoorde ik Arthur Grumiaux in het Beethoven concerto. Hij speelde op een Stradivarius. Tijdens het allegro sprong een snaar van zijn Stradivarius en deze werd ogenblikkelijk door een acoliet vervangen, door een ander instrument.

HOOFDSTUK XXII.

Het jaar 1959.

Het jaar 1959 was muzikaal een uitzonderlijk jaar, een grand cru. Het begon met Nieuwjaar, toen ik van mijn ouders een platenspeler Lenco samen met een radiotoestel Telefunken cadeau kreeg. Het radiotoestel deed ook dienst als versterker voor de platenspeler. Ik kon nu grammofoonplaten op mijn kamer afspelen. De eerste volledige opera op langspeelplaat die ik kocht was *"Das Rheingold"*. Het was een veelbesproken opname, de eerste volledige opname van *"Das Rheingold"*.

Het was de eerste opname in stereofonie en daarmee had Decca haar grootste concurrent EMI een neus gezet. Het stereofoniesysteem was door Decca al in 1955 in Bayreuth ontwikkeld. Decca had daar twee cycli van de volledige Ring in stereofonie opgenomen. Door een conflict binnen de maatschappij Decca konden deze opnames niet gecommercialiseerd worden. John Culshaw, de geluidsingenieur van Decca, had een volledige Ring-opname onder Georg Solti, met het revolutionaire nieuwe geluidssysteem «Sonic Stage», op het oog. De eerste volledige Rijngoud van Decca, die in 1959 op de markt kwam, sloeg in als een donderslag uit heldere hemel. We hadden *Rijngoud* nog nooit volledig op grammofoonplaat gehoord. Enkele uittreksels, de prelude en de monoloog van Erda *Weiche, Wotan, weiche*, waren gekend. Het nieuwe opnamesysteem van John Culshaw was op geluidseffecten gebaseerd, zoals het hameren op de aambeelden en het geschreeuw der Nibelungen.

De andere Ring van Decca, die uit Bayreuth 1955, verdween in de archieven voor 50 jaar, tot 2006, toen hij publiek domein geworden was, en dan toch uitgebracht werd. Toen werd definitief duidelijk hoeveel beter een live-opname was en waarop het goedkoop spectaculair gedoe van John Culshaw gebaseerd was. Maar met de opname van *"Das Rheingold"* onder Georg Solti was een mijlpaal gezet : de aanvang van de eerste volledige Ring op langspeelplaat. We kregen ook nog een snoepje cadeau : Fricka werd gezongen door Kirsten Flagstad, fin de carrière, uitzonderlijk voor Decca aan haar repertoire toegevoegd, haar laatste grote rol. Meest opvallend aan deze opname was

Gustav Neidlinger als Alberich. Hij zong de partij in Bayreuth gedurende 21 jaar en was de Alberich van de eeuw, demonisch, bestiaal en onnavolgbaar.

In meer dan één opzicht was 1959 een bijzonder muzikaal jaar. De opera *"Carmen"* werd voor het eerst in de geschiedenis in het *Palais Garnier* opgevoerd, zo goed als een revolutie die nauwelijks moest onderdoen voor die van 1789. Vanwege de gesproken dialogen mocht *"Carmen"* alleen in de *Salle Favart*, zijnde de Opéra Comique , opgevoerd worden. In het *Palais Garnier*, zijnde de grote opera van Parijs, mochten geen werken met gesproken dialogen opgevoerd worden. Jane Rhodes zong, 84 jaar na de creatie, de eerste Carmen in de opera van Parijs. Het was toen wereldschokkend.

Het jaar 1959 was het jaar dat ik voor het eerst, in het Sportpaleis van Antwerpen, het *Vlaams Nationaal Zangfeest* bijwoonde. Drie levende legenden dirigeerden op dit Zangfeest : Emiel Hullebroek, Renaat Veremans en Arthur Meulemans. Jef Van Hoof was overleden op 24 april 1959 en de grote afwezige. Het Zangfeest was iets typisch Vlaams, waar duidelijk werd dat er zoiets als de Vlaamse muzikaliteit, dat terugging tot Peter Benoit, bestond.

In het jaar 1959 verscheen voor het eerst het *Groot Operaboek* van Leo Riemens, op dat ogenblik uniek en het meest uitgebreide naslagwerk in zijn genre. Het Engelse taalgebied had niet eens zulk een gedetailleerd werk over opera. Het *Kobbé's complete opera book* was het meest complete dat toen bestond en lang niet zo volledig als dat van Leo Riemens. Leo Riemens werd later zwaar aangevallen door de vele fouten in zijn *Operaboek*, toch was hij de eerste met een zo volledig werk over dit thema. Dit *Operaboek* zou eerst in 2003, vierenveertig jaar later, door *Mille et un opéras* van Piotr Kaminski overklast worden. Deze *Mille et un opéras* is met zijn 1819 pagina's het meest verbazingwekkende encyclopedisch werk over opera dat ik ooit zag.

Op 9 juli 1959 woonde ik een bijzonder herdenkingsconcert Jef Van Hoof in de Bartschouwburg in Merksem, door het *Koperensemble Jef Van Hoof*, bij.

Uiteraard was er uitsluitend muziek van Jef Van Hoof te horen en uiteraard was de dirigent Hendrik Diels.

Tijdens het jaar 1959 verscheen de eerste jaargang van *De Scène*, een theatertijdschrift uitgegeven door de Stad Antwerpen. Het was een maandblad met nieuws, producties en bezettingen van de Antwerpse theaters KVO, KNS, Jeugdtheater, Reizend Volkstoneel en Studio Nationaal Toneel, voorloper van Studio Herman Teirlinck, later aangevuld door het NKT, Nederlands Kamertoneel en de Nederlandse Kameropera. Blijkbaar was theater voor de Stad Antwerpen, ondanks Lode Craeybeckx, belangrijk genoeg om een maandelijks tijdschrift uit te geven. Op dit tijdschrift kon men zich gratis abonneren. Anno 1959 waren er nog geen besparingen op cultuur.

Op 4 februari 1959 hoorde ik het derde en het vierde pianoconcerto van Beethoven door Eduardo del Pueyo. Op 2 maart speelde John Browning in de KVO het tweede Rachmaninof en het 23e van Mozart.

En nu volgt iets totaal irreëels. Op 22 juni 1959 maakte ik één van de allergrootste *Sternstunden* in mijn leven mee. Tijdens het Holland Festival, in Rotterdam, gaf het Festival van Bayreuth *"Tristan und Isolde"*, in de regie van Wieland Wagner, onder de leiding van Ferdinand Leitner, die de reeds zwaar zieke Otto Klemperer gelukkig verving. Ik had *"Tristan und Isolde"* nog nooit op de scène gezien, wel reeds grammofoonplaten ervan gehoord. Het was een droombezetting. Martha Mödl en Ramon Vinay als onsterfelijk liefdespaar. Martha Mödl als Isolde is een belevenis die je voor de rest van je leven niet meer vergeet. Zij geeft de indruk dat ze Isolde voor de eerste keer in haar leven zingt, terwijl ze de partij sinds 1951 op haar repertoire had. Ramon Vinay is zonder de minste twijfel de Tristan van de eeuw. Een licht Latijns accent in de uitspraak van het Duits werd ruimschoots goedgemaakt door een prachtig baritonaal timbre. Ramon Vinay had problemen met zijn tessituur en veranderde tijdens zijn carrière tweemaal van bariton- naar tenorpartijen. De rest van de bezetting was het hoogste Bayreuthniveau : Josef Greindl als Marke, Gustav Neidlinger als Kurwenal en Ira Malaniuk als Brangäne. Ik was zeventien en maakte mijn derde Bayreuthproductie mee. Deze Tristan was tot dan de meest wereldschokkende gebeurtenis in mijn leven.

Op het Lycée verliep alles rustig en op het einde van het schooljaar 1958-1959 werd *"Peter en de wolf"* van Prokofief in de Arenbergschouwburg door onze klas opgevoerd. Ik speelde de rol van de grootvader. Mijn podiumcarrière zou echter van korte duur zijn en in 1962 nog twee kleine experimenten tellen.

Het Lycée gaf een schoolblad uit en ik werd uitgenodigd een artikel over een zelf te kiezen onderwerp te schrijven. Het artikel dat ik koos handelde over Richard Wagner, hoe kon het anders, en de problematiek rond de schandaaluitvoering van *"Tannhäuser"* in Parijs op 13 maart 1861. Aan het artikel had ik de titel *"On tanne aux airs de Tannhäuser"* gegeven. Ik had geen succes met mijn artikel, er kwam geen reactie, de meeste leerlingen hadden nog nooit van *"Tannhäuser"* gehoord. Ik werd voor wereldvreemd aanzien en uitgelachen. Ik besefte te laat dat ik te hoog gegrepen had, maar kon jammer genoeg geen artikel schrijven over tennis of basketbal.

Als verplichte lectuur op het Lycée kregen we *"La civilisation de 1975"*, een werk dat handelde over arbeidsproductiviteit, arbeidstijdverkorting, de evolutie van de levensstandaard en het soort leven van de westerling in de toekomst. Het werkje was visionair en alles wat erin beschreven werd zou ook werkelijk plaatsvinden. Het jaar 1975 leek in 1959 nog zeer ver af.

Politiek was het jaar 1959 volgeladen. Op Cuba was er een machtsovername door Fidel Castro. In Belgisch Congo waren de eerste onlusten in Leopoldstad voor België aanleiding om aan zijn kolonie onmiddellijk de onafhankelijkheid te geven. In Frankrijk wordt Generaal de Gaulle tot president van de republiek verkozen, na een chaos als gevolg van de totale onkunde van politici om uit de dekolonisatie te geraken. In Cannes komt er een doorbraak van de *Nouvelle vague* met *"Les 400 coups"* van François Truffaut. In Brussel opent Delhaize haar derde Supermarkt in België, definitief startsein voor de doorbraak van overconsumptie en de dood van de kleine winkelier.

In augustus 1959 gaat gans de familie met vakantie naar een nieuwe bestemming in Zwitserland. Na Lugano en Tremezzo kwam Locarno aan de beurt. Mijn moeder had van een vriendin vernomen dat het *Grand Hôtel Reber au lac* de ideale vakantiebestemming was. Het *Grand Hôtel Reber au lac* had een groot comfort, uitermate verzorgde maaltijden, een privé lido met privé vlot op het meer. Je kon er zwemmen, zonnen, vissen, waterfietsen, waterskiën en uiteraard wandelen *lungo lago*, een favoriete bezigheid van mijn vader. Mijn twee broers waren expert in het waterskiën. Ik bleef veilig aan de waterkant toekijken en controle op de prestaties uitoefenen.

In het *Grand Hôtel Reber au lac* werd op het einde van de maaltijd nog een portie kaas naar keuze, als alternatief voor nagerecht, geserveerd. Mijn vader was een groot liefhebber van Franse kaas, in hoofdzaak camembert en brie die hij meestal met stokbrood at. Door mijn vader leerde ik *Reblochon* kennen, een kaas die toen weinig voorkwam. Port Salut was ook één van de favorieten van mijn vader. In Locarno leerde ik Italiaanse kaas zoals Taleggio, Gorgonzola en Pecorino Romano kennen, die toen in België nog niet voorkwamen.

Na de terugkeer uit Zwitserland bezocht ik, eind augustus, de *IJzerbedevaart*. De nieuwe IJzertoren was toen in opbouw, ongeveer tot in de helft van zijn totale hoogte. De oude gedynamiteerde IJzertoren was architecturaal veel mooier geweest. Ik kon mij niet verzoenen met de architectuur van de nieuwe toren. Ik ben nooit meer teruggekeerd naar de *IJzerbedevaart* die voor mij enorm gedateerd overkwam.

Voor het schoolbegin, in september 1959, kreeg ik van mijn ouders een nieuw kostuum in grijs flanel in de *Galeries Nationales* aan de Groenplaats. De *Galeries Nationales* was één van de laatste grote confectiezaken oude stijl die door de komst van superketens zoals C & A enkele jaren later zouden verdwijnen.

Voor het speeljaar 1959-1960 in de KVO had ik van mijn ouders terug een abonnement gekregen. De eerste abonnementsvoorstelling, de

openingsvoorstelling op 19 september 1959 was *"Aïda"* . Maria Dolores was
schitterend in de titelrol, ook al was haar Nederlands niet verbeterd.

Een week later zag ik Rigoletto met Gilbert Dubuc in de titelrol. De KVO was
tot in de nok gevuld. Bij ieder optreden van Gilbert Dubuc, die in de KVO als
gast optrad, was de voorstelling uitverkocht. Rigoletto was zijn lijfrol, waarin hij
telkens een enorm succes oogstte. Aan zijn Nederlandse dictie, in tegenstelling
tot Maria Dolores, kon menig Vlaams zanger een punt zuigen. Claudine Arnaud,
een Brusselse coloratuursopraan, zong Gilda zeer goed maar totaal
onverstaanbaar. Zelf zei ze over haar dictie : *Pourvu qu'il-y-ait les notes!* Bij
Claudine Arnaud waren er effectief alle noten. Ik hechte veel belang aan de
verstaanbaarheid van de tekst. Het hoogtepunt van de voorstelling was het grote
duet tussen vader en dochter *Si, vendetta, tremenda vendetta*, waarin Dubuc in
zijn element was en een stormachtig applaus oogstte.

Mijn eerste vocaal concert was op 1 oktober 1959. Een vocaal concert bestond
meestal uit een ouverture, een concerto, eventueel een symfonie en enkele aria's
of liederen. Régine Crespin zong die avond de twee aria's van de Contessa uit
"Le Nozze di Figaro" en de twee aria's van Elisabeth uit *"Tannhäuser"*.
Crespin, een Marseillaise, was *jugendlich dramatisch* en zong beide partijen
perfect.

Op 9 oktober woonde ik, in de Sint-Jacobskerk, een orgelconcert bij. De
organiste, Jeanne Demessieux, een Française, speelde Purcell, Bach en César
Franck op een indrukwekkend orgel. Orgel was niet mijn instrument. In de
Sint-Jacobskerk kwam ik tot de vaststelling dat je orgelmuziek alleen in een
kerk kan horen en niet van een grammofoonplaat. Het had iets te maken met de
resonantie.

Een dag later, op 10 oktober 1959 zag ik *"Don Giovanni"* met een schitterende
Marie-Louise Hendrickx als Donna Anna. Edward De Decker zong zijn laatste
Leporello. Dirigent was André Vandernoot en de titelrol was Peter Gottlieb, een
publiekslieveling, die steeds succes oogstte. Vanaf het eerste ogenblik was

"Don Giovanni" één van mijn lievelingsopera's, later kwam hij in mijn top
twintig beste opera's aller tijden, samen met *"Le Nozze di Figaro"*,
"Cosi fan tutte", *"Norma"* , *"Tannhäuser"*, *"Lohengrin"*, *"Tristan und Isolde"*,
"Die Walküre", *"La Traviata"*, *"Aïda"*, *"Elektra"* en *"Der Rosenkavalier"*.

Twee dagen na *"Don Giovanni"*, op 12 oktober 1959, hoorde ik voor het eerst
in mijn leven de vijfde van Beethoven en begon nu deze componist als één van
de allergrootsten, samen met Mozart en Wagner, te aanzien. Ik had nu de
negende en de vijfde, de twee belangrijkste, gehoord. Het vioolconcerto en het
derde en vierde pianoconcerto kende ik ook reeds. Het was een basis voor de
verdere exploratie van Beethoven. Ik was zeventien jaar oud.

Op 17 oktober zag ik in de KVO twee delen van *"Il Trittico"* : *"Suor Angelica"*
en *"Gianni Schicchi"*. Zeven dagen later, op 24 oktober zag ik nogmaals een
Puccini : *"Madama Butterfly"*, met Berthe Van Hyfte in haar lijfrol en Ira
d'Arès als Soezoeki. Berthe Van Hyfte verklaarde mij veertig jaar later dat ze
Butterfly tijdens haar leven 231 keer had gezongen. Ze had er de figuur voor,
klein en mager, en bezat er de juiste stem en de juiste voordracht voor.

Op 27 oktober 1959 zong Mina Bolotine één van haar laatste Isoldes en het was
de eerste keer dat ik haar in die rol zag. Vocaal was Bolotine van hoog niveau en
daardoor vergat men haar leeftijd, die niet meer die van Isolde was. Drie jaar
later, in 1962, heeft Bolotine fragmenten van de partij in Innsbruck, voor VOX,
voor de grammofoonplaat opgenomen. Ze was toen 58 jaar oud en zong alle
noten correct en haar vibrato, op die leeftijd bij de meeste dramatische sopranen
desastreus, was aanvaardbaar. Niet te vergeten, ik had Martha Mödl, de Isolde
van de eeuw, vier maanden voordien, in levenden lijve gezien. Oktober 1959
was de drukste muziekmaand in mijn leven, met zes operavoorstellingen en twee
concerten.

Op 17 november 1959 zag ik in zaal Elckerlyc *I Musici*, op dat ogenblik het
beste Italiaanse kamerorkest, gespecialiseerd in Vivaldi. Zij brachten
"Le quattro stagione". Deze muziek live te horen was een festijn. Het meest

muzikale jaar in mijn leven werd afgesloten op 26 december 1959 met *"Lohengrin"*. Na *"Tannhäuser"*, *"Parsifal"*, *"Holländer"* en *"Tristan und Isolde"*, de vijfde Wagner in de KVO in één jaar tijd, een absoluut record te danken aan Mina Bolotine. In deze *"Lohengrin"* zong Marie-Louise Hendrickx een sublieme Elsa. Het jaar 1959 kon niet mooier afsluiten.

HOOFDSTUK XXIII.

Het jaar 1960.

Het jaar 1960 was een nog drukker muzikaal jaar dan 1959, met 41 muziekevenementen : 25 operavoorstellingen, 13 concerten, 2 toneelstukken en 1 balletvoorstelling, meer dan drie evenementen per maand, het drukste jaar in heel mijn leven. Het was het jaar van mijn achttien jaar en het jaar van mijn tweede Bayreuth-reis. Het jaar 1960 was muzikaal een grand cru classé.

Maatschappelijk is 1960 één van de belangrijkste jaren van de twintigste eeuw. De lasertechniek wordt uitgevonden en zal in de navolgende jaren voor een technische revolutie zorgen. De polyestervezel wordt ontdekt en zal de textielindustrie volledig op zijn kop zetten. Deze ontdekking betekent een omwenteling in de kledingindustrie en een wijziging van het modegedrag en de koopgewoonten. Het begrip *consument* ontstaat. Kledij wordt niet langer gedragen maar geconsumeerd. Het betekent de dood van de kleermaker, de opkomst van de massakledingzaken en het ontstaan van een *trend* om mode te volgen. Op kledinggebied is het een revolutie.

Gelijklopend in de voedingsindustrie, zet Grand Bazar, onder een nieuw logo «GB», de *trend* in 1959 door Delhaize begonnen, door opening van haar eerste supermarkt in België, in Antwerpen, verder. Het betekent een doorbraak van de opkomst van supermarkten in Europa, de definitieve dood van de kruidenier en een totale wijziging van het consumptiegedrag, met als gevolg overconsumptie.

De naoorlogse periode is nu voor goed voorbij en nieuwe fenomenen steken de kop op. Het jaar 1960 is het jaar van de vernieuwing in de film. In Italië is er *"La dolce vita"* van Fellini en vooral *"L'avventura"* van Antonioni, die, met zijn dode momenten, waarop het verhaal, zoals in de opera, stilligt, een revolutie in de film veroorzaakt. In Frankrijk breekt de *nouvelle vague*, met als voornaamste protagonist François Truffaut, door.

In de familie worden de eerste 8 mm films door mijn broer Alex gedraaid. Hij had zijn eerste filmcamera gekregen. Rond deze tijd zijn er sporadische contacten met mijn cousine Leentje Dellaert. Zij was getrouwd met een zekere Jean Depierre, een zonderling, die van zijn vader een Citroën-garage in de Kerkstraat had geërfd. Samen hadden zij drie kinderen, twee meisjes en een jongen. Jean Depierre zag de verdeling van Citroën niet meer zitten en begon, als één der eersten in België, Honda te verkopen. Jean Depierre was een vrouwenversierder, Leentje was er zwaar op verliefd. Ze had er nogal wat last mee, hij bedroog haar en uiteindelijk reed hij zich in Spanje met een bolide te pletter tegen een rots.

Op 1 januari 1960 wordt de nieuwe Franse frank ingevoerd, waardoor één nieuwe frank er honderd oude waard zijn. Het is uiteraard een uitvinding van Generaal de Gaulle *pour le prestige de la France* doorgedrukt.

Ik ben achttien jaar en heb mijn eerste lief, Marijke Drosten, een Hollandse die in België woont en op school zit op het *Collège Marie-José*. Haar ouders rijden geregeld naar Holland met een Volvo en ik mag af en toe meerijden, mooi naast Marijke op de achterbank gezeten. Door de constante controle van de ouders konden we zelfs geen handjes vasthouden. De weelderige boezem van Marijke kon ik alleen in de bioscoop tijdens de film aanraken. Verder gaan was totaal uitgesloten, zoenen daarentegen werd wel toegestaan. In deze periode mocht ik met mijn ouders mee naar een Brussels restaurant *François* op de Baksteenkaai aan de Sint-Katelijnekerk. *François* was een typisch Brussels restaurant, dat je nu een visrestaurant zou noemen.

Ik koop mijn eerste historische atlas van «Putzger», de 75^c druk uit 1959. Mijn belangstelling voor geschiedenis ontstaat op het Lycée. Ik koop mijn eerste Wagnerbiografie *Waan en werkelijkheid*, in drie delen, van Zdenko Von Kraft. Het is te veel geromanceerd, leest heel vlot, maar geeft een te vleiend beeld van het privé leven van Wagner.

In januari 1960 zag ik *"Francesca"* van August De Boeck, de laatste uitvoering van het werk, alvorens het in de vergetelheid geraakte. De titelrol zong Andrea Nevry, Chris Scheffer was de mannelijke hoofdrol. Daarna zag ik *"Het Rijngoud"* met Ira d'Arès als Erda. Ira d'Arès was een alt die ook mezzorollen zong, Erda lag extreem laag voor haar maar zij kon de partij aan.

Op 24 januari woonde ik een concert bij in zaal Elckerlyc met Maria Stader in een cantate van Bach en de Grosse Messe KV 427 van Mozart. Maria Stader, specialiste in Mozart, was een revelatie. Het was de eerste keer dat ik haar zag. Zij bezat een wondermooi timbre en schitterde in de vocalises van Mozart.

Een week later was ik getuige van een groots concert in de Bourla met de Bamberger Symphoniker onder de leiding van Joseph Keilberth met een symfonie van Haydn en *"Till Eulenspiegel"* van Richard Strauß. In februari zag ik in de KVO *"De verkochte bruid"* met Andrea Nevry.

Op 16 februari 1960 was ik getuige van een bijzonder boeiend concert in de KVO. André Vandernoot dirigeerde *"Prélude à l'après-midi d'un faune"* en de zevende van Bruckner. Het sluitstuk van het concert zorgde voor spetters. Maria Dolores zong de concertaria *"Ah Perfido!"*. Het Italiaans van Maria Dolores was een stuk beter dan haar Nederlands en men verstond de tekst.

Maria Dolores zag ik twee weken later terug, op 28 februari 1960, als Leonora, heel mooi gezongen, in *"De Troubadour"*. Manrico werd gezongen door een Hongaarse gast, Stephan Sarkany.

Twee dagen later, op 1 maart, zag ik in de Bourla *I Virtuosi di Roma*, een kamermuziekensemble, onder de leiding van Renato Fasano, met de *"Estro Armonico"* van Vivaldi. Gewoon subliem, op hetzelfde hoge niveau als *I Musici*. Vivaldi was toen reeds één van mijn lievelingen.

In maart 1960 zag ik een *"Carmen"* met Lucienne Delvaux. Op 25 maart zag ik het Stuttgarter Kammerorchester onder de leiding van Karl Münchinger met concerti van Vivaldi, Händel, Gluck en Mozart : een festijn. De dag nadien, op 26 maart, zag ik in de KVO *"Katia Kabanova"* van Janáček met Marie-Louise Hendrickx in de titelrol, absoluut fabelachtig.

Op 9 april zag ik *"De macht van het noodlot"* met Maria Dolores als Leonora en Stephan Sarkany als Alvaro. Op 16 april zag ik de *"Mattheus Passie"* onder de leiding van levende legende Lodewijk De Vocht, 73 jaar oud en enorm vitaal. De Mattheus Passie werd sinds 1923 op paaszaterdag met de Chorale Caecilia onder zijn leiding uitgevoerd. Opmerkelijk was dat deze passie nog in het Nederlands gezongen werd. Sylvain Deruwe zong de Evangelist, de beste die ik ooit hoorde, op internationaal niveau!

Op 3 mei 1960 zag ik in de KVO een gastvoorstelling van *"La Cenerentola"* van Rossini, Engels gezongen, door het rondreizende Britse operagezelschap *Sadler's Wells*. De kwaliteit van deze voorstelling was van een zulkdanig hoog niveau, dat ik ogenblikkelijk een kaart bestelde voor de tweede voorstelling in de Munt op 5 mei. De titelrol werd gezongen door Patricia Kern. Het Engels, in tegenstelling tot wat ik vreesde, stoorde niet, integendeel, de tekst was perfect verstaanbaar. Van Rossini kende ik tot dan alleen *"De Barbier van Sevilla"*. *"La Cenerentola"* was een openbaring voor mij. Alhoewel *"De Barbier van Sevilla"* een absoluut meesterwerk is, prefereerde ik *"La Cenerentola"*. Deze twee voorstellingen waren zo goed, dat ik de dag nadien, ook in de Munt, *"The flying Dutchman"*, door hetzelfde gezelschap, zag. Het Engels was hier zelfs nog beter verstaanbaar. Ik had nu de Hollander in drie talen gehoord.

Op 7 mei zag ik *"De schone Helena"* met Rita Lafaut in de titelrol. Op 14 mei zag ik *"Het land van de glimlach"* met Berthe Van Hyfte als Lisa. Op 21 mei zag ik *"De Rozenkavalier"* met Marie-Louise Hendrickx in de titelrol. Zij was een ideale sopraan-Octavian, hoewel de rol meestal verkeerdelijk aan een mezzosopraan gegeven wordt. De rol werd gecreëerd door een sopraan.

Claudine Arnaud zong een mooie Sophie en Ira d'Arès was de beste Annina die ik ooit zag.

Ontstaan in 1959, vond het tweede Internationaal Theaterfestival in Antwerpen plaats, in juni 1960 in de KVO. Ik zag er *"Trijntje Cornelis"* van Constantijn Huygens, gepresenteerd door de KNS, met Tine Balder in de titelrol en Luc Philips als Kees. Het stuk was door Herman Teirlinck in 1950 herontdekt. Ik zag er ook *"Einen Jux will er sich machen"* van Johann Nestroy door de Kammerspiele München. Groots theater waaraan Luc Perceval en Ivo Van Hove een punt kunnen zuigen.

In Antwerpen was er ook een Balletfestival. Beide festivals werden enkele jaren later in het Festival van Vlaanderen geïntegreerd. In gans Europa heerst *festivalitis*. Ieder land wil zijn festival, in navolging van Bayreuth, het eerste festival ter wereld, gevolgd door Salzburg, en veel later door Edinburgh, Glyndebourne, Aix-en-Provence en het Holland Festival. Tijdens het balletfestival van Antwerpen zag ik *Sterdansers van het Bolsjoi Ballet*. Onder hen was de prima ballerina assoluta Maja Plissetskaja. Zij danste onder andere de pas de deux uit het Zwanenmeer. Deze kwaliteit had ik tot dan nog niet gezien. Het was een hoerenchance om Maja Plissetskaja in levende lijve te kunnen zien. Maja Plissetskaja werd aanzien als het summum van balletkunst.

In juni 1960, tijdens de examenperiode, heeft Jacqueline Noé, een vriendinnetje uit het Collège Marie-José, moeite met de studie van het Duits. Door mijn reputatie van kennis van de Duitse taal vraagt ze me of ik haar wil bijstaan bij het blokken. Zoiets weiger je uiteraard niet en op een donderdagnamiddag begeef ik me naar de Anneessensstraat, waar Jacqueline, een knappe, slanke blondine, met haar moeder woont. De moeder is niet thuis en we hebben vrij spel. In die tijd ging je nooit onder de gordel, dat was taboe. Wat overbleef aan mogelijkheden was best nog de moeite waard om te beoefenen.

Cultureel gebeurt er in 1960 veel. Er is het ontstaan van het NKT, Nederlands Kamertoneel, onder de leiding van Lode Verstraete, met Denise De Weerdt, Cor

Stedelinck, Alex Willequet, Paula Sleyp, Alex Van Royen en Jo Dua. Cor
Stedelinck richtte het NVK, Nederlands Voordracht Kwartet, op en mijn broer
Alex werd er, samen met twee vrouwelijke actrices, lid van. Zij brachten poëzie,
cabaret en sketches. Een typische auteur voor het NVK was Paul Van Ostayen.

Op 24 juni 1960 zag ik voor de eerste keer Elisabeth Schwarzkopf in het Kursaal
in Scheveningen, tijdens het Holland Festival. Het was een vocaal concert met
het Concertgebouworkest onder de leiding van Carlo Maria Giulini. Zij
vertolkten het *"Gloria"* van Vivaldi en de *"Quattro pezzi sacri"* van Verdi,
samen met Ursula Boese, mezzosopraan. Een week later zag ik Elisabeth
Schwarzkopf terug in de Grote Schouwburg in Rotterdam samen met het
Nederlands Kamerorkest, terug onder de leiding van Carlo Maria Giulini.
Schwarzkopf zong drie Mozartaria's : de concertaria *"Ch'io mi scordi di te?"* en
twee aria's uit *"Cosi fan tutte"* : *"Come scoglio"* en *"E' amore un
ladroncello"*.

HOOFDSTUK XXIV.

De tweede reis naar Bayreuth.

In de eerste helft van augustus 1960 begon ik aan wat mijn belangrijkste Bayreuthreis zou worden. Zonder enige twijfel is het ook de belangrijkste muziekdramatische ervaring in mijn leven. Mijn ouders en mijn twee broers reisden op hetzelfde ogenblik naar Locarno, waar ze zoals het jaar voordien in het *Grand Hôtel Reber au lac* logeerden. Ik was toen zodanig door Richard Wagner bezeten, dat ik van mijn vader kon verkrijgen om een tweede keer naar Bayreuth te mogen gaan. En het werd eens te meer een hoerenchance, want wat ik in Bayreuth zou gaan beleven, tart iedere verbeelding.

Mijn tweede reis naar Bayreuth ging per trein en werd volledig door de VTB, die ook voor de kaarten zorgde, georganiseerd. Ik had kaarten voor alle voorstellingen, zeven in totaal. De treinreis ging via Keulen en Frankfurt over Füssen en Nürnberg, waar ik telkens halt hield en bleef overnachten in een jeugdherberg. In Füssen zag ik voor de tweede maal de Ludwig II-kastelen en in Nürnberg bezocht ik het huis van Dürer.

Van Nürnberg ging ik verder per trein tot Bayreuth, waar ik een onderkomen had in *Haus Weihenstephan*, een herberg niet ver van het station. In Bayreuth verbleef ik twaalf dagen en beleefde er drie maal Astrid Varnay, twee maal Elisabeth Grümmer, twee maal Wolfgang Windgassen en twee maal Hans Knappertsbusch. Het was *des Guten zuviel* en ik had enkele maanden nodig om van deze overdosis te bekomen.

De eerste avond was met *"Die Meistersinger von Nürnberg"*, die ik slechts kende van grammofoonplaten, onder de leiding van levende legende Hans Knappertsbusch, en vooral met Elisabeth Grümmer in de beste Eva aller tijden. Walter was Wolfgang Windgassen. Hans Sachs was Josef Greindl, voor wie de partij net iets te hoog lag : hij had problemen met het hoogste register maar gaf een indrukwekkende interpretatie.

De tweede avond met *"Parsifal"* was weer onder Hans Knappertsbusch met zijn ideale trage tempi. De titelrol werd gezongen door Hans Beirer en Kundry was Régine Crespin. De dag nadien ontmoette ik toevallig Knappertsbusch, op een bank in de Festspielhausallee gezeten, en vroeg hem om een autogram. De man was heel vriendelijk en deed heel gewoon. Tot slot zei hij me : *Zu Wagner kehrt man immer zurück*. Ik besefte amper dat ik met één van de allergrootste Wagnerinterpreten aller tijden had gesproken.

Rond het Festspielhaus, waar ik dagelijks ging wandelen, ontmoette ik Wieland en Wolfgang Wagner, waarvan ik een autogram kreeg. Andere beroemdheden, waarvan ik een autogram kreeg, waren Astrid Varnay, Martha Mödl, Hans Hotter, Wolfgang Windgassen, Hans Beirer en Sandor Konya.

De derde voorstelling was ontegensprekelijk de allermooiste *"Lohengrin"* die ik ooit zag. De titelrol was Sandor Konya, de beste Lohengrin aller tijden. Elsa was Elisabeth Grümmer, de beste Elsa aller tijden. Als kers op de taart zong Astrid Varnay de beste Ortrud aller tijden. Telramund was Gustav Neidlinger en de Heraut werd gezongen door Eberhard Waechter : *excusez du peu*. En daarom is deze Lohengrin de beste Lohengrin aller tijden. Hij werd opgenomen en bestaat nu digitaal. Ik heb vele Lohengrins gezien en gehoord, sommige waren mooi, andere waren schitterend, geen enkele komt in de buurt van de Lohengrin die ik zag in Bayreuth op14 augustus 1960.

Vanaf dinsdag 16 augustus tot zaterdag 20 augustus zag ik voor het eerst in mijn leven een volledige *"Ring des Nibelungen"*, onder Rudolf Kempe met Hermann Uhde als Wotan, Wolfgang Windgassen als Siegmund en Hans Hopf als Siegfried. In deze Ring had ik de hoerenchance om de twee grootste Brünnhildes van de eeuw te beleven. Astrid Varnay verving de geïndisponeerde Birgit Nilsson in *"Die Walküre"* en *"Götterdämmerung"*. Nilsson voelde zich echter goed genoeg om de *Siegfried-Brünnhilde* te zingen. En gelukkig maar, want Nilsson was het grootste volume dat ik ooit hoorde. Mijn buurman in het Festspielhaus, Pierre Béique, een Franstalige Canadees, intendant van de opera van Montréal, had Kirsten Flagstad in de jaren veertig zeven keer in de Metropolitan gehoord en beweerde dat Nilsson een nog groter orgaan bezat.

Tijdens de veelvuldige pauzes in het verloop van deze *"Ring des Nibelungen"* maakte ik, samen met mijn buurman in de schouwburg, Pierre Béique, kennis met twee mede-Festspielgäste, John Rockwell uit San Francisco en Joop Hoogervorst uit Rotterdam. Alle vier vrijgezel, maakten we de avonden na de voorstellingen door in de *Eule*, wereldberoemde taverne in het centrum van Bayreuth, waarvan de wanden behangen waren met foto's van zangers die in de loop der tijden in het Festspielhaus gezongen hadden. Tijdens de avond na de voorstelling van *"Die Walküre"* ontmoette ik toevallig Astrid Varnay in de *Eule* in gezelschap van enkele mannelijke bewonderaars, een fles champagne aan het versieren. Ogenblikkelijk vroeg Varnay aan mij om het gezelschap te komen vergroten. Dit was de dag van mijn leven. Ik wist niet wat ik meemaakte : Varnay die mij uitnodigt op de champagne! Vermoedelijk heb ik toen gezegd : *"Frau Varnay, heute Abend waren Sie wieder grossartig!"*.

HOOFDSTUK XXV.

Mijn esthetica.

Deze zeven Bayreuther voorstellingen, zoals later zou blijken, zijn in mijn leven de belangrijkste muziekdramatische ervaringen geweest. De klank van het Bayreuther orkest en de akoestiek van de toeschouwersruimte zijn uniek in de wereld. Het Bayreuther Bühnenbild van Wieland Wagner is indrukwekkend door zijn eenvoud. Zoals Astrid Varnay zich op een scène beweegt, heb ik later door geen enkele zanger of zangeres meer meegemaakt.

Elisabeth Grümmer was een belevenis op zangtechnisch gebied. Je verstaat ieder woord van de tekst, wat ik later zelden heb meegemaakt. De koren maken een nooit meer te vergeten indruk. Bij Wagner is het koor een personage veel meer dan bij gelijk welke andere operacomponist. De kick die je krijgt tijdens zulke voorstellingen heb ik later slechts enkele zeldzame keren terug gekregen.

In deze zwoele augustusmaand van 1960, met de herinnering aan mijn ervaringen in 1956 in Bayreuth, in 1957 in de Munt met *"Die Walküre"* en in 1959 in Rotterdam met Martha Mödl en Ramon Vinay in *"Tristan und Isolde"*, is mijn besef van wat opera moet zijn, ontstaan. Wagner stond centraal in mijn muzikale belangstelling, maar ook in mijn visie over muziekdramatische expressie. Ik luisterde naar iedere soort muziek, gaande van Monteverdi tot Benjamin Britten. Vanaf het prille begin waren er drie componisten, die de meeste aandacht opslorpten : Mozart, Wagner en Richard Strauß, alleszins voor wat betreft het muziekdrama. Voor de instrumentale muziek kwam op de eerste plaats Beethoven, gevolgd door Brahms, Bruckner en Mahler. Händel en Sjostakovitsj heb ik eerst veel later ontdekt. Van Händel was anno 1960 zo goed als geen enkele opera gekend en Sjostakovitsj was toen voor mij een vage schim.

Ik had voor mezelf een soort muziekwereldbeeld gemaakt. Deze esthetiek zat vrij eenvoudig in elkaar en ging van Beaumarchais over Lorenzo da Ponte tot Mozart, gevolgd door Wagner, Hugo von Hofmannsthal en Richard Strauß.

Deze esthetiek hield in dat de tekstdichter een zeer belangrijke plaats innam. Het betekende dat de muziek die op het libretto gecomponeerd was, van die kwaliteit was geworden dank zij de kwaliteit van de tekst.

Veel later werd mijn esthetiek uitgebreid naar de literatuur en de beeldende kunst. Allerlei figuren zoals Dante, Shakespeare, Molière, Goethe, Schiller en Gezelle kwamen mijn esthetische wereld binnen. Moderne romans vond ik tijdverlies om lezen. Zelf Hugo Claus vond ik niet de moeite om tijd aan te verspillen. Ik miste in de roman de kwaliteit en het boeiende van Shakespeare en da Ponte. De roman bleef fictie van een enkeling, in de meeste gevallen totaal oninteressant en verschrikkelijk vergankelijk. Een Lohengrin, een Hamlet, een Faust zijn onvergankelijk.

In de schilderkunst werd ik aanvankelijk geboeid door Hugo Van der Goes, Memling en Van der Weyden. Hier evolueerde mijn smaak zeer traag naar Antoon Van Dyck en verschillende Italiaanse en Franse schilders, waaronder Caravaggio, Georges de La Tour en Ingres de belangrijkste plaats innamen. Er waren talrijke andere schilders, schrijvers en componisten, die mijn aandacht opeisten, maar ik bleef mijn leven lang Antoon Van Dyck de allergrootste portretschilder en Caravaggio de meest expressieve schilder tout court vinden. In het Louvre en de National Galery ging ik altijd eerst Van Dyck bekijken.

De esthetiek van Bayreuth met het unieke Bühnenbild bleef het absolute einde. Richard Wagner, die zijn eigen librettist was, waarvan de teksten zo goed pasten op zijn muziek, bleef met zijn Gesamtkunstwerk het allerheiligste.

Vreemd genoeg had ik Maria Callas nog niet ontdekt, ik wist van haar zeer weinig. De *Casta diva* kende ik, maar ik was nog niet rijp om me te verdiepen in haar kunst. Bel canto kwam voor mij zeer laat, waardoor ik Maria Callas eerst begin jaren zeventig beter ben gaan beluisteren.

Na mijn terugkeer uit Bayreuth zou ik mijn laatste jaar Lycée d'Anvers aanvatten. Mijn ouders en broers keerden terug van hun tweede bezoek aan Locarno. Het derde en laatste seizoen van de *era Bolotine* in de KVO opende op 17 september 1960 met *"De Vrijschutter"* met een schitterende Marie-Louise Hendrickx als Agathe, om nooit meer te vergeten. Berthe Van Hyfte zong Antje en Marcel Vercammen was Max. Een week later, op 24 september zag ik voor het eerst *"Figaro's bruiloft"* met Andrea Nevry als Gravin, Berthe Van Hyfte als Susanna en Claudine Arnaud als sopraan-Cherubino, zoals het hoort. Bolotine wist wat ze deed en kende haar vak. Cherubino wordt meestal verkeerdelijk aan een mezzosopraan gegeven.

De grote feestzaal van de dierentuin was afgebroken en vervangen door een moderne zaal met slechte akoestiek. Ik woonde het openingsconcert op 5 oktober 1960 bij. André Cluytens dirigeerde het Nationaal Orkest van België met een nietszeggend gevarieerd programma. Op 11 oktober speelde John Browning in de KVO het pianoconcerto van Tsjaikofski en het concerto voor de linkerhand van Ravel. Op 29 oktober zag ik in de KVO *"Dantons dood"* van Gottfried von Einem, gebaseerd op het drama van Georg Büchner. Op 5 november zag ik in de KVO *"Egmond"* van Arthur Meulemans, een echte Vlaamse opera van een echte Vlaamse componist. Meulemans is geen volgeling van Benoit, maar ligt eerder in de lijn van Richard Strauß.

Op 7 november hoorde ik voor het eerst in mijn leven Mahler met de vierde symfonie door *De Philharmonie* in de Elisabethzaal. Het was de officiële Antwerpse herdenking van Mahler's 100[e] geboortedag. Op 19 november zag ik in de KVO *"De Walküre"* met Jutta Meyfarth als Sieglinde, die de rol in 1962 in Bayreuth zou zingen. De KVO-bezoekers kregen een primeur. Jutta Meyfarth was een *jugendlich dramatische* met een zeer goede hoogte. Voor Sieglinde had ze onvoldoende laag register. Marie-Louise Hendrickx was als Sieglinde twee maten groter. Siegmund was Marcel Vercammen en Brünnhilde de Nederlandse Marijke Van der Lugt, die haar naam niet gestolen had.

Dit fantastische muzikale jaar 1960 werd op 28 november afgesloten met alweer een hoogtepunt. Victoria de los Angeles zong in de Elisabethzaal 21 liederen begeleid aan de piano door niet minder dan Gerald Moore. Het werd een memorabele avond. De los Angeles was op dat ogenblik 37 jaar oud en op het hoogtepunt van haar mogelijkheden. Zij zong één jaar later in Bayreuth de Tannhäuser-Elisabeth. Op 8 december woonde ik in zaal Elckerlyc een concert bij waarop het *"Weihnachtsoratorium"* van Bach uitgevoerd werd. De evangelist was Julius Patzak en de altpartij werd gezongen door Ursula Boese.

HOOFDSTUK XXVI

Het jaar 1961

Tijdens het jaar 1961 zal ik 31 voorstellingen, waarvan 22 opera's, bijwonen. Op een avond, na een bioscoopbezoek samen met mijn ouders, zijn we naar een taverne op de De Keyserlei, naast «Café Marcel», geweest. Het etablissement heette «Nini de Boël», de dame in kwestie baatte het uit en was een vergane glorie, operettedivette uit het interbellum. Af en toe zong zij een operette aria zoals *Ich bin die Christl von der Post*, zichzelf aan de piano begeleidend. Het kwam over als vanuit een heel ver verleden, de zangstijl was gewoon lachwekkend en soms hoorde ik een valse noot.

Tijdens een van die cafébezoeken met mijn ouders, maakte mijn vader kennis met een Britse militair die in 1944 Antwerpen mee had helpen bevrijden. Dit soort militairen stond bij mijn vader in hoog aanzien. De man was verliefd geworden op een Belgische schone en was na de oorlog in België gebleven. Uit deze verbintenis was een knappe dochter voortgekomen : Rosemary. En Rosemary wou toch zo graag eens naar de opera. Na enige aarzeling stemde de vader ermee in dat ik haar zou begeleiden naar de opera, op voorwaarde dat ik haar onmiddellijk na de voorstelling veilig terug zou thuisbrengen. Dat thuisbrengen was niet moeilijk vermits haar thuis een café was op de Kipdorpbrug, op 200 meter van de Opera, waar haar vader café hield.

Aldus geschiedde en ik mocht voor de eerste keer in mijn leven naar de opera met een lief. Rosemary was mijn tweede lief. Het meest opvallende aan haar was haar zeer ontwikkelde, uitnodigende boezem. Voor de eerste kennismaking met opera had ik voor Rosemary een gemakkelijke opera uitgekozen. Het was *"La Bohème"* en Berthe Van Hyfte zong Mimi en Claudine Arnaud Musette. Opera was echter niet haar ding en we gingen daarna alleen nog samen naar de bioscoop op zondagnamiddag. Dit gaf mij de gelegenheid om haar te zoenen en haar uitnodigende boezem aan te raken. De bioscoopzaal was de enige plaats waar dit mogelijk was. Jaren later vernam ik dat Rosemary getrouwd was met een loodgieter die haar bedroog met een andere vrouw. Rosemary kon dit niet aan en hing zich op aan de luster in hun woning. De ontrouwe echtgenoot is dit nooit te boven gekomen. Onwaarschijnlijk verhaal en toch waar.

Op 4 februari 1961, zie ik *"Het gemaskerd bal"* met Maria Dolores als Amelia. Op 18 februari 1961 zie ik *"Lakmé"* met een schitterende Claudine Arnaud in de titelrol en Ira d'Arès als Mallika al even schitterend.

Op 4 maart volgt het hoogtepunt van het seizoen met *"Salome"* met Marie-Louise Hendrickx als een ideale Salome. Het was de eerste keer dat ik Marie-Louise Hendrickx in deze sensationele rol zag. Zij zong de partij sinds 1953 en danste de sluierdans zelf. Daan Sternefeld dirigeert een van zijn specialiteiten subliem. De page was Ira d'Arès en Marcel Vercammen zong Herodes.

Op 14 maart zou ik Dietrich Fischer-Dieskau in de *Lieder eines fahrenden Gesellen* zien tijdens een Cofena concert. Ingevolge een voedselvergiftiging moest de man afzeggen. Het concert ging door zonder Dieskau met het Nationaal Orkest van België onder de leiding van André Cluytens. We hadden recht op *"Tod und Verklärung"* in de plaats van de *"Lieder eines fahrenden Gesellen"*, wat een magere troost was. De rest van het programma bleef zoals gepland. Het was de grootste ontgoocheling uit heel mijn muzikale loopbaan.

Op 10 april zie ik Anton Dermota tijdens een symfonisch concert van de Philharmonie. Hij zingt de concertaria *Misero! o sogno, o son desto!* en de aria van Ferrando *Un' aura amorosa* uit *"Cosi fan tutte"*, alsook de aria van Florestan uit *"Fidelio"*. En daarmee moesten we het stellen. We kregen wel nog tot afsluiting de negende van Dvořák, wat dan wel een troost was, gelet op de zeer magere kwaliteiten van Anton Dermota.

Er volgen nu opeenvolgend vijf opmerkelijke operavoorstellingen. De eerste daarvan is een *"Siegfried"* op 23 april in Düsseldorf met Astrid Varnay als de Brünnhilde die ik van haar in Bayreuth, een jaar voordien niet gekregen had.

Haar Siegfried-Brünnhilde was spetterend en haar laatste hoge do zit nog steeds in mijn oor. Ik had nu haar drie Brünnhildes minstens één keer gezien. De titelrol was Hans Hopf, Mime was ook de Bayreuther Herold Kraus. Het is mijn eerste bezoek aan de opera van Düsseldorf, de «Deutsche Oper am Rhein», die twee operahuizen herbergt en buiten Düsseldorf ook in Duisburg optreed. Vanaf nu bezoek ik regelmatig beide huizen die uitstekende producties brengen, waarvan velen met Astrid Varnay en andere Bayreuther zangers en dirigenten.

Op 3 mei 1961 wordt in de KVO de 100^e geboortedag van Ernest Van Dyck met een galavoorstelling van *"Lohengrin"* herdacht. Ernest Van Dyck was een geboren Antwerpenaar en werd wereldberoemd met zijn vertolkingen van Lohengrin, Parsifal, Tristan en Siegfried, die hij ook in Bayreuth zong. Voor de gelegenheid had Mina Bolotine tijdens haar laatste directiejaar Karl Liebl voor de titelrol weten te engageren. Hij had de rol zowat overal, zelfs aan de Met gezongen. Hij was een mooie Lohengrin. En vooral, Marie-Louise Hendrickx zong Elsa, heerlijk. Mina Bolotine zong die avond haar laatste Ortrud. Daan Sternefeld was de uitmuntende dirigent.

Op 21 mei zie ik in Düsseldorf een Duitse *"Cosi fan tutte"* onder Alberto Erede.

De sluitingsvoorstelling van het seizoen 1960-1961 in de KVO, op 15 juni, was het afscheid van Mina Bolotine als directrice en als zangeres met *"Don Carlos"*. Maria Dolores zong Elisabeth en Gilbert Dubuc Posa. Vuile politieke spelletjes op het stadhuis hadden na drie jaar heropbloei jammerlijk een einde aan het memorabele tijdperk Bolotine gebracht. Mina Bolotine zong die avond haar laatste Eboli, één van haar glansrollen. Op socialistisch burgemeester van Antwerpen Lode Craeybeckx moest je niet rekenen om een zeer hoogstaand cultureel etablissement zoals de KVO te redden van de ondergang. Lode Craeybeckx was een culturele nul die alleen oud ijzer in zijn Middelheim kon opstapelen.

Op 9 juli 1961 ging ik samen met mijn broer Alex en Wim Grupping naar Amsterdam in het kader van het Holland Festival. Het werd één van de

Sternstunden die ik mocht meemaken, met *"Le nozze di Figaro"*. De Contessa was Elisabeth Schwarzkopf, Graziella Sciutti zong Susanna en Stefania Malagu Cherubino : een ideaal trio. Carlo Maria Giulini bracht deze voorstelling op een absoluut hoogtepunt.

In de schaduw van het Holland Festival begon nu het Festival van Vlaanderen aan een kortstondige opmars. Eind augustus 1961 zag ik in de troonzaal van het stadhuis van Gent twee opmerkelijke vocale concerten. Het eerste was met de mezzosopraan Consuelo Rubio met barokaria's van Händel, Vivaldi, Pergolesi, Scarlatti en Purcell, een mooie stem en een echte mezzo. Stilaan beginnen barokopera's me te interesseren door de grote virtuositeit van de aria's.

Het tweede was met Hilde Güden in aria's van Händel en Mozart. Zeer langzaam begint door middel van aria's een heropleving van de opera's van Händel en Vivaldi. De heropvoering van volledige opera's van Händel zal eerst vanaf de jaren zeventig een aanvang nemen, die van Vivaldi eerst einde der jaren negentig. De sopraan van Hilde Güden is puur goud dat rechtstreeks uit de hemel neerdaalt. Hilde Güden is dan 44 jaar oud en op het absolute hoogtepunt van haar vocale mogelijkheden. Zij was een schitterende Sophie en een ideale Mozartzangeres.

Op 7 september, nog steeds in het kader van het Festival van Vlaanderen, zag ik in de opera van Gent *"Der Rosenkavalier"* in een sterbezetting van de Wiener Staatsoper met Hilde Zadek als Marschallin, Ira Malaniuk als goddelijke Octavian en Wilma Lipp als heerlijke Sophie. Otto Edelmann was de beste Baron Ochs die ik ooit zag. Erich Kunz als Faninal was de kers op de taart.

Het jaar 1961 was niet alleen muzikaal een zeer druk jaar, maar ook op allerlei andere vlakken. Het jaar was begonnen met amateurtoneel, waarin mijn broer Alex een belangrijke rol speelde. Samen met een vriend van het conservatorium, Stan Milbou, had hij een toneelgezelschap opgericht : het LVT, *Laboratorium voor Vlaams Toneel*. Het klinkt misschien lachwekkend nu, maar het was bloedernstig. Er werden uitsluitend toneelstukken van Vlaamse auteurs opgevoerd in *De kalkoense haan*, een zaaltje op de Sint-Jacobsmarkt in de buurt van het conservatorium. Er was plaats voor ongeveer tweehonderd toeschouwers. Bij acuut gebrek aan acteurs had mijn broer mij gevraagd om enkele kleine bijrollen te willen spelen. In het eerste stuk *"Feiten hebben geen belang"* van Jan Stalens had ik twee bijrollen, waarvan één een deskundige die op de rechtbank tijdens een assisenproces getuigenis kwam afleggen. De wereldpremière ging door op 12 januari 1961.

Het volgende stuk dat ik mee hielp creëren was *"De engel bij de bron"* van Michel Thys. Hierin speelde ik al een grotere bijrol, maar nog steeds met weinig tekst. De creatie op 7 maart 1961 had veel succes. Een van de actrices was Hilde Verluyten. Het was mijn tweede en laatste optreden.

Op 3 mei 1961 koopt mijn vader een nieuwe auto, een Mercedes 220S in marineblauw. Isidoor Van de Weghe, een kennis uit de Brasschaat Riding Club, verhuurder van bouwkranen, bij het zien van de nieuwe aanwinst van mijn vader, schrikt zodanig, dat hij een maand later een Rolls Royce koopt, om mijn vader te kunnen overtroeven. Isidoor Van de Weghe was het prototype van de geldzak. Mercedes Benz was in 1961 nog niet veel gezien. Vergelijking met de latere veelvuldige aanwezigheid van Mercedes op de automobielmarkt gaat hier niet op.

In dezelfde periode koopt mijn vader een groene VW kever als tweede wagen voor het gezin, die mijn broer Alex en ik gebruikten voor uitstappen op zondagen en voor de verplaatsingen in binnen- en buitenland voor operagebeurtenissen naar Düsseldorf, Keulen, Amsterdam, Rotterdam en de Munt. Een der eerste uitstappen met de kever was naar Bokrijk, gevolgd door een uitstap naar Keulen in het gezelschap van Brigitte en Roberte Willemsens. Met Brigitte en Roberte kwam nog een vervolg met een uitstap naar Brugge waar we op de reien met een motorboot voeren. De bedoeling van dit gezelschap is me steeds ontgaan, Brigitte en Roberte waren twee oersaaie trienen, waarmede een normaal gesprek zelfs niet mogelijk was.

In deze periode neemt mijn broer Marco veelvuldig deel aan springwedstrijden in 's Gravenwezel en Ekeren. Ook bij Isidoor Van de Weghe op de J.H. Ranch op de Sionkloosterlaan te Brasschaat was er een privé springconcours. De Guyotdreef die er heen leidde was toen nog een verharde zandweg, toegang tot het kasteel van Mishagen. De J.H. Ranch was het enige bebouwde domein van de Sionkloosterlaan. Op de Guyotdreef stond geen enkel huis.

Op 30 juni 1961 studeer ik af aan het Lycée d'Anvers. Ik verkrijg twee diploma's, het ene is een *diplôme de sortie* als kandidaat hulpboekhouder, het andere is een *certificat de capacité* voor de vakken algemene cultuur in Frans, Nederlands, Duits, Engels en geschiedenis.

In juli maakte ik samen met mijn moeder, mijn grootmoeder en mijn broer Alex een uitstap naar Hingene naar tante Marie, de zuster van mijn grootmoeder. Eerst gingen we naar het *moederhuis*, dit was in de familie de benaming voor het huis waar tante Marie met haar ongehuwde dochter Josine woonde. In het *moederhuis* was geen stromend water. In de keuken hingen twee Amerikaanse handpompen naast elkaar. De ene voor putwater, de andere voor regenwater. Je handen wassen mocht alleen met putwater, het regenwater was uitsluitend bestemd voor het wassen van linnen. Er was in het *moederhuis* nog niet zo heel lang wel elektrisch licht geïnstalleerd. Gasverlichting was nog tot lang na de tweede wereldoorlog gebleven. Josine had ook in het *moederhuis* een handeltje in likeuren. Er stonden altijd enkele flessen, waaronder Elixir d'Anvers en Hollandse jenever, aan het raam uitgestald.

Daarna ging het ganse gezelschap, inclusief tante Marie en Josine naar het herenhuis van Julien De Proft en Paula, de tweede dochter van tante Marie. Het was de laatste keer dat mijn grootmoeder haar zuster zag. Tante Marie was toen 83 jaar oud en bobonne was er 86. Zij kwamen uit een gezin met vijf dochters, waarvan de jongste, Emma, op eenjarige leeftijd in 1881 overleden was. De twee andere zusters van mijn grootmoeder waren tante Bertha en tante Julia.

In augustus 1961 ging de ganse familie voor de derde keer op rij, met vakantie naar Locarno in het *Grand Hôtel Reber au lac*. In Locarno, in het hotel, maakte ik kennis met Renate Otten, mijn derde lief. Ze was zeventien en dochter van een fabrikant in badstof uit Mönchen-Gladbach. Voor mij was het nu veel ernstiger dan de twee vorige keren, met Marijke Drosten en Rosemary. We waren beiden verschrikkelijk verliefd op elkaar en brachten de ganse vakantie met zwemmen, pingpongspelen en flirten door. Toen we terug naar huis keerden was het afscheid met Renate hartverscheurend. Renate huilde. We beloofden elkaar te schrijven. En, gelukkig, Mönchen-Gladbach lag tussen Roermond en Düsseldorf, een regio mij wel bekend.

Terug in Antwerpen deed ik er alles aan om Renate terug te zien. En het lukte ook. Op een zondag ging ik Renate met de Kever in Mönchen-Gladbach opzoeken. Toen ik er aankwam stonden voor de Otten-villa een Mercedes sport 190SL en een Kever cabriolet. De villa stond op een groot domein met tuin en zwembad. Ik was uitgenodigd op een dejeuner met de ganse familie Otten, vader, moeder, broer en zuster. We zaten met zes aan tafel en op het menu stond hertenfilet. Het was duidelijk dat de familie Otten mij tijdens het dejeuner wou observeren om eventueel iets over mijn personage te vernemen. Vader Otten had een buitenverblijf in het Zwarte Woud waar hij ging jagen. Na het dejeuner nam Renate me mee naar de fabriek van haar vader. Die lag even buiten Mönchen-Gladbach. Boven de inkompoort stond in reuze letters «Otten Tuche». Het was zondag en er werd niet gewerkt in de fabriek. We werden rondgeleid door de fabrieksopzichter, een man in uniform met kepie, die me deed denken aan de Hitlerperiode. De fabriek was indrukwekkend groot. Tijdens het bezoek aan de fabriek kreeg ik het gevoel dat Renate zonder enige twijfel met een Duitser met vermogen zou trouwen.

Na afloop van het fabrieksbezoek zijn Renate en ik samen gaan zwemmen in het zwembassin op het familiedomein. Naast het zwembassin hebben we uren liggen vrijen. Het was de eerste keer dat ik zo straf vrijde. Na verloop van tijd kwam de broer van Renate een controle uitvoeren. Hij ging daarna ogenblikkelijk weer weg. Later ben ik nog enkele keren naar Mönchen-Gladbach gereden om Renate te zien. We gingen dan samen in een etablissement iets drinken.

Renate is ook samen met haar broer en zuster naar Antwerpen met hun Kever cabriolet gereden om te controleren hoe belangrijk de firma Cassiers wel was. Ik schreef brieven aan Renate en deze werden beantwoord tot op het ogenblik dat ik mijn militaire dienstplicht in Keulen moest vervullen. Daarna viel alles stil. Ze hadden ons twee keer vier jaar bezet maar een Belgische militaire aanwezigheid in het Rijnland was er te veel aan. De vernedering was te groot en ik verloor mijn lief. Renate was een aantrekkelijk meisje, ze had hele mooie ronde borstjes en ik was er verschrikkelijk op verliefd. Zij was mijn eerste echte liefde.

Rond deze tijd koop ik mijn eerste woordenboek : de dikke Van Dale, de achtste uitgave en de laatste in één deel. De volgende uitgave, de negende, zal in twee delen zijn en dus niet meer de dikke Van Dale heten. Ik houd me veel bezig met filologie en etymologie en koop veel boeken over taalwetenschap. Filologie zal me constant blijven obsederen. Ik begin nu aan mijn levenswerk : de vertaling in het Nederlands van «Der Ring des Nibelungen». Ik begin met *"Die Walküre"* omdat dit deel van de Ring het boeiendste is.

In het jaar 1961 wordt de transistorradio uitgevonden, wat een betere ontvangst van radiogolven mogelijk maakt, door een nieuwe frequentie : de ultra korte golf. Het is een enorme verbetering voor radio-ontvangst.

In Berlijn wordt op 13 augustus een aanvang genomen met de oprichting van een muur die Oost- en West-Berlijn van elkaar moet scheiden, op het ogenblik dat monumentenmoordenaar Lode Craeybeckx in Antwerpen de Huurschouwburg aan de Kipdorpbrug afbreekt, om er een gruwelijk lelijk betonnen kantoorgebouw in de plaats te zetten. De Huurschouwburg was in 1869 als *"Nederlandsche Schouwburg"* gebouwd. Van 1893 tot 1907 was het *"Nederlandsch Lyrisch Tooneel"*, voorloper van de Vlaamse Opera, er gehuisvest en na de tweede wereldoorlog het *"Jeugdtheater"*. Dit, volgens Laurence Olivier, akoestisch beste theater van het vaste land, sneuvelde onder de slopershamer, tijdens de afbraakwoede van de jaren zestig, door de schuld van iconoclast, cultuurbarbaar en pintenpakker Lode Craeybeckx, socialistisch burgemeester van Antwerpen. De nalatenschap van Lode Craeybeckx in Antwerpen zijn lelijke gebouwen en een onleefbare stad.

In Brussel heeft de eerste mars op Brussel plaats, het begin van het einde van het unitaire België. Michelangeli Antonioni brengt zijn tweede grote film *"La notte"* met Monica Vitti.

Door smerig politiek getouwtrek was de directie van de KVO door het stadsbestuur aan Renaat Verbruggen toevertrouwd. Renaat Verbruggen was een verdienstelijk zanger, die veel Benoit had gezongen, maar ook veel opera in Gent en in Antwerpen aan de KVO, onder het pseudoniem Bert Roelants. De directie van de KVO heeft hij met vallen en opstaan waargenomen. Er zijn zeker positieve momenten geweest. Hij was directeur van de KVO van 1961 tot 1974, net enkele jaren te veel. Renaat Verbruggen heeft goede dingen gedaan en minder goede.

Hij had het enorme voordeel de grote verbeteringen van Mina Bolotine te erven. Orkest, koor, dirigenten en regisseurs waren door Mina Bolotine op een veel hoger niveau dan dat van het tandem Baeyens en Van Zundert gebracht. Renaat Verbruggen deed wel een ernstige inspanning om originele Vlaamse opera's terug op te voeren. Het is aan Renaat Verbruggen te danken dat we *"Herbergprinses"*, *"Quinten Massijs"* en *"Charlotte Corday"* te zien kregen en voor de laatste keer te zien kregen. Later zijn deze opera's nooit meer opgevoerd. Dit moet zeker op zijn debet geschreven worden. Kleingeestig was Renaat Verbruggen dan weer wanneer hij uitstekende zangers zoals Edward De Decker nog slechts uitzonderlijk liet optreden.

Renaat Verbruggen opende zijn eerste seizoen op 21 september 1961 met *"Herbergprinses"*, de beste opera van Jan Blockx en de beste Vlaamse opera überhaupt. De muziek is zeer melodisch en veristisch en doet denken aan Catalani en Mascagni. De titelrol werd gezongen door Marie-Louise Hendrickx, wat de aantrekkingskracht verhoogde.

Zeer opmerkelijk, Renaat Verbruggen creëerde in het Nederlands *"De dialogen der Karmelietessen"* in aanwezigheid van de componist Francis Poulenc, vier jaar na de wereldcreatie, één van de grootste triomfen van de eeuw. Op de première in de KVO op 7 oktober 1961, was ik aanwezig en stond tijdens de pauze oog in oog met de componist die zeer imposant overkwam. Francis Poulenc was groot van gestalte en er straalde iets ondefinieerbaars van hem uit. De opera zelf was erg boeiend, vooral omdat Marie-Louise Hendrickx de rol van Blanche zong. Het is een typische opera waarvan je alleen maar in het theater kunt genieten. Gek genoeg zag ik één dag later *"Don Pasquale"* met een uitstekende Lucy Tilly.

Op 18 oktober 1961 maakte ik nogmaals een *Sternstunde* met Maria Stader, tijdens een liederenrecital, mee. Ze zong maar liefst 24 liederen van Mozart, Schubert, Schumann en Wolf. Alsof dit nog niet genoeg was, zong Maria Stader als bis haar bravourenummer *"Exsultate, jubilate"*. Dit motet was spetterend en ik haalde onmiddellijk haar grammofoonplaat ervan op de discotheek. Veel later kocht ik twee verschillende versies ervan digitaal. Het is vooral het onwaarschijnlijk mooie timbre van Maria Stader dat mij aantrok.

Op 4 november 1961 zag ik *"Charlotte Corday"* van Peter Benoit, met Julien Schoenaerts als Marat en Jet Naessens in de titelrol. *"Charlotte Corday"* behoort tot een heel apart genre, uitgevonden door Peter Benoit. Het is een lyrisch drama, dit is een toneelstuk met muziek. Er is een ouverture en er zijn zogenoemde entr'actes of *Verwandlungsmusik*. De muziek is Wagneriaans met een typisch Vlaams karakter.

Op 23 november gaf Mina Bolotine haar laatste zangrecital in de Marmeren Zaal van de Dierentuin. Zij zong de brievenaria uit *"Werther"*, een aria uit *"Le roi d'Ys"* van Lalo, de hallenaria uit *"Tannhäuser"*, de aria van Eboli *O don fatale* en het grote duet uit *"Samson et Dalila"* samen met Pierre Lanni, een Fransman, één van haar favorietjes die de jaren van de Bolotine-era veel in de KVO gezongen had. De stem van Bolotine was op 57 jarige leeftijd nog steeds magistraal. Er was een hoorbaar vibrato dat niet stoorde. Zij bezat nog steeds een grote uitdrukkingskracht. Het is de laatste maal dat ik Mina Bolotine live gehoord heb. Gelukkig kon ik grammofoonplaten en magneetbandopnames van haar stem bemachtigen. Thans is haar stem als Isolde en Klytämnestra op digitale schijven vereeuwigd.

Op 25 november zag ik *"Otello"* in de KVO met Marcel Vercammen in de titelrol. Op 3 december zag ik in de Munt Piero Cappuccilli als Renato in *"Un ballo in maschera"*. Piero Cappuccilli was toen 32 jaar oud en stond aan het begin van een briljante carrière. Hij was een typische Verdi-bariton met een krachtig hoog register.

In de Munt beleef ik op 10 december een belangwekkende voorstelling van *"Wozzeck"* met Toni Blankenheim in de titelrol, Helga Pilarczyk als Marie en Paul Kuen als de kapitein. Alle drie zangers protagonisten van hun rol. Het jaar 1961 wordt glansrijk afgesloten met *"Les contes d' Hoffmann"*, nog steeds in de Munt, in een regie van Maurice Béjart. Het is een vernieuwende Hoffmann met uiteraard veel dans en vooral het lievelingetje van Béjart : Tania Bari, een hele mooie verschijning. Claudine Arnaud zingt de pop en Antonia uitstekend.

HOOFDSTUK XXVII.

Het jaar 1962.

Het jaar 1962 is het laatste jaar met een goed gevulde muziekagenda, met 25 voorstellingen waarvan 22 opera's.

Internationaal ziet 1962 in hoofdzaak de opening van «Vaticanum II», het tweede Vaticaans concilie, in Rome, door Paus Johannes XXIII, op 11 oktober 1962. De Kerk wordt aangepast aan de moderne tijd, het Latijn wordt vervangen door de volkstaal, de priester keert zich naar de gelovigen, de liturgie wordt vereenvoudigd en de kerken lopen leeg. Het mysterie was weggenomen en de grond onder de voeten van de gelovigen ook. Dit was niet de bedoeling maar wel het resultaat. Het tweede Vaticaans concilie was de meest revolutionaire modernisering van de Kerk sinds haar ontstaan.

In Frankrijk maakt Generaal De Gaulle een einde aan de Algerijnse oorlog en begint een onafhankelijke koers in de internationale politiek tegenover de Verenigde Staten, met een eigen kernmacht en eigen invloed, te varen. Met Cuba breekt een crisis uit als gevolg van de installatie van een raketbasis door de Sovjetunie. Als reactie voeren de Verenigde Staten een blokkade uit. Marilyn Monroe, het grootste sekssymbool van de eeuw, sterft aan een overdosis slaaptabletten.

De Beatles breken door en het verschijnsel *happening* doet zich voor de eerste keer voor. Het woord *happening* is van meet af aan goed gekozen : het is alleen maar gebeurd. Meer is het niet. Vanaf nu zal iedere scheet in de pseudo culturele sector opgeblazen worden tot een luchtballon. De film *"Lolita"* van Stanley Kubrick maakt furore.

In België wordt de taalgrens definitief in de grondwet vastgelegd. De import van Marokkaanse gastarbeiders neemt een aanvang. In de Statiestraat in Antwerpen ziet men op de ramen van de cafés de eerste opschriften *Défendu aux nord-africains*. Het woord racisme moet nog worden uitgevonden.

In januari 1962 zie ik drie opera's van minder belang: *"De vrolijke vrouwtjes van Windsor"* van Otto Nicolai, *"De maan"* van Carl Orff gekoppeld aan diens *"Carmina burana"* en *"Faust"*, een wereldberoemde maar slechte opera van Gounod. Marie-Louise Hendrickx zingt Marguerite en dat maakt het dan weer wel aantrekkelijk. De titelrol wordt gezongen door Frans Gysen, een tenor geboren in Antwerpen die in Frankrijk zijn naam verfranst had in François de Guise. Dit pseudoniem gebruikte hij ook in de Opera van Gent.

Op 28 januari 1962 beleef ik de laatste uitvoering van *"Lucifer"* van Peter Benoit in de Elisabethzaal met Renaat Verbruggen, onder de leiding van Benoit-specialist Leonce Gras. De vorige uitvoering van dit grandioos oratorium had plaatsgehad op 10 juli 1933. *"Lucifer"*, het eerste grote oratorium van Peter Benoit maakt op mij een zeer grote indruk. Het zal nadien nooit meer uitgevoerd worden. Erger, er bestaat een klankopname van de uitvoering van 28 januari 1962 in de archieven van de BRT. Dit instituut vindt het echter niet de moeite om deze opname, de enige bestaansreden van dit instituut, te commercialiseren. En dit instituut subsidiëren we. Schande, driemaal schande over dit instituut.

HOOFDSTUK XXVIII.

Mijn legerdienst.

Op 1 februari 1962 wordt ik door het Ministerie van Defensie als dienstplichtige opgeroepen. Ik krijg een gratis opleiding van drie maanden als administratief bediende in de Dossinkazerne in Mechelen, gevolgd door een gratis verblijf van negen maanden bij de Belgische Strijdkrachten in Duitsland. De legerdienst bedroeg toen vijftien maanden in België en twaalf maanden in bezet Duitsland. Ik koos uiteraard voor Duitsland om twee redenen : de dienst was drie maand korter en de mogelijkheid om in Duitsland opera's te zien.

Vanaf het einde van mijn studies in juni 1961 tot aan de aanvang van mijn legerdienst had ik van mijn vader een algemene opleiding in de zaak gekregen. Deze opleiding bestond uit het doorlopen van alle afdelingen van de zaak, gaande van de aflevering der goederen per vrachtwagen als begeleider, bedienen van de klanten aan de toonbank in het magazijn, hulp aan de boekhoudster, Mevrouw Masferrer, tot aan het schilderen van de standen in de toonzaal. Het meest opmerkelijke werk was dat van Mevrouw Masferrer, een zeer nauwgezette boekhoudster. Zij was nog enkele maanden van haar wettelijke pensioen verwijderd en werd daardoor door Cecilia Gerousse, de kassierster, op de hielen gezeten, om haar plaats na vertrek te kunnen innemen. Mevrouw Masferrer beklaagde zich bij mijn vader over het onmogelijke gedrag van Gerousse. Mijn vader heeft me, vóór dat Gerousse aan de macht was, dit voorval verschillende keren verteld. En toch heeft hij haar later zoveel invloed laten nemen.

Tijdens de opleiding in de Dossinkazerne waren er, buiten dactylografielessen, ook voetmarsen, schietoefeningen op de schietstand en nachtwacht. Buiten de volledige uitrusting van een soldaat, kreeg je ook een persoonlijk geweer, een Mauser, een éénschotsgeweer uit de eerste wereldoorlog. Het allerbelangrijkste tijdens de opleiding was het onderhoud van het geweer. Er werden verschillende lessen aan besteed.

Absoluut verboden was het reinigen van de geweerloop met staalwol. Hierop was wekelijks een controle door de opleidingswachtmeester. Indien je met staalwol had gereinigd, kon je dit zien door de achtergelaten sporen in de loop. De straf hierop was één dag cachot. Onderhoud van de geweerloop mocht uitsluitend met watten en olie. Dit nam echter meer tijd in beslag. De opleidingsofficier legde er de nadruk op dat in oorlogstijd het onderhoud van het geweer mensenlevens kon redden. Een geweer moest je evengoed behandelen als je lief. De bloemrijke taal van de opleidingsmilitairen bracht je dichter bij het defensieve aspect van het leger.

Indien je het al niet kon, kreeg je tijdens de legerdienst de gelegenheid om te leren zwemmen. Er was een opleiding door de legerleiding en ik behaalde een elementair zwembrevet, dat ik echter reeds bezat van het Lycée d'Anvers. Ik bezat nu twee verschillende zwembrevetten. 's Avonds werd je vanaf zes uur losgelaten op de hoeren van Mechelen. Die hadden zich zeer strategisch opgesteld tussen de Dossinkazerne en Sint-Rombouts. Bezorgd om de gezondheid van haar soldaten, waarschuwde de legerleiding voor geslachtsziekten en vertoonde een gruwelijke film, die dateerde uit het interbellum, over syfilis en andere vieze aandoeningen. In plaats van naar de hoeren ging ik naar de opera. Het was niet alleen goedkoper, je had er ook langer plezier aan.

Ik zag tijdens mijn Mechelse avonturen de kans zes keer op drie maand tijd naar de opera te gaan. In de KVO zag ik *"Boris Godoenof"* met Arnold van Mill in de titelrol, *"Cosi fan tutte"* met Andrea Nevry, *"Rigoletto"* met Gilbert Dubuc en *"De Revisor"* van Werner Egk, een thans volkomen vergeten componist.

Het weekeinde van 17 en 18 maart 1962 moet in de bijzondere annalen van de geschiedenis geschreven worden. Op 17 maart zie ik in de KVO *"Tannhäuser"* met Marie-Louise Hendrickx, zoals steeds goddelijk, en op 18 maart zie ik in de Munt *"Tristan und Isolde"* in een regie van Wieland Wagner, met een hartstochtelijke Wolfgang Windgassen en Anja Silja in een totaal mis bezette Isolde. Herta Töpper is een uitmuntende Brangäne. Wolfgang Windgassen als Tristan is gewoon magnifiek. Zijn derde acte vergeet je nooit meer. De enige

Wagner-opera die ik nog niet in een Bayreuther regie of bezetting had gezien was *"Tannhäuser"*, en ik zou deze ook nooit in een Bayreuther regie zien. En toch werd het mijn meest geliefde Wagner-opera, waarschijnlijk door de doordringende interpretatie van Marie-Louise Hendrickx.

Op 1 mei 1962 werd ik vanuit de Dossinkazerne definitief naar een transporteenheid in Dellbrück bij Keulen overgeplaatst. Ik maakte nu deel uit van de BSD, de Belgische Strijdkrachten in Duitsland onder NAVO-commando. De eenheid was ondergebracht in een voormalige SS-kazerne, op 12 km van Keulen, door het Belgische leger bij de bezetting van Duitsland na hun capitulatie in beslag genomen. België had in 1945 een deel van de Britse bezettingszone onder zijn mandaat, onder meer Keulen en Soest, gekregen. Met twee collega-soldaten en een opperwachtmeester maakte ik deel uit van een administratieve kern die het transport tussen de diverse kazernes van de regio's Keulen en Soest regelde en controleerde. Aan het hoofd van deze kern stonden een kolonel en een majoor.

Tijdens de negen maanden dienst in Dellbrück had ik één keer aardappelkarwei. Dit bestond uit het met de hand schillen van stapels aardappelen. Gedurende deze periode had ik ook twee keer nachtwacht. Dit hield in dat je om de vier uren gedurende twee uren een munitiedepot moest bewaken. Iedere week was er een schietoefening met geweer, machinegeweer en bazooka op een schietstand in de nabijheid van Keulen. We kregen nu een heel modern repetitiegeweer, dat we moesten onderhouden en wekelijks ter controle bij de wapenonderofficier moesten aanbieden.

Twee keer was er groot NAVO-alarm in september en oktober, tijdens de Cubacrisis, wanneer een rakettenbasis door de Sovjetunie op Cuba werd geïnstalleerd en de Verenigde Staten een blokkade oplegden. Het groot NAVO-alarm hield in dat alle in Duitsland aanwezige troepen gedurende 48 uren aan een staat-van-oorlog-oefening deelnamen. Alles was zoals in een echte oorlog, maar het was een oefening. We werden gewekt, midden in de nacht, en de volledige kazerne moest binnen de twee uren op konvooi geplaatst worden. De volledige inboedel, inclusief tenten, decimaal classement en persoonlijke

uitrusting, moest op vrachtwagens geladen worden. Vrachtwagens hadden we
genoeg, vermits we een transporteenheid waren.

Daarna vertrok het konvooi ergens te velde in de omgeving van Keulen, waar
een kamp werd opgeslagen. Aldaar verbleven we 48 uren. Mijn taak bestond uit
het doorseinen van berichten van de kolonel via een morsetelegraaf. De
marconist was een jongen uit Limburg die liefst zo weinig mogelijk
morseberichten verstuurde. Ik was zogezegd de tussenpersoon tussen de kolonel
en de marconist. Het was bloedernstig, alsof er een echte oorlog aan de gang
was. Alles was in tenten, inclusief de veldkeuken. De apparatuur van de
veldkeuken was indrukwekkend. Het keukenpersoneel bestond uit miliciens uit
de horeca, die tijdens hun legerdienst heel wat ervaring in massabereidingen en
organisatie van verdeling opdeden. Alles werd ter plaatse bereid. Al bij al was
de voeding zeer redelijk, gelet op de omstandigheden. In de koffie zat een hoge
dosis kamfer tegen geslachtsdrift.

Twee keer had ik brooddienst. Dit hield in dat je om vier uur 's morgens met een
vrachtwagen, een chauffeur en een begeleider naar de grootbakkerij van Keulen
brood moest halen. Het ging om 800 broden van 1 kg voor de kazerne van
Dellbrück en 600 broden voor de kazerne van Bensberg. Alles moest
gecontroleerd en op een transportdocument genoteerd worden. De hoeveelheid
benzine bij vertrek, de km-stand bij vertrek en aankomst, het uur van vertrek en
aankomst. Nadat het transportorder ingevuld en door de controlepost
geparafeerd was, ging de lading naar de keukendienst voor verdere behandeling.
België bezat toen een volwaardig leger met miliciens.

Bij aankomst in de kazerne van Dellbrück werd ik tewerkgesteld in het kantoor
van opperwachtmeester Van Goetsenhoven. In dit kantoor zaten, buiten Van
Goetsenhoven nog twee andere miliciens, een Leuvenaar en een
Brasschaatenaar, Stefan Van Zandweghe. Deze laatste was oud-seminarist met
een geloofscrisis en was intussen de Kerk afgevallen. De man was te intelligent
om verder te gaan in de Kerk, maar had wel een gratis opleiding van deze Kerk
ontvangen en heel wat geleerd op het seminarie voor Latijns-Amerika in de
Naamse straat in Leuven, niet in het minst Latijn en Latijnse talen. Zijn kennis

van het Portugees was bijzonder goed. Hij had ook een voorliefde voor alles wat naar Zuid-Amerika zweemde, inclusief de muziek- en danscultuur. Hij was een gecultiveerd man, parfumeerde zich met eau de cologne Tabac Original, dronk sherry en rookte pijp met Engelse en Ierse tabak, onder andere Erinmore, erg gesaust. Zijn pijp was met een losschroefbare kop en dubbele filter van het merk Triumph, een Duitse uitvinding. Hij was verliefd op Monica Vitti, wat van goede smaak getuigde.

Veel werk op het kantoor van opperwachtmeester Van Goetsenhoven was er niet. Mijn taak bestond erin de menu's van de week voor de refters alsook de correspondentie van de kolonel en de bestellingen van wisselstukken voor de vrachtwagens te typen. Hiërarchisch stond boven opperwachtmeester Van Goetsenhoven een majoor en daarboven kolonel Blanchard. Kolonel Blanchard was het prototype van de ouderwetse Franstalige Belgische militair. Hij behandelde mij met respect en sprak met mij gebroken Nederlands maar hield duidelijk een afstand. Ik moest iedere morgen de vloer van het kantoor van de kolonel boenen met een antieke boenborstel. De vloeren waren typische cementen kazernevloeren, bordeaux gekleurd en gladgestreken. Door dit werk werd ik vrijgesteld van andere onaangename karweien. Het boenen was daartegen een gunst.

Tijdens mijn verblijf in Dellbrück werkte ik verder aan mijn vertaling van *"De Walkure"*. Uiteindelijk zou dit werk uitgroeien tot de vertaling van de ganse *"Ring van de Neveling"* en eerst 46 jaar later, in 2004, beëindigd worden, weliswaar met zeer lange inactieve periodes. In een eerste fase vertaalde ik gewoon in modern Nederlands zonder aandacht voor het Wagneriaanse stafrijm. In een latere fase heb ik de tekst herzien en de alliteratie ingevoerd. Gaandeweg werd mijn tekst archaïscher, omdat ik besefte dat de materie dit vereiste. Ik voerde consequent het Wagneriaanse stafrijm in, wat me heel wat kopzorgen gaf.

Aan de welfare-officier vroeg ik toestemming om naar de Opera van Keulen te gaan. De aanvraag werd goedgekeurd en ik kreeg een uitgaansvergunning om na 22 uur buiten de kazerne te zijn. Ik ging iedere week naar de Opera van Keulen en zag een groot gedeelte van hun repertoire. De Italiaanse opera's waren toen nog in een Duitse vertaling zoals in gans Duitsland gebruikelijk was. *"Simon Boccanegra"* en *"La Traviata"* zag ik in het Duits. Er was veel Wagner en Strauß, ik zag *„Der fliegende Holländer"*, *„Lohengrin"* met Hermann Uhde als Telramund en *„Das Rheingold"* met George London als Wotan, in een regie van Wieland Wagner en met Wolfgang Sawallisch aan de lessenaar. Sawallisch dirigeerde veel in Keulen en ik zou hem daar nog verschillende keren zien. Van Strauß zag ik *„Der Rosenkavalier"*, *„Die Frau ohne Schatten"*, *„Arabella"* en *„Capriccio"*. Dit was pure luxe, zoveel Strauß.

Tijdens de negen maanden dienstplicht in Dellbrück had ik recht op 3 verloven van 8 dagen. Ik slaagde erin tijdens één van deze verlofperiodes een volledige *"Ring des Nibelungen"* in de Munt te zien. Regie was van Jo Dua en André Vandernoot dirigeerde. Siegmund was Fritz Uhl, Sieglinde Jutta Meyfarth, Mime Paul Kuen, Brünnhilde Liane Synek en Hagen Josef Greindl. Op 24 november zie ik in de KVO *"Pelléas et Mélisande"* en val tijdens de voorstelling in slaap van verveling. Het is de saaiste opera die ik ooit zag. Op 24 december zie ik in de Munt *"Der Rosenkavalier"* met Elisabeth Schwarzkopf als Marschallin, Regina Sarfaty als Octavian en Claudine Arnaud als Sophie. De Marschallin was de lijfrol van Elisabeth Schwarzkopf en ze schitterde er in.

Mijn ouders kwamen tweemaal op bezoek naar Dellbrück, samen met mijn broer Alex, die van deze bezoeken een smalfilm vastlegde. Vanuit Dellbrück gingen we naar Keulen, waar we de dom bezochten. Nadien gingen we naar een restaurant, waar mijn vader, die toevallig die dag geen das droeg, een das aangeboden kreeg. Het restaurant kon je niet *ohne Krawatte* betreden. In augustus gingen mijn ouders met mijn twee broers voor de vierde keer op rij met vakantie naar Locarno in het *Grand Hôtel Reber au lac*.

In de kazerne kon je Belgische kranten kopen. In deze periode begin ik dagelijks een krant te lezen. Vanaf de eerste dag is het «De Standaard», die toen nog erg flamingantisch was. Dit dagblad zal ik gedurende dertig jaar lezen, tot op de dag dat ik inzag dat er steeds hetzelfde in stond. Een dagblad is een negentiende-eeuws verschijnsel en verschrikkelijk verouderd met een beschamende papierverspilling. Na dertig jaar schakelde ik over op een weekblad en wist exact even weinig als voordien.

Ik was een fervent lezer van de taalrubriek in «De Standaard» onder de redactie van Maarten Van Nierop. Het editoriaal van Manu Ruys las ik iedere dag.

In deze periode kocht ik mijn eerste taalboeken over etymologie, spelling en vreemde woorden. In december 1962 kocht ik voor het eerst het operatijdschrift *Opernwelt*. Dit maandblad zou ik tot einde 1966 lezen.

HOOFDSTUK XXIX.

Het jaar 1963.

Het jaar 1963 is een jaar van grote omwentelingen in mijn leven. Het jaar 1963 betekende het einde van mijn legerdienst, het begin van mijn loopbaan als groothandelaar sanitair, de aanvang van de vermindering van het aantal operabezoeken en de ontmoeting met mijn eerste vrouw.

Internationaal is het belangrijkste evenement van 1963 de moord op president John Kennedy in Dallas. Het jaar 1963 is het jaar waarin het monument van het Franse chanson, Edith Piaf, overlijdt. De ondertekening van het eerste Duits-Franse vriendschapsverdrag te Parijs op aansporing van Generaal De Gaulle is fundamenteel. De Gaulle ambieerde een sterke band met Duitsland en zijn persoonlijke vriendschap met kanselier Konrad Adenauer heeft daartoe zeker bijgedragen. Voor België is het belangrijkste politieke feit de definitieve vastlegging van de taalgrens met de eentaligheid van Vlaanderen en Wallonië en de tweetaligheid van Brussel voor gevolg. Het betekent de culturele autonomie voor Vlaanderen en de aanloop naar het federale België met groeiende autonomie voor Vlaanderen. In 1963 wordt in Slochteren in Nederland aardgas ontdekt. Dit zal in de sanitaire branche een ware kentering teweeg brengen.

Op 28 januari 1963 zwaai ik af van het Belgische leger en op 1 februari 1963 ben ik gedemobiliseerd. Tijdens mijn legerdienst waren mijn ouders van de Helmstraat 12 naar de Frilinglei 82 in Brasschaat verhuisd, om ruimte te maken voor de uitbreiding van de zaak. Het woonhuis aan de Helmstraat 12 zou in de loop van 1963 afgebroken worden en in de plaats zou een eerste grote uitbreiding van het bedrijfspand Helmstraat 10 gebouwd worden. Op de Frilinglei 82 in Brasschaat had mijn vader een villa met rieten dak gehuurd. Er was een grote voortuin en achtertuin. Ik kreeg er mijn eigen kamer net als mijn beide broers.

In februari 1963 heb ik een contact met Rudi Vanderpaal, een vooraanstaande van de Volksunie. Even dacht ik eraan in de politiek te gaan. Mijn moeder heeft me gelukkig op andere gedachten gebracht.

HOOFDSTUK XXX.

Het begin van mijn loopbaan.

Onmiddellijk na de beëindiging van mijn legerdienst, begon ik bij mijn vader in de zaak als bediende te werken. Ik kwam mijn oudste broer Alex, die reeds zeven jaar in de zaak werkte, aflossen. Hij had al die tijd aan het oude conservatorium op de Sint-Jacobsmarkt, dramatische kunst, als avondleergang, gevolgd en een diploma met hoogste onderscheiding behaald. Zijn opleiding als acteur had hij van Gella Allaert ontvangen. Bovendien had hij de cursus bewegingsleer van Lea Daan aan de Frankrijklei gevolgd. Hij had een vast engagement aan de KVS, *Koninklijke Vlaamse Schouwburg*, in Brussel, vanaf oktober 1963 bekomen. Hij zou aldaar tot 1995 tot het vaste gezelschap behoren. Hij zou ook in Brussel eerst in de Hovenierstraat, later in Zellik gaan wonen.

Ik nam de functie van inkoper van mijn broer over en hij heeft mij gedurende zes maanden opgeleid. Alex was de enige die mij een gedeeltelijke opleiding heeft gegeven. In grote lijnen was de algemene opleiding proefondervindelijk. De functie bestond in het contact met de leveranciers en fabrikanten, ontvangst van en onderhandeling met de gedelegeerden van de leveranciers, doorgeven van orders ter herbevoorrading van de stock, aan de hand van de stocksituatie, die gekend was door de permanente inventaris, die met stockkaarten dagelijks door een bediende aan de hand van de leveringen werd bijgehouden. Zeer geleidelijk kwamen bezoeken aan fabrikanten, beurzen en salons de taak vervolledigen. Fabrikanten gaven nu en dan een cursus verkooptechnieken, waardoor de inkoper een stuk verkoper werd.

Alle taken die verband hielden met de inkoopafdeling deed ik zelfstandig. Deze taken bestonden uit prijsaanvraag, prijsvergelijking, kostprijsberekening, verkoopprijsberekening, kwaliteitsvergelijking, vergelijking van de aangeboden modellen, herbevoorrading van de stock, herinneren en bespoedigen van te trage leveringen, contact met de fabrikanten, ontvangst van, besprekingen en onderhandelingen met de gedelegeerden der leveranciers. Geleidelijk zou ik meer verantwoordelijkheid krijgen in verband met de inkoopgroepering Supersanit. Alles gebeurde manueel, de digitale maatschappij moest nog worden uitgevonden. Het was een creatief werk, er was niets voorgeschoteld en alles moest door eigen initiatief gemaakt worden.

Voorlopig zit ik tot over mijn oren in de inkoop. Vergelijking van de aangeboden modellen was in hoofdzaak het geval met sanitair porselein, waar de lijnen begin jaren zestig sterk begonnen te evolueren. In die periode kwamen de eerste Italiaanse porseleinfabrikanten met design op de Belgische markt in concurrentie met de toen vooral Duitse fabrikanten. Sanitair porselein was anno 1963 één van de belangrijkste artikelen van de groothandelaar. Iedere badkamer bestond toen uit minimum vier stuks porselein en in vele gevallen waren er meer dan vier stuks.

Op het ogenblik dat ik bij mijn vader begon te werken, was hij al in contact getreden met «POZZI», één van de belangrijkste Italiaanse topmerken. «POZZI» werd in België vertegenwoordigd door «Egeda», een agentschap van buitenlandse fabrikanten en zelf fabrikant van badkamertoebehoren in verchroomd messing.

Mijn vader was in 1934 gestart met porselein van de «Société Céramique» in Maastricht. Na de oorlog verkocht hij ook porselein van Boch en Sanibel. Deze laatste werd later overgenomen door Ideal Standard. Steeds op zoek naar een betere kwaliteit begon mijn vader midden de jaren vijftig met «KERAMAG», Keramische Werke uit Ratingen bij Düsseldorf. Keramag was in België het Antwerpse porselein bij uitstek : Schiltz en Prist verkochten het en het werd aanzien als *het* kwaliteitsporselein. De enige echte concurrent van Keramag was «Villeroy & Boch», een zeer belangrijke fabrikant uit het Saargebied.

Anno 1963 werd sanitair porselein geleverd per vrachtwagen met stro als verpakkingsmateriaal. Het stro werd normaliter door de chauffeur terug meegenomen. Uitzonderlijk gebeurde het dat de chauffeur een vracht aan de haven moest ophalen om naar Duitsland te transporteren. In zulk geval moest hij het verpakkingsmateriaal, zijnde het stro, achterlaten. Mijn vader, die steeds begrip toonde voor toestanden, verklaarde zich akkoord om een gedeelte van het stro te behouden. Hij telefoneerde dan naar een konijnenkweker die het stro maar al te graag kwam ophalen. Stro als verpakkingsmateriaal werd in de loop van de jaren zestig vervangen door linnen matten of verpakkingsdekens.

Met Italiaans porselein, in casu Pozzi, beginnen was bij wijze van spreken een waagstuk. Pozzi was van degelijke kwaliteit met lagere prijzen, de typische tegenstelling Duits-Italiaans. Het nieuwe bij Pozzi waren de uitgesproken designlijnen en de revolutionaire kleuren *orchidee*, een zacht lila, en *turquoise*, een zacht pastelblauw. Deze beide kleuren kenden midden jaren zestig een enorm succes. Voordien waren er vrij onbeduidende kleuren roze, blauw en groen.

Mijn vader had een zeer uitgebreid clientèle van hoofdzakelijk loodgieters door de jaren heen uitgebouwd, meer dan 200 regelmatige klanten die over de vloer kwamen. De twee voornaamste klanten met een groot aantal ondergeschikten waren Henri Theuns en Zonen en Charles Claessens en Zoon, beiden uit Deurne. Een speciaal soort klanten vormden de asfalteurs, die eigenlijk de oerversie van de dakdekkers waren. Zij kochten bitumen, zink, lood en roofing.

In deze atmosfeer begon ik mijn loopbaan van sanitair groothandelaar. Op het ogenblik dat ik begon te werken, had mijn vader 17 personeelsleden, daarvan 9 bedienden en 8 arbeiders, in dienst. Bij de arbeiders waren drie chauffeurs: Jozef Saeys, Alfons Saeys en Frans Schaut. Er waren drie magazijniers: Alex Mulkens, Henri Patteet en Roger De Lathouwer, één begeleider Edward Verveccken en één werkster Wilhelmina Wendrickx. Bij de bedienden was er René Van Barel, algemeen kantoorwerk, Joseph Murdzek, stockbeheer, Hector Matthijs, inkoop en prijsberekening, Cecilia Gerousse, kassierster, Annette Laureys, hulpboekhoudster, Lode Van Goethem, rekendienst, Georges Ongena, reiziger en Hilona Stubbe, rekendienst. Bovendien was er een zelfstandig boekhouder, Charles Janssens, die maandelijks de boekhouding controleerde en een balans opstelde, alles vrij summier en archaïsch.

Toen mijn vader de boekhouding degelijker, overzichtelijker en wettelijker wou inrichten, had hij de grootste moeite om deze Charles Janssens op te zeggen en de boeken aan een ernstige accountant over te maken. Janssens bedreigde mijn vader met verklikking aan de fiscus. Janssens had de eindejaarsinventaris steeds opgesteld. In die tijd was het gebruikelijk om de winst kleiner te maken door de voorraad te verminderen in de inventaris. Deze belastingontwijking wou Janssens verklikken aan de fiscus. Mijn vader, die er niet de man naar was om zich te laten chanteren, raadpleegde zijn vriend Luc Deleu, directeur van het beheer van het Torengebouw en vertrouwd met hachelijke toestanden.

Luc Deleu vond het middel om Janssens af te schudden met een kernachtige brief en de zaak was opgelost. Mijn vader gaf de boekhouding aan Henri De Deken, een ernstige accountant die voortaan leesbare balansen opstelde. De boekhoudingproblematiek was één van de redenen waarom mijn vader mij handelsstudies liet doen. Ik moest een balans kunnen lezen.

Voorlopig moest ik mij vooral bezighouden met contacten met leveranciers en fabrikanten. De grappigste van allen was Stanislas Skowronsky, een Pool die het communisme ontvlucht was en al lang in België verbleef. Hij was uitvinder, fabrikant en leverancier van chemische producten en soldeergerij voor de loodgieterij. Op zijn visitekaartje stond *ingénieur chimiste*. Hij sprak een zeer humoristisch Frans met zwaar Pools accent en kwam om de haverklap met een nieuwe samenstelling van soldeervloeistof of kopervet. Hij bezat zijn eigen laboratorium in Mortsel en verkocht zijn producten onder het merk «LSV». Skowronsky werkte met één arbeider en deed alles zelf : uitvinden, fabriceren, verpakken, leveren, factureren en ontvangen. Dit was anno 1963 mogelijk!

Het tegenovergestelde was Herman Michielssen, vertegenwoordiger van Sanibel, een Belgisch porselein, later overgenomen door Ideal Standard. Het porselein van Ideal Standard had ik steeds stiefmoederlijk behandeld. Er waren te veel merken en ik legde de nadruk op Keramag en Pozzi. Herman Michielssen, normaal voor een verkoper, probeerde me te bewegen tot een belangrijkere tentoonstelling van zijn product. Hierin is hij nooit geslaagd. Toen hij eind jaren tachtig met pensioen ging en ik hem op Batibouw toevallig ontmoette op de stand van Ideal Standard, in gezelschap van enkele collega's, viel hij volledig uit zijn rol. Hij achtte het noodzakelijk mij proberen te beledigen : hij had me niet meer nodig. Hij toonde zijn ware gelaat, dat van een kleinburgerlijk verkopertje. Een andere kleine, onsympathieke figuur was een zekere Ceuppens, agent van Keramag en Buderus. Reeds vroeg trad ik rechtstreeks in verbinding met Keramag, niet in het minst door mijn kennis van de Duitse taal.

Zeer gedistingeerd daarentegen was Frédéric de Schorlemer, een Luxemburgs baron, uiterst diplomatisch en professioneel. Hij was agent van «TIELSA» aanbouwkeukens en verkocht ook drinkbakken voor paarden «LA BUVETTE». Met de Schorlemer heb ik veel en graag gewerkt. Toen ik in de zaak begon te werken stond er reeds een Tielsa-keuken in de toonzaal in de etalage. Het was een eenvoudige keuken met de reeksnaam «VAUKA», de klanknabootsing van het Duitse "VK", het letterwoord voor "Volksküchen".

Een fabrieksagent waarmede mijn vader het langst samenwerkte was Georges Javay, een Brusselaar van Waalse afkomst, erg welbespraakt. Hij was agent van enkele prestigieuze Duitse merken zoals Villeroy & Boch, Hans Grohe, Ahlmann en Benkiser. Hij bezat een eigen depot van porselein en vuurklei van Villeroy &Boch en van spoelkranen Benkiser.

Een figuur in de Belgische agentuur was Frans De Cauwer, agent van Friedrich Grohe. Toen Friedrich Grohe in België onafhankelijk wilde worden kreeg Frans De Cauwer een rijkelijke opzegvergoeding. Dit was voor hem echter slechts een snoepje. Kort nadien nam hij de leiding van «HANSA» uit handen van Arthur Boon, de man die, afkomstig van de ter ziele gegane kranenfabrikant «Scapi», het merk groot had gemaakt in België. Arthur Boon kwam de tegenslag niet te boven, werd zwaar ziek en stierf slechts enkele maanden later. Geldwolf Frans De Cauwer had de dood van Arthur Boon op zijn geweten en deed alsof hij er voor niets tussen zat.

De keurigste afgevaardigde was Jean Matheve, een diplomaat oude stijl. Hij vertegenwoordigde «VTR», *Visseries et Tréfileries Réunies* in Machelen, fabrikant van roodkoperen buizen en messing schroeven. VTR was onze hoofdleverancier van roodkoperen buizen. De concurrent van VTR was «UCZ», *Usine à Cuivre et à Zinc* uit Luik. Mijn vader was er voorstander van dat we af en toe een bestelling plaatsten bij Cuivre et Zinc. Onze klanten prefereerden de buizen van VTR, die waren minder hard en gemakkelijker te buigen met een buigtang. Het buigen van roodkoperen buizen was een typisch Antwerps verschijnsel, in andere streken van België werd minder gebogen en meer gewerkt met koppelstukken. Bij het buigen van UCZ-buizen kreeg je vrij gemakkelijk ribbels in de bocht. Toen VTR failliet ging, schakelden wij over op de buizen van Cuivre et Zinc en verdween plots het probleem van het buigen, hoewel de buizen van UCZ nog steeds even hard waren.

Zeer belangrijk waren de fittings, in alle mogelijke uitvoeringen, koper, messing en smeedbaar gietijzer. Twee bijzondere artikelen trokken mijn aandacht : de waterdief en de kelderzuiger. De waterdief was een soort trechter die op een enkele dienstkraan gezet werd om er een dubbele dienstkraan van te maken en aldus water van de maatschappij te stelen. De kelderzuiger was een heel subtiel toestelletje waardoor je door toevoeging van een dunne straal water uit een slang van kleinere diameter aan de andere kant via een slang van grotere diameter het water in een kelder kon wegzuigen.

Een product dat, op het ogenblik dat ik mijn loopbaan begon, aan belang begon te winnen was «GEBERIT», een spoelreservoir voor closets. Het reservoir hing aan de muur en was met het closet door een korte spoelbocht in winkelhaakvorm verbonden. Het reservoir was in PVC en het binnenwerk was van zeer hoge kwaliteit. Een enorme verbetering tegenover alles wat voorheen bestond. Het was een Zwitsers product en in exclusiviteit aan «SANISHIPPING» gegeven.

Sanishipping was een groep van de belangrijkste groothandelaren van België : Prist in Antwerpen, Rachin, Van Haelen en Facq in Brussel, Dambois in Luik, Van Marcke in West Vlaanderen en Givord in Namen. Voor de provincie Antwerpen was Prist de alleenverdeler. Mijn vader was goed bevriend met Prosper Prist en had met hem een overeenkomst gesloten betreffende levering van het product. Het kwam erop neer dat mijn vader rechtstreeks vanuit de fabriek in Rapperswill in Zwitserland beleverd werd en dat Prist een bemiddelaarscommissie ontving. Lange tijd was «GEBERIT» in Antwerpen het privé jachtgebied van Prist en Cassiers.

Een andere goede vriend van mijn vader was Jacques Rohatin, agent van «BLANCO», Blanc &C° uit Oberderdingen, een fabrikant van chroomnikkelstalen spoeltafels. Dit was een vrij recente uitvinding van na de tweede wereldoorlog, die vanaf de jaren vijftig ingang vond. De gootstenen in vuurklei bleven nog lange tijd in zwang vanwege het grote prijsverschil. Het eerste merk inox spoeltafels in België was «FRANKE», een Zwitsers fabrikant. Als grootste fabrikant van Duitsland kwam «BLANCO» niet veel later op de Belgische markt. Toch is BLANCO in België er nooit in geslaagd om de merkbekendheid van FRANKE als eerstaanwezige op de markt te evenaren. Antwerpen was een BLANCO-burcht met Schiltz en Cassiers als verdelers. Er was nooit een vraag naar FRANKE, alhoewel Prist in Antwerpen er de verdeler van was.

Met Jacques Rohatin had mijn vader uitstekende zakelijke relaties. Het gebeurde uitzonderlijk dat beiden een glas bier in taverne Locarno op de De Keyserlei gingen drinken. Op één van deze gebeurtenissen was ik aanwezig toen Jacques Rohatin mij vertelde dat hij tijdens het interbellum *"Parsifal"* in de KVO had gezien. Plotseling steeg Jacques Rohatin in mijn achting. Wanneer je een opvoering van *"Parsifal"* had bijgewoond was je niet zomaar een gewone sterveling.

Later kwam een Belgische fabrikant van chroomnikkelstalen spoeltafels op de markt, met de originele benaming «INOXYBEL». Mijn vader voerde Blanco rechtstreeks uit Duitsland in en het transport ging per spoor in speciale spoorwegcontainers. Het vertollen ging moeizaam met 36 verschillende formulieren en nam wel acht dagen in beslag. Soms had mijn vader de goederen sneller nodig en ik ging dan naar het Noordstation, waar de wagon was binnengereden. Ik haalde het aankomstformulier aan een bepaald bureau af en bracht het naar het vertollingskantoor om de vertollingsformaliteiten te versnellen. De bureaucratie bij de NMBS was onvoorstelbaar. Je hing volledig af van de welwillendheid van een stelletje onbekwame broekslijters : een reden om onmiddellijk alle staatsinstellingen te privatiseren en de broekslijters twee jaar langer te laten werken alvorens hen hun niet verdiende veel te hoge pensioen uit te betalen. Maar als je het heel mooi had gevraagd kon je tot vijf dagen aan tijd winnen. Want de spoorwegcontainer moest ook nog door een vrachtwagen van de NMBS aan huis besteld worden. Na dit soort avonturen had ik voor de rest van mijn leven een hekel aan etatisme en ambtenarij.

Omdat Friedrich Grohe in het Antwerpse in handen was van Prist, zocht mijn vader een alternatief. Door zijn vele contacten met architecten en fabrieksagenten vond hij twee kraanwerkfabrikanten zonder vertegenwoordiging in België. Een ervan was «EICHELBERG» uit Iserlohn, een gelijkaardig kraanwerk als Friedrich Grohe, van gelijke kwaliteit. De andere was «GUSTAV SCHMIEDL» uit Solbad Hall in Tirol. Schmiedl was de uitvinder van de *Einlochbatterie*, de eengatsmengkraan. Het patent voor deze uitvinding dateerde uit 1938, uit de tijd van het naziregime en bij het reproduceren van het originele patent in zijn catalogus had Schmiedl nauwkeurig het hakenkruis tussen de lauwerkrans onder de adelaar uitgewist. Een kind kon zien dat daar een swastika had gestaan. Iedere herinnering aan het onzalige verleden moest uitgewist worden. Schmiedl was een echte uitvinder. Hij had een sluiting met slijtagerem bedacht. Het was zeer eenvoudig, men kon de kraandichting niet verslijten doordat de handgreep zichzelf blokkeerde op het ogenblik van de sluiting. Geniaal, je moest er opkomen. Mijn vader heeft massa's van dit kraanwerk verkocht, mede door het argument van de slijtagerem. Mijn vader was de enige verkoper van Schmiedl in België.

Het was de gouden tijd van de geiser. In iedere keuken kwam een 5 litertoestel en in iedere badkamer een 13 litertoestel. Het aantal merken geisers op de markt was indrukwekkend. Het hoofdmerk van mijn vader was «BULEX», daarna volgden in volgorde van belangrijkheid Junkers, Eclipse, Le Classique, Renova en Ascot. Van alle merken werd een voorraad gehouden. Na verloop van tijd bleven twee merken over : Bulex en Junkers. Met Bulex, verdeeld door Contigea in de Birminghamstraat in Brussel, had mijn vader een goede verstandhouding. De vertegenwoordiger van Bulex was een melomaan en schonk me ieder jaar als eindejaarsgeschenk een biografie van een componist, uitgegeven door Hachette in de collectie *Génies et réalités*. Het waren monografieën, die de aanvang van mijn bibliofilie vormden.

Het aantal merken badkuipen daarentegen was beperkt. In hoofdzaak was er «INDUSTRIA», een Belgische fabrikant met minderwaardige kwaliteit, met frequente emailafschilfering door slechte aanhechting. Mijn vader zocht naar betere kwaliteit en daar zou ik in de toekomst mijn steentje bijdragen. Badkuipen waren toen hoofdzakelijk in geëmailleerd gietijzer. Plaatstalen badkuipen veroverden zeer traag de Belgische markt. De eerste plaatstalen badkuipen waren van Italiaanse oorsprong, van het merk «FAVORITA». De betere kwaliteit gietijzeren badkuipen waren allen Duits, in hoofdzaak «BUDERUS» en «AHLMANN». Er was wel nog een tweede Belgische fabrikant, «DEMOULIN», waarvan de kwaliteit niet veel beter was als die van Industria. In de toekomst zou Ahlmann een belangrijke rol spelen in onze verkoop van gietijzeren badkuipen. Voor badkuipen was er eerst gietijzer, daarna plaatstaal en eerst veel later kwam acryl.

Ook in de kleine, onbeduidende artikelen, zoals kogelkettingen, dichtingen of douchegordijnen, vergeleek ik kwaliteit en prijs. Voor kogelkettingen was mijn vader sinds mensenheugenis klant bij een Brusselse voortverkoper Gommers. Door Supersanit kwam ik in contact met zijn eveneens Brusselse concurrent Van den Berghe. De kwaliteit was identiek, maar Van den Berghe was wel 20 % goedkoper. Ik kocht dus voortaan bij Van den Berghe. Gommers bleef mij bezoeken en zijn waren aanprijzen. Vermits ik geen orders meer aan hem gaf, ging hij bij mijn vader uithuilen. Mijn vader, die me de volledige vrijheid gaf om aan te kopen waar ik het voor gunstig achtte, zei toen tegen me : *"Geef hem af en toe een kleine bestelling."* En weer was mijn vader schitterend, uit medelijden zou hij Gommers een bestelling hebben gegeven : wat maakte het prijsverschil van een kogelketting uit op het geheel van een badkamer ?

Een typisch materiaal dat in de sanitair toen nog gebruikt werd was marbriet, een soort natuurlijk ondoorzichtig gekleurd glas. In de sanitair werd het hoofdzakelijk gebruikt als rug tussen wastafel en spiegel en als planchet in wit en zwart. Marbriet werd nog redelijk lang gebruikt door zijn lage kostprijs. Een planchet in marbriet met verchroomde konzolen was merkelijk goedkoper dan een planchet uit porselein. Een ander typisch materiaal was bakeliet. Op het ogenblik dat ik begon in de sanitair waren closetzittingen van hout of bakeliet, hard kunststof kwam veel later op de markt. Anno 1963 had mijn vader nog een volledige voorraad Amerikaanse pompen in vier grootten, N° 3 – 4 – 5 – 6, in voorraad

Sanitair porselein kocht mijn vader bij Boch Frères, Villeroy & Boch, Sphinx, Keramag, Pozzi en Ideal Standard. Al deze producten stonden in de toonzaal aan de Helmstraat 10, die geopend was in 1957. Toen ik mijn loopbaan begon stond mijn vader op het punt de zaak uit te breiden met de verbouwing van het woonhuis Helmstraat 12. Met de voorbereiding hiervan was hij in februari 1963 bezig, de verbouwing zou beginnen in november 1963.

Intussen heb ik mijn eerste vrouw leren kennen. Stefan Van Zandweghe woonde net zoals ik in Brasschaat, aan de Bredabaan 407 in de Rijkswachtkazerne. Zijn vader, Louis Van Zandweghe, was daar Rijkswachtcommandant met de graad van adjudant, de hoogste graad voor een onderofficier. Ik had Stefan gecontacteerd en hem een bezoek gebracht in de Rijkswachtkazerne. Daar heb ik in februari 1963, toevallig of geënsceneerd, dat zullen we nooit weten, zijn zuster Katleen, voor het eerst gezien. Katleen Van Zandweghe was toen zeventien en een half jaar oud en zat in haar laatste jaar middelbaar op Mater Dei op de Bredabaan. Toen ik haar voor het eerst zag, zat ze op haar kamer op het bed met een stapel tijdschriften *Schöner Wohnen*, een Duits blad over woningdecoratie. Heel haar leven zou ze geobsedeerd blijven door interieurdecoratie.

Katleen was middelmatig knap, zonder een beauté te zijn. Ovaal gezicht, babyface, vrij slank, mooi figuur in zijn geheel. Ze had iets weg van Romy Schneider, met een hele lichte, haast onzichtbare, knik in de neus. Zij was niet van het intellectuele type maar had een natuurlijke intelligentie en vooral een zeer goede smaak. Wat er op het ogenblik dat ik haar voor het eerst zag, gebeurde, kan ik niet uitleggen. Vermoedelijk heeft Katleen mij betoverd. Alleszins zal zij de volgende twaalf jaar een invloed op mij uitoefenen, in die mate, dat ik zelfs mijn muziekbelevenis en mijn loopbaan zal verwaarlozen. Maar zover is het nog niet, er waren in de beginjaren ook lichtpunten. Het eerste wat ik deed was haar uitnodigen op een bioscoopbezoek. Het was in Ciné Empire in de Appelmansstraat. Enkele dagen later hebben we elkaar bij valavond voor het eerst gezoend in het portaal van het boswachtershuisje in het park van Brasschaat. Gedurende de ganse periode dat ik op vrijersvoeten liep, bleef ik het opera- en theaterbezoek op een lagere versnelling verderzetten.

Op 31 januari 1963 zag ik een *"Salome"* in de Munt met Anja Silja in een regie van Wieland Wagner. Lichamelijk was Anja Silja een ideale Salome, vooral tijdens de sluierdans, vocaal was het een ramp. Op 9 februari 1963 zag ik gelukkig Marie-Louise Hendrickx in een adembenemende Amelia in *"Het gemaskerd bal"*. Eveneens in de Munt zag ik, op 7 april 1963, een *"Tristan und Isolde"* met Hans Beirer, in een regie van Wieland Wagner. Op 15 april zag ik een *"Lohengrin"* met Grace Hoffman als Ortrud in Duisburg. Die dag had ik pech, de Ortrud had Astrid Varnay moeten zingen. Grace Hoffman was een uitstekende mezzo-Ortrud, dramatisch was zij de mindere van Varnay, vocaal was zij van fluweel.

Op 30 april 1963 zag ik in de KVS *"Hamlet"* met Senne Rouffaer in de titelrol. Het was de eerste keer dat ik *"Hamlet"* zag. Ik had het stuk nog niet gelezen. Het was in de meesterlijke vertaling van Willy Courteaux, de beste vertaling ooit. Later kocht ik alle beschikbare stukken van Shakespeare in de *"Klassieke Galerij"* van de Nederlandsche Boekhandel. Nog later kocht ik het *"Verzameld werk"* van Shakespeare in de vertaling van Courteaux. Heel mijn leven lang las ik met onbeschrijflijk genot de stukken van Shakespeare in de vertaling van Courteaux.

Op 18 mei 1963 zie ik in de KVO de laatste opvoering van *"Het meisje van Zaventem"*, een Vlaams zangspel van Emiel Hullebroeck. Het gegeven is nogal flauw en handelt over een verliefdheid van Antoon van Dyck. Opmerkelijk is dat Renaat Verbruggen dit soort zangspelen nog durft opvoeren en er vier voorstellingen van geeft.

En eindelijk, zag ik op 19 mei 1963 *"Parsifal"* in Duisburg met Astrid Varnay als Kundry. Haar Kundry was zoals alle andere Wagnerheldinnen magistraal. Zonder enige twijfel is zij de beste Kundry die ik zag. Martha Mödl kende ik alleen van de grammofoonplaat in Kundry. Ik had een voorliefde voor Martha Mödl door het prachtige timbre van haar stem. Nu had ik Astrid Varnay in alle belangrijke Wagnerrollen, uitgezonderd Isolde, gezien. Haar Isolde zou ik eerst drie jaar later in 1966 zien.

Het Holland Festival, dat ik sinds 1959 volgde, ging volledig de mist in. Een gepland concert in het Concertgebouw met de Berliner onder Karajan met Beethovens vijfde ging niet door.

In de plaats had ik Katleen, hoewel zij in de beginperiode best leuk was. Of zij de moeite waard was om Karajan te laten varen is maar de vraag ? Zeer muzikaal was ze niet, wel was ze in alles wat cultureel was, geïnteresseerd. Ze was meer literair, aanvankelijk nogal Vlaams, later vooral Angelsaksisch, maar wel altijd uitsluitend fictie. Voor haar leeftijd, ze was nog geen achttien, was ze gevorderd en van een cultureel beter niveau dan alle lieven die ik voordien gekend had. Waarschijnlijk was het dat wat me aantrok. Katleen was de eerste vrouw die me niet alleen erotisch maar ook intellectueel aantrok. Samen hadden we een compliciteit.

Waar ik me toen helemaal niet bewust van was, was haar narcisme, dat duidelijk blijkt uit haar eerste liefdesbrief van 17 april 1963. Katleen vraagt mij ten huwelijk en wil een kind van mij en beide onmiddellijk. Katleen wil zo vlug mogelijk uit de familiesleur, vrij zijn en hogerop. Ze vindt het beroep van haar vader maar niks en heeft een zekere minachting voor hem. Haar moeder, Julia Cattoor, daarentegen is een *Streberin*. Zij is de dochter van de lokale likeurhandelaar van Moerkerke bij Brugge. Hij behoorde tot de burgerij van Moerkerke. Julia Cattoor was beneden haar stand met een boerenzoon uit Dudzele bij Brugge getrouwd.

Om een huwelijk voor beide ouders acceptabel te maken, suggereert Katleen een gefingeerde zwangerschap. Ik had toen de verleidingskunsten van Katleen nog niet door. Liefde is stekeblind. Ik accepteer alles van Katleen, zelfs de grofste leugens. Mijn moeder is geschandaliseerd. Ondertussen doen we er alles aan om Katleen ook werkelijk zwanger te maken, wat lukt half juli. In deze periode, op 6 juli 1963, ontvang ik van Katleen haar tweede liefdesbrief. Deze is iets explicieter dan de eerste. Katleen is bijzonder karig met liefdesbrieven. Alleszins blijkt uit deze tweede liefdesbrief dat Katleen op dat ogenblik verliefd was. Het meest verliefd was ze op zichzelf. Als je de tweede liefdesbrief achteraf leest, met een afstand in de tijd, dan merk je de valsheid die je als verliefde dwaas niet merkt. Ik ben erin gelopen en Katleen had me in haar netten gevangen.

Het huwelijk lag al vast op 3 augustus. De voorbereidingen op het huwelijk begonnen in mei. Alles ging razendsnel. De meubelen werden op één dag aangekocht bij Veduko in de Carnotstraat, toen nog een respectabele winkelstraat, in aanwezigheid van mijn moeder, Katleen met haar moeder en ikzelf. Een mooi gezelschap, dat zich nooit meer zou herhalen. Vermits mijn moeder het grootste deel van de meubelen betaalde, was het logischerwijze zij die besliste. Ik hechtte weinig belang aan de keuze der meubelen. Alleszins waren het degelijke kwaliteitsmeubelen. De eetkamer in eik in Breugelse stijl bestond uit een lange, zware, rechthoekige tafel met zes zware stoelen, dressoir, bahut en luster. De slaapkamer in eik in Bretonse stijl bestond uit een dubbel bed, kleerkast, commode en twee nachttafeltjes.

Op 15 juli 1963 werd ten kantore van Notaris Aubert De Ridder in de Helmstraat het huwelijkscontract ondertekend. Katleen, die nog minderjarig was, moest door haar ouders gemachtigd worden om te tekenen. Mijn moeder eiste een huwelijkscontract met scheiding van goederen. Katleen en haar moeder hadden een gemeenschap van goederen gewenst. Dit werd door mijn moeder categoriek geweigerd, en met reden. Wat had Katleen tegenover de gemeenschap van goederen te bieden? Zeer weinig, tenzij haar lichaam. Mij kwam deze weigering goed uit. Mijn moeder geloofde niet in dit huwelijk. Van in den beginne was er een vijandschap tussen mijn moeder en Katleen. Katleen had geen respect voor mijn moeder en dit zou haar fataal worden. Katleen zal nooit door de clan Cassiers geaccepteerd worden.

Mijn moeder beweerde dat Katleen geen vrouw voor mij was en dat ik beneden mijn stand trouwde. Dit was in de familie nooit eerder gebeurd. Alle voorvaderen waren *standesgemäß* getrouwd met meisjes uit de begoede burgerij. Voor mijn moeder trouwde ik met de dochter van een gendarme. Mijn vader hechtte er minder belang aan, als het maar een gelukkig huwelijk werd. Katleen wou opklimmen, zij was een *Streberin*, die meer wou. Mijn moeder zei later over Katleen : *Als je van niets tot iets komt, dan krijg je die toestanden.*

Katleen had respect voor niets, behalve voor zichzelf. Ze had alleen ambitie. Haar interessegebied was beperkt tot lectuur en binnenhuisdecoratie. Muziek kreeg ze gaandeweg van mij mee. Ze verslond decoratie- en modetijdschriften. Haar specialiteit was *Schöner Wohnen*, een Duits woningtijdschrift. In de woning kon ze met detailverbeteringen noodsituaties redden : met een vaas, droge bloemen, een dekkleed maakt zij van een saai interieur iets aantrekkelijks. Katleen had een natuurlijke goede smaak. Zij is bevriend met Gerda Decleir, een zuster van Jan Decleir, later de gekende acteur geworden. Gerda Decleir, met wie Katleen samen op Mater Dei, in dezelfde klas zit, is niet direct een toonbeeld van zedelijk gedrag. Voorlopig heeft dit op Katleen geen invloed. Maar die bij de hond slaapt…

Het huwelijk heeft uiteindelijk toch plaats op zaterdag 3 augustus 1963 op het gemeentehuis en in de hoofdkerk van Brasschaat. Alleen de twee broers van de bruid en de twee broers van de bruidegom zijn aanwezig tijdens beide plechtigheden. De familiefoto wordt gemaakt in de woonkamer van de Frilinglei 82 door Eric Van Zandweghe, de jongste broer van Katleen.

De algemene stemming van beide families, die elkaar niet kennen, is afstandelijk. Het is duidelijk dat mijn moeder de familie Van Zandweghe, als schoonfamilie van haar zoon, niet accepteert. Voor Katleen zal dit fenomeen onoverkomelijk zijn. Zij zal zich willen bewijzen tegenover de non-acceptatie door de clan Cassiers : mijn twee broers staan duidelijk aan de kant van mijn moeder. Mijn vader is en zal tot het bittere einde volkomen neutraal blijven en zal steeds bemiddelen om tot een pacificatie te komen. Mijn vader was een echte gentlemen.

Daarna volgt een huwelijksdiner op Kasteel Withof in Polygoon met beide ouders en de vier broers. Alles wordt vereeuwigd op foto en film. Daarna is er een huwelijksreis naar Friesland met de VW Kever. De eerste huwelijksnacht heeft plaats in een hotel in Leeuwarden. Katleen is opvallend preuts tijdens de eerste volledige nacht, de bruidsnacht. Katleen aarzelt om zich te ontkleden en voor het eerst volledig naakt voor mij te staan en samen onder de douche te gaan. Het is geen liefdesrelatie, het is een betrokkenheid. Is Katleen nu met Andries getrouwd of met de Frilinglei 82 ? De bruidsnacht kan men min of meer geslaagd noemen. Alleszins was het voor de bruidegom een echte bruidsnacht. Hoe deze nacht was voor de bruid zullen we nooit weten.

Terug thuis in Antwerpen betrekken we een appartement op de derde verdieping van een appartementsgebouw, *Residentie Sorrento*, op de Bisschoppenhoflaan 160 te Deurne, in die tijd nog een deftige buurt. Marokkanen moesten nog uitgevonden worden. De eigenaar van *Residentie Sorrento* had het zeer hoog in de bol, er was zelfs geen lift in zijn gebouw. We zouden er 19 maanden, tot 29 maart 1965, wonen. Van mijn vader kreeg ik zijn oude schrijftafel, waarmede hij in 1934 zijn zaak begonnen was. Een mooier geschenk had hij mij niet kunnen geven : ik schrijf er vandaag nog op.

In die periode was ik actief op taalkundig vlak. Ik werd lid van de «Vereniging voor Wetenschappelijke Spelling». Deze vereniging ijverde voor een fonologische spelling. Ik heb de eerste vergadering in Gasthof Cambuus in Heide-Kalmthout bijgewoond en vond het ganse gebeuren lachwekkend. Zij wilden *demokraties, sjampanje, sitroen* en nog meer van die gekke toestanden invoeren. Ik heb mijn lidmaatschap niet vernieuwd. Tijdens deze vergadering ontmoette ik enkele vooraanstaanden van de taalunie, waaronder Dr Jozef Goossenaerts, net voor zijn overlijden. Ik had met hem een opmerkelijk gesprek over etymologie. Daarna ben ik me meer gaan interesseren voor etymologie en het zou één van mijn dada's worden.

Op 14 september 1963 heropende Renaat Verbruggen zijn derde seizoen KVO. Het bleef een achteruitgang tegenover de drie Bolotine-seizoenen, met als enige lichtpunt dat voor het laatst Vlaamse opera's werden wederopgevoerd. Op 14 september 1963 woonde ik de laatste heropvoering van *"Quinten Massijs"* van Emiel Wambach bij. Deze succesvolle Vlaamse opera werd gecreëerd op 16 december 1899 door het Nederlandsch Lyrisch Tooneel. Het was een triomf en beleefde in 1927 zijn 100^e opvoering en nu maakten we de laatste mee. *"Quinten Massijs"* was een opera in de trant van *"Die Meistersinger von Nürnberg"*, op een origineel libretto van Raf Verhulst.

Zoals voorheen en nadien ging ik alleen naar de opera. Katleen was hoegenaamd niet geïnteresseerd in opera. Zij was niet muzikaal aangelegd, met uitzondering van enkele Zuid-Amerikaanse dansen zoals de bossa nova. Door mijn constante betrokkenheid met muziek kreeg Katleen met de tijd interesse, die beperkt bleef tot barokmuziek en Villa Lobos. Katleen leidde een leven in zichzelf gekeerd, met een sterke band met haar familie, vooral haar moeder.

De grootmoeder van Katleen, mémé van Moerkerke, woonde in de Georges Rodenbachstraat in Knokke, samen met haar tweede man, Victor, de schande van de familie. Victor was met pensioen, tijdens zijn actief leven tramconducteur in Brugge en droeg constant een immens grote arbeiderspet, die hij alleen om te slapen afnam. 's Middags, klokslag twaalf uur, kreeg hij van mémé zijn middagmaal, een bord met een enorme portie aardappelen, wat groenten en een minuscuul stukje vlees, met pet op het hoofd. Op regelmatige basis, gedurende verlengde weekeinden en tijdens de vakantie, verbleven we in Knokke bij mémé, waar we onze eigen kamer hadden.

Op 3 oktober 1963 zag ik *"De Vrijschutter"* in de KVO met Andrea Nevry als Agathe. Renaat Verbruggen geeft, voor het eerst sinds 1910, libretti in het Nederlands van *"De Ring van de Neveling"*, *"Parsifal"* en *"De Meesterzangers van Neurenberg"*, wel in een erbarmelijk slechte vertaling van A. Pols, uit.

Op 13 oktober hoor ik in de Elisabethzaal, tijdens een concert door de Nordwestdeutsche Philharmonie, de *Koorfantasie* opus 80 van Beethoven. Ik ben onmiddellijk gefascineerd door dit werk met een zeldzame combinatie van orkest, koor en piano. Voor de rest van mijn leven zal deze compositie mij niet meer loslaten. Dit is de grote Beethoven super formaat. Deze Koorfantasie is een werk van Beethoven dat zelden wordt uitgevoerd omdat de combinatie orkest, koor en piano vrij moeilijk ligt in programmatie.

In november 1963 begon mijn vader aan zijn tweede grote verbouwing van de gebouwen in de Helmstraat. Na de toonzaal Helmstraat 10, verbouwde hij het woonhuis Helmstraat 12, dat zo goed als volledig werd afgebroken, met uitzondering van de achterbouw. In de plaats van het woonhuis kwamen drie verdiepingen stockeerruimte met op het gelijkvloers een inrit voor laden en lossen van vrachtwagens en een bijkomende etalage van de naastliggende toonzaal Helmstraat 10. Hoofdzaak van de verbouwing was de belangrijke uitbreiding van de stockeerruimte, die steeds te klein was. Dit was het gevolg van het verhogen van de voorraden, door de zeer lange leveringstermijnen door achterstand in de productie in zowat alle afdelingen van de bouwsector.

Na zes maanden was ik ingewerkt in de zaak en kon mijn oudste broer zijn roeping aan de KVS, waar hij in het vaste gezelschap werd opgenomen, volgen. Hij verhuisde naar een appartement in Molenbeek en mijn moeder had op korte tijd twee van haar drie zonen uit den huize zien vertrekken. Mijn jongste broer Marco bleef nog thuis tot 1971. Geleidelijk begon ik zelfstandig taken op mij te nemen. Een ervan was het drukwerk van de firma, dat zeer uitgebreid was, gaande van eenvoudige briefhoofden en enveloppen tot zeer ingewikkelde documenten voor allerlei boekhoudkundige en verkoopstechnische formulieren. Met de tijd groeide het bedrijf uit tot een loodzware administratieve burcht. Hierdoor zou het bedrijf het in de toekomst zeer moeilijk krijgen.

Voorlopig bevinden we ons in 1963 en is de zaak in een explosieve groeifase. Het drukwerk werd uitbesteed bij drukkerij Pressa in de Van der Keilenstraat, een kleine drukkerij met een Heidelberg-pers voor typografie. Het drukwerk was in donkerblauwe druk op helderblauw papier. Pressa had zelf gezorgd voor bladschikking en lettertype en had een logo gemaakt. Het logo was zeer ingewikkeld : twee hoofdletters «C» in spiegelbeeld met daartussen een verticale streep die als spiegel dienst deed en daaronder de naam CASSIERS, het geheel in een cirkel. Vroeg of laat wou ik het briefhoofd vernieuwen, nu was de tijd er niet rijp voor. Ik had vele andere, diverse taken in *de zaak*, zoals mijn vader zijn bedrijf steevast noemde.

Bovendien eiste Katleen, zwanger, veel aandacht op, in die mate dat mijn operabezoeken tot het absolute minimum herleid werden.

HOOFDSTUK XXXI.

Het jaar 1964. De geboorte van Karen.

Voor het ganse jaar 1964 had ik slechts drie operavoorstellingen, één recital, één balletvoorstelling en één toneelstuk. Dit dieptepunt zou alleen overtroffen worden door de grote crisisperiode van 1969-1974. Maar 1964 begint indrukwekkend op 10 januari met *"Richard III"* met Senne Rouffaer in de titelrol in de KVS. Senne Rouffaer maakt grote indruk en wordt Vlaanderens acteur numero uno.

In januari 1964 koop ik voor de eerste keer het Britse tijdschrift *Opera*, het oudste operatijdschrift überhaupt. Op dat ogenblik is dit, samen met *Opernwelt,* het enige maandblad dat uitsluitend aan opera gewijd is. De lectuur van deze operatijdschriften is een minimale vervanging van het gebrek aan operabeleving in het theater, als gevolg van verhoogde aandacht die Katleen opeist.

Katleen, hoogzwanger, koopt *Dr Spock,* een anti-autoritair opvoedingsboek van Benjamin Spock, een Amerikaans kinderarts, die vele jaren later zijn eigen boek zal herroepen en totaal fout verklaren. Katleen was anno 1964 gek op *Dr Spock.* Het was voor haar de bijbel. Weinig kritisch slikt Katleen vrij vlug alles wat opstandig en tegen de orde is en *Dr Spock* is daar één van de allereerste verschijnselen van. Katleen wil zich uitdrukkelijk manifesteren, eist een plaats in haar entourage op en *Dr Spock* helpt haar daarbij.

Het jaar 1964 wordt beheerst door Generaal De Gaulle, die Frankrijk terug op de wereldkaart plaatst, na de diepe inzinking der oorlogs- en naoorlogsjaren. In tegenstelling tot Katleen wil Generaal De Gaulle orde en regelmaat. Frankrijk erkent als eerste de Volksrepubliek China. Charles De Gaulle sluit het jaar 1964 af met zijn omstreden bezoek aan Latijns-Amerika en Canada. De Canadese autoriteiten zijn uitermate bezorgd met zijn uitspraak *"Vive le Québec libre".* Frankrijk heroverd zijn prestige. Charles De Gaulle, een pacifist, beëindigt de opstand in Algerije en de oorlog in Indochina. De VS nemen deze oorlog over en Indochina heet voortaan Vietnam. In Baskenland wordt de ETA, een criminele nationalistische organisatie, opgericht. Het zijn de eerste terroristen in Europa, die hun strijd nooit zullen winnen en uitsluitend crapuleuse activiteiten zullen uitvoeren.

Het jaar 1964 is een jaar van *happenings* en popfestivals. Het is het jaar van doorbraak van de Beatles en van de film *"My fair lady"*. C & A opent zijn eerste winkel in België op de Meir in Antwerpen, op de plaats waar voorheen het *Théâtre des Variétés* en later de bioscoop *Roxy* stonden. En nu was het de aanvang van een revolutie in de kledingindustrie. C & A is de eerste grote-oppervlakte-kledingzaak van Europa.

In 1964 wordt de anticonceptiepil ontdekt en dit is de aanvang van de seksuele revolutie : de vrouw beslist alleen over haar zwangerschap. Na de geboorte van onze dochter Karen, neemt Katleen onmiddellijk *de pil*, want zij wil geen tweede kind, althans anno 1964.

In dit jaar van de geboorte van mijn eerste dochter word ik lid van de *Antwerpse Discotheek*. Aanvankelijk waren grammofoonplaten zeer duur en het huren ervan in een discotheek was een welgekomen alternatief, te meer omdat ik niet meer zo veel naar de opera kon gaan. De Antwerpse Discotheek was een afdeling van de *Nationale Discotheek van België* gevestigd in Brussel en was in den beginne toegevoegd aan de Stedelijke Bibliotheek in de Blindestraat, en zodoende de eerste mediatheek ooit. Het aanbod aan langspeelplaten was vanaf de aanvang omvangrijk en werd later, met de verplaatsing naar een eigen vestiging in de Jezusstraat, zeer belangrijk uitgebreid. In de eerste jaren van zijn bestaan ging ik wekelijks gemiddeld drie langspeelplaten uitlenen. In die periode luisterde ik in hoofdzaak naar Wagner en Richard Strauß.

Van deze laatste componist zag ik op 29 februari 1964 in de KVO de Belgische creatie van zijn ultieme opera *"Capriccio"* met Andrea Nevry als de gravin. Ik had *"Capriccio"* een jaar voordien in Keulen gezien en kende het werk vrij goed door de grammofoonplaat onder Sawallisch met Schwarzkopf als de gravin. *"Capriccio"* is geen gewone opera, het is een

Konversationsstück für Musik, het uiteindelijke doel van Richard Wagner, verwezenlijkt door Richard Strauß. De tekst van Clemens Krauss, tevens dirigent van de creatie, gaat perfect in de richting van wat Strauß wenste.

Katleen, hoogzwanger, bereidde zich voor op de bevalling, volgens de berekeningen midden april. In april brak de eerste artsenstaking in de geschiedenis uit, het gevolg van een langdurig conflict tussen artsensyndicaten en regering. Karen Isolde Julia werd geboren op 14 april 1964 in Brasschaat in de Vesaliuskliniek tijdens de artsenstaking. Karen was mijn eerste dochter en op het ogenblik van haar geboorte waren alle geneesheren door het Belgische leger als reserveofficier opgevorderd. De verlosser was onze huisarts, Dr Verheyen, die op de plaats van de handeling in militair uniform verscheen.

Het was toen nieuw en grote mode dat de vader van het ongeboren boeleke aanwezig was tijdens de verlossing. Ik heb mijn eerste dochter op de wereld zien komen. Er werd een kaartje voor Kaartje gedrukt en er was witte doopsuiker in een rechthoekige witte doos. Het doopsel van Karen vond plaats in de kapel van de Vesaliuskliniek. De celebrant was een Witte Pater, die zijn klassieken kende, en de grappige opmerking maakte dat we nu moesten zorgen voor een *Tristan Romeo*.

In de eerste weken van haar leven was Karen zo stil in haar wieg, dat beide ouders regelmatig gingen kijken of het boeleke nog leefde. Karen was een heel mooi kind, heel stil en uitzonderlijk braaf. Het jonge gezin leefde rustig en gelukkig op de Bisschoppenhoflaan in Residentie Sorrento. Katleen weigerde borstvoeding te geven aan Karen. Zij vond het dierlijk. De echte reden was dat ze bevreesd was dat daardoor haar borsten vroeger zouden verwelken en die borsten zou ze in een latere fase nog broodnodig hebben.

Medio 1964 begon ik aan een totaal vernieuwde uitgifte van een klantenprijslijst. Die werd gedrukt op een handbediende stencilmachine «GESTETNER». De stencil was een Britse uitvinding van een vezelig weefsel met een paraffinelaag waarop kon worden getypt met een schrijfmachine zonder

lint om daarna op de stencilmachine te worden afgedrukt met speciale inkt. Ik wijzigde de indeling, de *lay-out* en de benamingen der artikelen.
Ik vernederlandste alle benamingen, die nog onder invloed van het Frans, doorspekt met gallicismen en belgicismen waren. Bij de fittingen stond nog *coude* voor knie en *courbe* voor bocht.

Aanvankelijk was de stencil zonder afbeeldingen. Aan de tekst voegde ik afbeeldingen toe. Gestetner had een service door middel van een fotografische techniek om afbeeldingen van de artikelen op de stencil te zetten. Het was vrij omslachtig. Toen bestond er niets beter. De manuele stencilmachine heb ik vervangen door een elektrische en in een later stadium door een *Xerocopie-toestel*. Mijn vader zette me ertoe aan om de moderne technologie op de voet te volgen en investeerde zeer vroeg in machines zoals stencilmachine, adresseermachine, frankeerautomaat, elektrische rekenautomaten, fotokopieermachines, factureermachines en boekhoudmachines. De handbediende stencilmachine was reeds een vooruitgang op de vorige stencildoos met drukrol waar de kopieën één voor één gedrukt werden. Met de stencilmachine maakte je gemakkelijk 60 kopieën per minuut.

Toen ik in 1963 op de zaak begon te werken werd de boekhouding op het doorschrijfsysteem van «KEESING» gehouden. In één enkele schrijfbeweging werden journaal, klantenfiche en factuurboek bijgehouden. Dit toch nog zeer omslachtige systeem deed in de firma dienst tot eind jaren zestig, toen de eerste factureermachines van «OLIVETTI» op de markt kwamen. Deze factureermachines, waarmede klantenfactuur, journaal en klantenfiche gelijktijdig gemaakt werden, waren verbeterde rekenmachines, waarin Olivetti uitblonk. Vóór de opkomst van de factureermachines waren er vier geavanceerde elektrische rekenmachines in gebruik op de zaak. In 1964 werden alle administratieve handelingen manueel gedaan en de klantenfactuur werd met de hand geschreven, de leveringsbons werden er aangehecht. De takszegels werden in tweeën geknipt, de bovenste helft werd op het origineel en de onderste helft op de kopie gekleefd.

Een grappige figuur op de zaak was Hector Matthys. Zijn werk bestond in de berekening van de afleveringsbons in afwachting van facturatie. Bovendien berekende hij alle verkoopprijzen op basis van de inkoopprijs, een taak die ik na pensionering van Hector Matthys zou overnemen. Hector Matthys was plichtsbewust en flamingant. Hij las *"De Standaard"*, die hij *"L'étendard"* noemde. Hector Matthys vond Gerousse een belachelijk figuur en zei meermaals tegen haar : *"Excès de zèle, juffrouw, excès de zèle!"*.

Hector Matthys maakte de binnendienstprijslijsten op met prijzen in potlood om bij prijswijziging te kunnen uitgummen. Bij het overnemen van deze taak heb ik de prijslijst voor binnendienst grondig vernieuwd en de prijzen met potlood vervangen door een gedrukte prijslijst met stencil.

In 1964 bestond een structuur van leveringen van vaste samenstellingen van badkamers aan grote bouwbedrijven zoals Ilegems, Cogghe, Van Camp en nog enkele andere. Een vaste samenstelling bestond uit een stortbad, een wastafel, een closet en een gootsteen met alle toebehoren en kraanwerk en een 5 liter geiser. Aanvankelijk was de verkoopprijs van deze vaste samenstelling 5.000 frank. De koper kon op deze vaste samenstelling wijzigingen mits opleg van het prijsverschil, aanbrengen. Het een en het ander bracht een enorme administratieve rompslomp met zich mee. De procedure bracht omzet met zich mee maar ook een zeer zware administratie.

In 1964, vrij laat, kwam een revolutionair product op de Belgische markt: afvoerbuizen van PVC die de loden en zinken buizen kwamen vervangen. Eén der eersten in België om deze buizen te introduceren was «THE RIGHT PLASTIC» uit Kalmthout. Zij fabriceerden de buizen en voerden de hulpstukken in uit Italië, dat ver voorop lag qua technologie van kunststof voor buizen. Van dit nieuwe product maakte ik een afzonderlijke prijslijst en legde een volledige voorraad aan. Hiertoe heeft mijn vader mij met nadruk aangezet.

Het jaar 1964 is ook het jaar van mijn eerste grote stommiteit op zakelijk gebied. Een vrouw biedt zich aan als verantwoordelijke van een Duitse firma uit Aschaffenburg, gespecialiseerd in reclamezuilen op voetpaden. Zij toont een aanbevelingsbrief van de gemeente Borgerhout, die ook een plaats op de zuil heeft gereserveerd. Verschillende firma's hebben reeds ingeschreven. Er is niet veel plaats meer op de Borgerhoutse zuil, die op de Turnhoutsebaan in de omgeving van het gemeentehuis wordt geplaatst. Om zeker te zijn van de plaats op de zuil vraagt de afgevaardigde een voorschot van 30.000 frank. En ik loop erin, ik betaal het voorschot en we horen niets meer van de firma uit Aschaffenburg. Het was pure oplichterij met aanbevelingsbrief van het gemeentebestuur van Borgerhout en zeven medebedrogenen.

Het meest opmerkelijke muziekgebeuren van 1964 was een liederenrecital van Elisabeth Schwarzkopf in het Concertgebouw in Amsterdam. Het was in het kader van het Holland Festival en vond plaats op 23 juni 1964. Het was de eerste keer dat ik in het Concertgebouw kwam en het maakte op mij een enorme indruk. Mahler en Strauß hadden hier gedirigeerd. Het Concertgebouw was het heilige der heiligen voor melomanen. Het was de eerste keer dat ik Schwarzkopf live in een liederenrecital hoorde. Haar trouwe begeleider Gerald Moore had zich al enkele jaren teruggetrokken en haar nieuwe begeleider was Geoffrey Parsons, die in niets voor zijn voorganger moest onderdoen..

Op het programma stonden vijf Schubertliederen, vier liederen van Mahler, drie van Richard Strauß en vijf Franse liederen. Schwarzkopf gaf ook nog drie bisnummers zodat we met twintig liederen verwend werden. De liederenzangeres Schwarzkopf was de meerdere van de operazangeres. Zij had een perfecte Duitse dictie, de stem was heel mooi, haar zangtechniek was fenomenaal en haar interpretatie hoewel gemaniëreerd was verbluffend. Ideaal was ze in Richard Strauß, zowel in liederen als in opera.

In juli 1964 stoot ik als bij wonder, in een antiquariaat in de omgeving van de kathedraal, op een uitstekend bewaard exemplaar van de tekst van *"De Ring van de Neveling"* in de vertaling van Willem Kloos met de originele platen van Arthur Rackham, uit de Engelse editie van 1910. De Nederlandse editie is van 1911 en werd gedrukt op 250 genummerde exemplaren door *"De Nederlandsche Boekhandel"* te Antwerpen. Mijn exemplaar draagt het nummer 50. Het blijkt een uiterst zeldzame bibliofiele editie te zijn, die ik daarna nooit meer aantrof. Van de Engelse editie heb ik slechts eenmaal, in Bayreuth, in het Richard Wagner-Museum, een exemplaar aangetroffen. De platen van Arthur Rackham waren identiek aan die van de Nederlandse editie. De vertaling van Willem Kloos is goed Nederlands, min of meer metrisch, maar een verkrachting van de stijl van Richard Wagner. Ik zal trachten het beter te doen. Mijn vertaling zal in totaal veertig jaar in beslag nemen, met zeer lange pauzes, en zal eerst 2004 voltooid zijn.

In dezelfde periode, juni/juli 1964, begin ik, onder invloed van Stefan Van Zandweghe, met pijproken. Ik probeerde alle merken van pijptabak en vooral Engelse en Ierse gesausde tabakken zoals Erinmore. Het was mijn artiestenperiode, die van korte duur was. Met het boeleke, Karen is dan drie maanden oud, gaan we onaangekondigd op bezoek naar de familie van Hingene, bij Nonkel Julien en Tante Paula. Zij wonen in een voormalig klooster, beschermd monument, tegenover het kerkhof. Tante Paula kijkt vanuit haar slaapkamer op het perk waar ze zal begraven worden, want ze heeft de plaats al gereserveerd. Dit is het soort conversatie dat Tante Paula voert.

Bij het binnenkomen in de woning, kom je in een enorme inkomhal. Wat het meest opvalt, is de zwart-witte marmeren vloer in grote vierkanten tegels als dambord gelegd. Het koppel is zo verwonderd dat we zowaar in het grote salon, waar ik nog nooit geweest was, worden binnengelaten. Deze plaats is meer museum dan salon. Het meest opvallende is de prachtige oude parketvloer. We krijgen zowaar een glaasje Port. Nonkel Julien is een causeur, francofiel, gewezen lid van Rex en gewezen journalist van *"Le vingtième siècle"*, voorloper van *"La libre Belgique"*. Op de redactie van deze krant heeft hij Hergé leren kennen. Beiden zijn levenslang vriend gebleven en met enige trots toont hij mij enkele originelen van Hergé. Op dat ogenblik vraag ik me af wie de erfgenaam van deze prenten zal zijn, vermits hij geen kinderen heeft. Nonkel Julien had een stopwoord : tijdens een gesprek, om uitdrukking te geven aan een hoge appreciatie, zei hij telkens «FORMIDÁBEL » met een zeer zware en uitgerekte klemtoon op de derde lettergreep.

In augustus gingen mijn ouders met mijn beide broers voor het eerst met vakantie naar Spanje, naar *Hotel Terramar* in Sidges in de omgeving van Barcelona. Spanje begon in 1964 aan zijn opmars naar de toerisme-explosie. Het jonge gezin bracht zijn vakantie in Knokke in de Georges Rodenbachstraat door. Er werd heel veel gewandeld met Kaartje. Op 19 augustus 1964 schrijft Katleen mij haar derde liefdesbrief vanuit Knokke. Zij zal in totaal vier liefdesbrieven schrijven, want Katleen is spaarzaam met gevoelens. Alleszins heb ik van haar vier liefdesbrieven ontvangen, niet voor publicatie vatbaar. Deze liefdesbrieven zijn het beste wat Katleen gepresteerd heeft. In een later stadium zal Katleen spijt hebben deze liefdesbrieven ooit te hebben geschreven. Ze bevinden zich in mijn archief.

Op 16 september 1964 koopt mijn vader een servicewagen voor de zaak, een VW Variant 1500 cc. Het grote voordeel is dat ik deze auto tijdens het weekeinde en tijdens vakanties kan gebruiken.

Op 1 oktober doet mijn grootmoeder, in het rusthuis te Schoten, een val en breekt haar rechtervoet. Overgebracht naar het Sint-Vincentiusziekenhuis in Antwerpen, zal ze daar op 4 oktober overlijden aan de gevolgen van de voetbreuk. De dag vóór haar dood ga ik haar nog bezoeken. Mijn grootmoeder herkent mij nog en beseft haar nakende dood niet. Mijn stervende grootmoeder maakt me volkomen overstuur zodat ik nadien op een voorhanden zijnde stoel in de corridor van het ziekenhuis moet gaan zitten. Het is de eerste keer in mijn leven dat ik onwel wordt ingevolge een zeer sterke emotie. Mijn grootmoeder betekende zeer veel voor mij.

Op 7 oktober werd een rouwdienst in de Sint-Willibrorduskerk van Berchem gecelebreerd. Het was nog een traditionele dodenmis in het Latijn met zwarte kazuifels. Eén van de laatste klassieke requiems, Vaticanum II was nog volop aan de gang en tijdens dit concilie zou de liturgie drastisch vereenvoudigd worden. Daarna volgde de ter aarde bestelling in de familiegrafkelder op het kerkhof van Berchem. Bobonne was de laatste die in dit majestueuze graf bijgezet werd. De grafkelder was anno 1931 door de bouwvakkers van mijn grootvader gemetst en had twee verdiepingen en ruimte voor zes kisten. De drie kisten van mijn ooms Marcel en Joseph en van mijn grootvader waren in zeer zware eik en in een verrassend goede staat.

Enkele dagen later, op 11 oktober 1964 waren er gemeenteraadsverkiezingen. Ik moet voor de eerste keer gaan stemmen. Ik moet nog stemmen in Borgerhout omdat ik nog niet lang genoeg in Deurne woonde en nog op de kieslijsten van de gemeente Borgerhout sta ingeschreven. Borgerhout, anno 1964 volledig onbesmet, is een bastion van de Volksunie. Ik stem op de Volksunie, op dat ogenblik nog Vlaams Nationaal en als enige partij voorstander van federalisme. Heel mijn leven lang stem ik Vlaams Nationaal, eerst op de Volksunie, zolang die partij bestaat en alvorens ze door snotaap Bert Anciaux wordt getorpedeerd. Daarna tegen mijn zin op het Vlaams Blok, als proteststem omdat er niets beters is en uiteindelijk op de Nieuwe Vlaamse Alliantie.

Het jaar 1964 gaat naar zijn einde met op 28 november *"De Notenkraker"* door het ballet van de KVO en op 19 december *"Aïda"* met een superieure Mimi Aarden als Amneris.

HOOFDSTUK XXXII.

Het jaar 1965.

Het jaar 1965 is muzikaal een grand cru met enkele absolute hoogtepunten.
Politiek gebeurt er weinig. Het meest opmerkelijke is dat Generaal De Gaulle
met Frankrijk uit de NAVO treedt : *La France redevient la France*. Die andere
legende uit de geschiedenis van de XXe eeuw, Churchill, overlijdt op 24 januari.
Prinses Beatrix der Nederlanden verlooft zich met een Duitse prins, Claus von
Amsberg. Dit wordt door de bemoeizieke Noorderburen niet gepikt en er komen
protestacties. Meteen slaat de vlam in de pan en de provobeweging is geboren.
Het is het eerste verschijnsel van provocatie en het gebeurt uitgerekend in
Noord-Nederland. De heilige huisjes worden stuk voor stuk afgebroken :
de Kerk, de Paus, het gezin, de familie, het vaderlijk gezag, het leger, de school.
De weg voor permissiviteit en alle nadelige gevolgen ervan ligt open.

De infectie slaat over naar België, en kijk, zowaar Katleen pikt een graantje
mee. Katleen vaart steeds mee met de trends. Katleen begint zich opstandig te
gedragen, heeft allerlei eisen en wil uit de dagelijkse sleur. *Sleur* is voortaan het
nieuwe stopwoord van Katleen. Voorlopig is zij nog vrij bescheiden, zij is ook
nog maar negentien. In de plaats van de *sleur* brengt ze *niets*. Zelf blijft ze leeg :
haar povere lectuur van fictieromans kan je moeilijk een vulling noemen.

Op 29 maart 1965 verhuist het jonge gezin naar een appartement op de vierde
verdieping van een nieuw gebouw op de Turnhoutsebaan 239 te Borgerhout, in
de omgeving van de voormalige Ciné Roma, op tien minuten loopafstand van de
zaak. In dit appartement zullen we vier jaar en vier maanden wonen. Op de
Turnhoutsebaan 239 zal de onvoldaanheid van Katleen ontstaan. De
ontevredenheid met haar lot van levensgezellin, huisvrouw en moeder, waarvoor
ze zelf gekozen heeft. Voor Katleen is dit onvoldoende om een leven te vullen.
Nochtans was zij het die per se met mij wilde trouwen en van mij een kind
wilde. Gaandeweg zal Katleen alles waarvoor zij zelf gekozen heeft aan de kant
zetten en het slachtoffer van zichzelf worden : het slachtoffer van haar
onvoldaanheid.

Katleen participeert niet aan mijn muziekbelevenissen, waardoor intellectueel langzaamaan een kloof ontstaat. Tijdens de twaalf jaar dat we samenleven, vergezelt Katleen me niet één keer naar een opera, recital, concert of toneelstuk. Ze sprak nooit een oordeel uit over deze kunstvormen. Katleen blijft hangen in het wereldje van bossa nova en ander Zuid-Amerikaans divertissement, onder invloed van haar broer Stefan. Katleen legt haar trouwring af, waardoor ze verlost geraakt van een symbool van verbondenheid. Minachtend spreekt ze over *die gordijnring*. Minachten doet Katleen zowat alles en iedereen, om te beginnen haar vader, om zijn beroep. Door de schuld van haar vader wordt zij aanzien als *de dochter van een gendarme*. Het gaat zo ver dat ze mijn werk minacht, ze minacht gewoon alles. In minachten is Katleen een kampioene, het is jammer genoeg het enige waarin zij een kampioene is.

Het wordt duidelijk dat Katleen niet met mij maar met de Frilinglei 82 getrouwd is. Katleen is jaloers op mijn hobby's, die veel te talrijk zijn : muziek, bibliofilie, literatuur, schilderkunst, architectuur, etymologie, filatelie, geschiedenis, opera, Wagner, theater, ballet. Het is voor Katleen te veel : zij versmacht eronder en krijgt woedeaanvallen. Katleen begint nu heel veel aandacht op te eisen. Van eisen kent ze iets : ze eist een werkster om het appartement te poetsen, want poetsen is minderwaardig. Het appartement is een voorschoot groot, gepoetst in een mum van tijd en Katleen heeft sowieso niets om handen. Katleen vindt de ideale werkster, een zekere Elsa Goister. Ze doet weinig, kletst veel en drinkt veel koffie : ideaal voor Katleen. Elsa Goister was fout tijdens de oorlog. Zij had dienst genomen bij het Duitse Rode Kruis en was tijdens de vijandelijke bezetting ingezet in Duitsland als DRK-Schwester. Bij de ineenstorting van het Derde Rijk in 1945 bevond zij zich in Ulm, waar zij een lief had, een Duitse soldaat. Dit was haar geluk, in België zou ze zijn kaalgeschoren. Na het debacle van het nazirijk moest ze naar België terugkeren en had ze het grote geluk in de handen van een vriendelijke rijkswachter te vallen, waardoor ze niet voor een epuratierechtbank moest verschijnen.

Katleen leest veel. In de eerste plaats magazines zoals Vogue, Twen, Harper's Bazaar en andere elitaire rommel. Ze leest geen literatuur, wel romans, uitsluitend fictie, vooral Angelsaksisch. De Duitse en Franse cultuur en taal zijn haar volkomen vreemd. Ook op het culturele vlak ontstaat een kloof. Ik ben

Franco-Duits van instelling. Katleen is een analfabeet op het gebied van de Duitse literatuur. Van Goethe, Schiller en Heine kent ze nauwelijks de namen. Des te beter kent ze Henry Miller en Joyce, het kan niet vies genoeg zijn. Uitgerekend in deze periode komt *Ik Jan Cremer* op de markt, een weerzinwekkend, gemeen rioolboekje dat sensatie verwekt.

Katleen werpt er zich op en komt eindelijk tot ontplooiing. Dit is het niveau van Katleen anno 1965 : een vulgair, platvloers individu met schunnige praat, dat het moet hebben van schuttingstaal zoals kippeneuker, vuile klootzak en dies meer. Het pulpblad staat er bol van en dat vindt Katleen fantastisch : een stuk onbenul dat een gat in de markt gevonden heeft en een hoop pornografie opstapelt en in lettertjes giet. Het afbreken van heilige huisjes zoals het gezin, de familie en het dorp, vindt Katleen grandioos. In de plaats brengt Katleen niets omdat ze geen inhoud heeft. Katleen neemt de respectloosheid van Jan Cremer over en zal er haar handelsmerk van maken, met alle zware gevolgen van dien. Katleen leest openlijk op het strand schandaallectuur om uit te dagen. Ze heeft haar specialiteit gevonden : uitdagen, en ze zal er onovertroffen in worden. Ik schenk er weinig aandacht aan en ben meer geboeid door de muzikale evenementen waaraan 1965 rijk is.

Mijn vader, die een speciale neus heeft voor onregelmatige toestanden, heeft een vermoeden van diefstal in het magazijn van de zaak. Hij verdenkt een zekere Diels, een loodgieter uit de Kerkstraat, van diefstal. In dat soort van toestanden gaat mijn vader steeds omzichtig te werk. Hij stuurt er eerst zijn handelsvertegenwoordiger, een zekere Ongena, op af, om poolshoogte te nemen. Deze Ongena heeft in de inkom bij Diels een rol bladlood van 50 kg zien staan. Mijn vader controleert de afnamen der laatste twaalf maanden van Diels. In de verste verte geen rol bladlood te bespeuren. Mijn vader zet zijn onderzoek verder en wanneer hij de absolute zekerheid heeft dat Diels de dief is, dient hij, met de nodige bewijsvoering, een klacht in bij de politie. Bij een onderzoek van de politie ten huize van Diels wordt een volledig arsenaal aan gestolen goederen, die Diels niet kan verantwoorden met aankoopfacturen, ontdekt.

Op 2 januari 1965 zet het jaar braafjes in met *"La Traviata"* met Claudine Arnaud, die de titelrol heel mooi zingt, maar waarvan je geen woord verstaat. In februari zie ik in de Opera van Gent *"Guillaume Tell"* in de originele versie met Gilbert Dubuc in de titelrol. Arnold wordt gezongen door Tony Poncet, specialist in het genre, die, buiten de reeds overvloedig aanwezig zijnde hoge tonen van Rossini, er nog enkele van Poncet aan toevoegt. Hij spettert zijn hoge C's in de Gentse Opera en oogst een enorm succes. Het is een potsierlijk figuur, klein van gestalte, op cothurnen met zolen van tien centimeter. De ganse voorstelling is in de zuiverste oude stijl uit de tijd van Rossini, inclusief de scène met de appel. Het is het schoolvoorbeeld van hoe opera niet mag zijn, maar het is wel de moeite om te hebben beleefd : het is het einde van een tijdperk en de opera van Gent is er één van de laatste bastions van.

Op 11 februari 1965 zie ik in de KVS *"Romeo en Julia"* in de meesterlijke vertaling van Willy Courteaux met Senne Rouffaer en Denise De Weert in het legendarische liefdespaar. Beiden zijn net iets te oud voor de rollen, maar in Vlaanderen mag je blij zijn dat het stuk wordt opgevoerd en dat je twee goede acteurs krijgt. Het stuk maakt op mij een minder grote indruk dan *"Hamlet"* en *"Richard III"*. Het is wel een ideale stof voor een opera zoals *"I Capuleti e i Montecchi"* van Bellini. De meeste stukken van Shakespeare lees ik eerder dan dat ik ze in het theater zie.

Van een ander kaliber dan de *"Guillaume Tell"* die nog in mijn geheugen hangt, is de *"Lohengrin"* die ik in Duisburg op 18 april 1965 zie. *"Lohengrin"* is één van mijn lievelingsopera's en dit is de zesde keer dat ik hem beleef. Het is de tweede keer dat ik Astrid Varnay als Ortrud meemaak. Hans Hopf zingt de titelrol behoorlijk maar is geen Lohengrin. Varnay blijft de grote attractie, ook in een scène waarin ze niets te zingen heeft en zich op de Bühne voortbeweegt. Het is een grote tragédienne zoals ik er slechts enkele in mijn leven heb gezien.

Op zondag 6 juni 1965 zie ik *"Die Meistersinger von Nürnberg"* in Keulen met Leonore Kirschstein, een ideale Eva, *jugendlich dramatisch*, jong en een heerlijke stem. Benno Kusche is ideaal bezet als Beckmesser, die hij ook in Bayreuth zingt. Het interesseert Katleen geen moer om me te vergezellen naar deze *"Meistersinger"* of naar de *"Lohengrin"* van de maand april, alhoewel beide opvoeringen van hoog niveau zijn. Ze beseft zelfs niet wat ze mist.

In juli 1965 zingt Leyla Gencer haar eerste Norma in Verona. Ik hoor het via de radio. Leyla Gencer is de enige die Callas in deze rol kan opvolgen. Callas zingt rond deze tijd de rol niet meer en dit is het geluk van Leyla Gencer. De laatste Norma van Callas was in de maand mei in Parijs. Het is nu nog niet mijn Bellini-periode en ik schenk er onvoldoende aandacht aan. Vanaf juli 1965 koop ik het muziektijdschrift *Luister*, hoofdzakelijk wegens de recensies van grammofoonplaten.

Catherine Deneuve is in deze periode mijn ideale vrouw, gereserveerd, niet uitdagend en verschrikkelijk vrouwelijk. Dit alles zal Katleen nooit zijn en tijdens het liefdesspel denk ik constant aan Catherine Deneuve.

In een poging om vrede te sluiten met Katleen en de relatie aangenamer te maken, nodigt mijn moeder ons uit om samen de vakantie door te brengen in Oostenrijk. Karen is dan vijftien maanden oud en verblijft tijdens deze periode bij grootmoeder Van Zandweghe. Mijn schoonmoeder zorgt veel voor Karen, haar eerste kleinkind.

En zo geschied, in augustus 1965 gaat de familie naar Pörtschach aan de Wörtersee in Karinthië. Mijn ouders en Marco reizen met de Mercedes en Katleen en ik met de VW Kever. Tijdens de heenreis, ergens op een Duitse autosnelweg, heb ik motorpech en terwijl ik op de pechstrook tracht uit te maken wat er scheelt, stopt een Duitser met Mercedes. Hij biedt me aan om te helpen, bekijkt de motor, laat me starten en draait een schroefje vaster en de motorpech was verholpen. Het was het soort Duitser dat sinds Hitler met *Kevers* had gereden en zich gedroeg alsof hij de VW-motor zelf had uitgevonden. Ik dank hem duizendmaal, waarna hij apetrots in zijn Mercedes wegrijdt.

De vakantie in Pörtschach was geen goed idee en Katleen gedraagt zich tijdens het ganse verblijf als een feeks. Ze tracht een minderwaardigheidscomplex tegenover de familie Cassiers te overwinnen door te poseren op alle mogelijke manieren. Hiervan bestaan foto's die dit bevestigen. Voor Katleen is het zeer moeilijk te aanvaarden dat mijn ouders een vakantie konden betalen, die haar ouders zich niet konden permitteren. Katleen gebruikt alle middelen om in de belangstelling te komen. De mislukking van haar pogingen is des te groter.

Een dag dat het weer minder mooi is, organiseer ik een daguitstap met een autocar vanuit Klagenfurt, de hoofdstad van Karinthië, naar Ljoebljana in Joegoslavië, op een afstand van 75 km. Katleen weigert me te vergezellen op een interessante trip. Ook dit is weer typisch voor Katleen, ze sluit zich af van iedere poging tot toenadering, maar zelf heeft ze niets te bieden. Zoals met opera doet Katleen niet mee, maar biedt nooit iets in de plaats. De trip is uitermate boeiend en leidt door een vallei in de nabijheid van het drietalenpunt Sloveens, Duits, Italiaans. De grensovergang met Joegoslavië verloopt moeizaam, mits uitgebreide controles van de Joegoslavische politie en douane. Je moet een formulier invullen, waarop het aantal dinars die je het land binnenbrengt, moet opgeven. Het land is niet op pottenkijkers gesteld. De wegen zijn er in slechte staat en de elektriciteit is via verouderde luchtlijnen. De meeste mensen die we ontmoeten zijn arm en leven zeer eenvoudig van de landbouw, de kinderen lopen blootvoets of in klompen. De natuur is er prachtig, ongeschonden, heuvelachtig, met veel landbouw.

Terug in het hotel doet Katleen afstandelijk en uit de hoogte. Daarin is Katleen onnavolgbaar : neerkijken vanuit de hoogte maar zelf niets te bieden hebben. Vanaf dit ogenblik zal de relatie afbrokkelen en van kwaad naar erger gaan. Pörtschach is een breuklijn en het allereerste verschijnsel van teloorgang. We schrijven augustus 1965, het huwelijk is net twee jaar jong. Gelukkig is er nog de muziek en Richard Wagner.

Terug uit vakantie staat me iets onvoorstelbaars te wachten. In het kader van het Festival van Vlaanderen geeft de Deutsche Oper am Rhein op 2 september 1965 een gastvoorstelling van *"Elektra"* in de Opera van Gent. Deze *"Elektra"* is één van de grote *Sternstunden* in mijn leven. Elektra is Astrid Varnay, Klytämnestra is Martha Mödl en als kers op de taart krijgen we Jutta Meyfarth als Chrysothemis cadeau. Dat je deze drie zangeressen samen aangeboden krijgt is haast niet te geloven en toch is het gebeurd. En op het ogenblik dat het gebeurt, tracht je iedere seconde te capteren. De voorstelling wordt rechtstreeks op de Vlaamse televisie uitgezonden, een zeer uitzonderlijke gebeurtenis. Er bestaat een klankopname van de twee protagonisten uit Salzburg op 11 augustus 1964, één jaar vroeger. Voor Varnay was de titelrol één van de steunpunten van haar carrière. Zij zong hem 79 keer. Later zong ze ook nog eens 121 keer de partij van Klytämnestra. Mödl was eveneens een specialiste van Klytämnestra die ze 27 jaar op haar repertoire hield. Voor mij was het de eerste keer dat ik *"Elektra"* op de scène zag. Dit soort evenementen was meer dan een compensatie voor het trieste leven met Katleen.

Op 2 oktober 1965 zie ik *"De Troubadour"* in de KVO met Jennie Veeninga als Leonora en Jan Verbeeck als Manrico. Mimi Aarden zingt Azucena. Al bij al een goede voorstelling. Op 16 oktober zie ik een uitzonderlijke galavoorstelling van *"Werther"* in het Frans, wat zo goed als nooit gezien of gehoord was in de Vlaamse Opera. Rita Gorr zingt Charlotte en dit is de reden van de originele Franse versie. Rita Gorr is een uitzonderlijk talent maar de stem is te groot voor de rol van Charlotte die ik eerder intimistisch zie.

Op 6 november 1965 zie ik in de Munt de negende van Beethoven gedanst door het «Ballet van de XXe eeuw» van Maurice Béjart met Tania Bari en Paolo Bortoluzzi, toen de twee grote sterren van Béjart. Je moet het gezien hebben om het te geloven, maar het is alsof Beethoven deze symfonie geschreven heeft om gedanst te worden. Het is het wonder Béjart en het is met zekerheid één van de beste verwezenlijkingen van Béjart. Hendrik Diels dirigeert *De Philharmonie* van Antwerpen en wordt hierdoor door Béjart in ere hersteld. Hendrik Diels heeft van *De Philharmonie* een goed orkest gemaakt. Ira d'Arès zingt de altpartij en Claudine Arnaud de sopraanpartij. En je zou denken dat dit de gelegenheid is voor Katleen om mij te vergezellen naar een uitzonderlijk evenement. Nee, zelfs Beethoven, zelfs de Negende, zelfs Béjart, zelfs Paolo Bortoluzzi waren voldoende interessant voor Katleen. Wat Katleen in de plaats brengt is niets, nihil, complete leegte, nul komma nul.

Op 17 november 1965 zie ik Elisabeth Schwarzkopf met Geoffrey Parsons in het Paleis voor Schone Kunsten in Brussel in een liederenrecital met Schubert, Schumann, Brahms, Mahler, Wolf en Richard Strauß. Schwarzkopf zingt die avond 21 liederen en geeft 3 bisnummers. Tijdens de pauze ontmoet ik Jo Dua die de opmerking maakt *"vanavond zingt de vorstin"* doelend op de Marschallin, haar glansrol. Schwarzkopf was op dat ogenblik vijftig jaar, nog steeds schitterend en zong die avond de kern van haar repertoire. Er was steeds kritiek op haar manierisme, ik heb nooit een andere zangeres liederen zo perfect horen zingen, en dan heb ik het over haar zangtechniek en interpretatie.

HOOFDSTUK XXXIII.

Het jaar 1966.

Het jaar 1966 is interessant op velerlei gebied. Ter gelegenheid van een gesprek met Mina Bolotine in de foyer van de KVO, tijdens een pauze, vertel ik haar over mijn vertaling van *"De Walkure"*. Haar aandacht is erdoor getrokken en zij klaagt over de slechte vertalingen van Wagnerteksten. Ik vraag haar of ze mijn vertaling wil lezen en haar advies wil geven. Ze gaat erop in en enkele dagen later bezorg ik haar mijn vertaling.

Enkele maanden later krijg ik een telefoon van Bolotine, die me uitnodigt bij haar thuis in de Montebellostraat. Tijdens het zeer uitgebreid en boeiend gesprek over Wagner en het zingen van Wagner, maakt ze enkele interessante opmerkingen over de zingbaarheid van het Nederlands in het algemeen en mijn vertaling in het bijzonder. Haar grootste bezwaar tegen het Nederlands als zangtaal vond zij de doffe "e". Bolotine was ook voorstander van de originele taal in opera. Zij was van mening dat Italiaans en Duits de twee meest geschikte talen voor zangtechniek en verstaanbaarheid van de tekst waren. Het was één van de meest boeiende gesprekken die ik had over opera. Van Bolotine heb ik het meest geleerd over zangtechniek.

Het jaar 1966 is de aanloop naar mei 68. Tussen 1965 en 1975 wordt het huwelijk ter discussie gesteld, ontstaan de communes en het samenleven tussen twee *partners*. Man en vrouw zijn niet langer echtgenoten maar *partners* zoals in de zakenwereld. Het wordt allemaal nogal steriel. Katleen speelt hier op in zoals op alle trends die zich aanbieden. Voor haar is een relatie tussen twee *partners* een business-aangelegenheid. De minirok met in zijn kielzog de minikini en de monokini doet zijn intrede. Ook hier speelt Katleen ogenblikkelijk op in. De vrouw toont meer en meer van haar lichaam. Dit gaat gepaard met de feministische beweging die op gang komt.

Twiggy, een nieuw androgyn verschijnsel van jongensachtig kindvrouwtje, extreem mager, zonder borsten, zonder uitstraling, met minirok, kort haar en een muggenhoofd, is de verheerlijking van het oninteressante gezicht zonder expressie en wordt het icoon van de sixties. In de filmindustrie zijn er twee opmerkelijke prenten: *"Blow-up"* van Antonioni, een verdere aankondiging van mei 68. De tweede film is *"Who's afraid of Virginia Woolf."* met het ongeëvenaarde acteursspel van Richard Burton en Elisabeth Taylor. In 1966 sterft Wieland Wagner. Samen met hem sterft een ensceneringsstijl die nooit meer zal terugkeren.

Het jaar 1966 is het jaar dat België overschakelt van cokesgas op aardgas uit Slochteren. Dit betekent voor onze sector een kleine revolutie. Alle apparaten die nu werken op stadsgas, zijnde cokesgas, moeten worden omgevormd op aardgas. Er komt een hele industrie van ombouwsets en toestellen op gang, om de bestaande stadsgastoestellen op aardgas om te vormen. Het gaat hoofdzakelijk om branders en waakvlammen.

Tijdens de omschakeling is er een dubbele stock van stadsgas- en aardgastoestellen noodzakelijk. Daarna komt een operatie op gang, geleid door AGM, de Antwerpse Gasmaatschappij, om bestaande toestellen in te leveren tegen aankoop van aardgastoestellen mits een speciale premie. De oude toestellen moeten bij de groothandelaar ingeleverd worden. De groothandelaar levert nieuwe toestellen, maar heeft een gigantische administratie van omwisseling. De oude toestellen moeten door de groothandelaar bij de gasmaatschappij ingeleverd worden om van de speciale premie te kunnen genieten. De groothandelaar heeft een extra verkoop aan toestellen, maar moet daarvoor een Kafkaiaanse administratie, gepaard met een groot aantal formulieren, bijhouden. Voor ons ging het in hoofdzaak om geisers en op de tweede plaats om gasradiatoren en -convectoren.

Het jaar 1966 is het jaar van de allereerste import van Italiaans kraanwerk wegens het gevoelige prijsverschil met Duits kraanwerk. Het Italiaanse kraanwerk was uitsluitend bestemd voor grote werven. De eerste werf geleverd met het Italiaanse kraanwerk "FERAL" was de residentie Sterckxhof , gebouwd door Ilegems.

Mijn vader wou kwaliteit en service aan zijn klanten geven en Gerousse speelt hier handig op in door van alles en nog wat een procedure te maken. Gerousse maakte misbruik van de situatie die het gevolg was van de wens van mijn vader om kwaliteit en service te bieden. Vanaf begin 1966 wordt de reeds zware administratie op de zaak nog geïntensifieerd. Gerousse die zich, vanaf de pensionering van Mevrouw Masferrer in 1962, meester van de boekhouding heeft gemaakt, nestelt zich verder in een overdreven papierrommel. Alles gebeurt geruisloos, iedere dag gaat zij een stapje verder. Gerousse hecht ook veel belang aan titels. Geleidelijk gaat zij van dienst boekhouding, over boekhouder naar hoofdboekhouder, alhoewel zij in de verste verte geen boekhouder is. In het beste geval zou je haar een hulpboekhouder kunnen noemen. Gerousse is verantwoordelijk voor het overdreven belang dat gehecht wordt aan de administratie, dat per slot van rekening slechts een verwerking van de verkoop is. Er wordt te weinig belang aan de verkoop en te veel aan de administratie die erop volgt, gehecht.

Vanaf begin 1966 stapelen de dienstnota's en instructienota's zich op. Deze dienstnota's en bijzondere nota's gaan uit van mijn vader, van mijzelf en van Gerousse. Op zich is dit reeds een anomalie. We hadden nooit mogen toelaten dat Gerousse zelf dienstnota's schreef. Ik was toen nog niet lang genoeg ingeschakeld om dit te kunnen voorkomen. Mijn broer Marco is zo wijs om zelf nooit een dienstnota te schrijven. Wanneer hij het nodig acht een dienstnota uit te vaardigen, geeft hij het gewoon aan mij. Eén van de vele problemen op de zaak, sinds mijn broer Marco in 1965 erbij gekomen was, is het feit dat er nu drie bazen zijn: mijn vader, mijn broer Marco en ikzelf.

In principe was de directie te zwaar voor een zo kleine onderneming. Einde 1966 waren er 12 bedienden en 8 arbeiders op de loonlijst ingeschreven. Drie bazen voor twintig werknemers was *des Guten zuviel*. De omzet was ook te klein in verhouding tot het personeelsbestand. Dit zou gedurende het ganse bestaan van de onderneming een etterbuil blijven.

Het zat ingebakken in de structuur van het bedrijf. Door de vele procedures en mogelijkheden van afhandeling met de aannemers, installateurs, architecten en particulieren was er een loodzware administratie ontstaan. We kunnen stellen dat het jaar 1966 het begin is van overorganisatie op de zaak.

Begin 1965 had mijn vader een oud klant-loodgieter, Jozef Van Laethem, als vertegenwoordiger in dienst genomen. In de beginperiode was Van Laethem zeer nuttig en efficiënt, met de tijd werd het een routine en waren de verkoopresultaten niet meer bevredigend. Na verloop van tijd beklaagde mijn vader zich over de lijfreuk van Van Laethem. Iedere morgen besprak mijn vader samen met Van Laethem de contacten en verkopen van de dag voordien, in zijn bureau. Van Laethem verspreidde een lichaamsgeur eigen aan zwaarlijvige mensen. Mijn vader had reeds in zijn bureau een geurbestrijder *"Air wick"* geïnstalleerd maar zelf dat mocht niet baten, Van Laethem bleef een onaangename geur verspreiden. Meermaals vroeg mijn vader me wat hij hiertegen kon ondernemen , hij wou de man vooral niet kwetsen. Mijn vader bedacht een reeks formuleringen gaande van *"een mens met een zekere omvang moet zich vaker wassen"* tot *"als men zwaarlijvig is moet men zich meer wassen"*. Hoe mijn vader het probleem uiteindelijk heeft opgelost weet ik niet, feit is dat Van Laethem na een zekere tijd geen onaangename geurtjes meer verspreide.

Zeer positief daarentegen is de aanpak van de dubieuze vorderingen. Mijn vader had met Leo Dreessen, advocaat en zoon van René Dreessen, een uitstekende regeling voor invordering van onbetaalde facturen getroffen. Na een eindeloze reeks pogingen tot vordering van openstaande facturen gaven we het dossier over aan Leo Dreessen, die gespecialiseerd was in dit soort zaken. Leo Dreessen behaalde uitstekende resultaten en dit was voor de zaak uiteindelijk zeer gunstig. Na invordering van de openstaande schuld ontvingen we meestal het netto factuurbedrag. Leo Dreessen stelde zich tevreden met de intresten en het schuldbeding.

Katleen kan het gezinsleven niet meer aan en krijgt zware woede-uitbarstingen. Door mijn kalmte, begrip en hulpvaardigheid wordt het nog erger en Katleen gaat verder met uitdagen en dreigen. Door jaloersheid gedreven gooit Katleen een envelop met filatelistische postzegels door de vuilschuif van het appartement. Om maar aan te tonen met wat voor kleinzielige wraaknemingen zij zich bezighield. Zij gaat met Karen enkele dagen naar een tante in Brugge om haar onafhankelijkheid te tonen. Katleen begint erotische en pornografische boeken te lezen. Zij leest uitsluitend romans ; onder andere *Sexus* van Henry Miller. Het is hoofdzakelijk Angelsaksisch : Joyce, Nabokov en Jef Geeraerts. Het blijft steeds in de erotica en de vulgariteit. Ze leest *Variaties*, een prentboek met afbeeldingen van alle mogelijke coïtusposities. Katleen begint een nieuw personage te creëren.

Zij ontwikkelt zichzelf, van middelmatig snoetje, door allerlei hulpmiddelen zoals cosmetica, kapsel, ooglenzen, brillen, kledij tot een min of meer aantrekkelijke vrouw. Zij heeft goede smaak om zich te kleden. Zij bezit een absolute smaak in kleurcombinaties. Zij werpt zich fanatiek op Mary Quant, een modeverschijnsel in cosmetica, en verricht wonderen in het schminken van haar gezicht. En, effectief, Katleen ziet er veel beter uit sinds zij zichzelf ontdekt heeft. Zij zal haar zelfontdekking niet ten voordele gebruiken. Samen met haar zelfontdekking groeit haar arrogantie, hoogmoed en zelfoverschatting, die haar roemloze ondergang zullen vertragen. Katleen werkt een volledig systeem uit om haar doel te bereiken : uitdagen, minachten, manipuleren. Katleen is egoïstisch en egocentrisch van instelling. Uitgezonderd voor haar dochter, doet ze nooit iets voor de andere, alleen voor zichzelf.

Katleen heeft geen intellectuele uitstraling, karakter nog veel minder, daartegenover heeft ze ambitie voor tien. De vraag is wat ze met die ambitie doet ? Katleen slikt vermageringspillen en kalmeerpillen *Temesta*, en houdt dit voor mij verborgen. Zij houdt meer en meer verborgen. Katleen wordt stilaan leugen en bedrog en soms zelfs vals zoals haar moeder. Katleen krijgt enorm veel pretentie, net als haar broer Eric. Van haar andere broer, Stefan, leert ze de overconsumptie van Sherry, die later, uit geldgebrek, overslaat in goedkope Spaanse wijn. Katleen is in hoofdzaak bezig met haar uiterlijk en wordt geleidelijk narcistisch. Zij is zich bewust van haar aantrekkingskracht. Katleen werkt afremmend op mijn werk en wordt sterk beïnvloed door magazinecovers, cosmetica, mode en trends.

Er is uiteraard nog iets anders dan Katleen en in deze periode intensifieer ik de contacten met «SUPERSANIT». Supersanit was een groep van groothandelaren sanitair verspreid over gans België. De groep was ontstaan in de provincie Luik in 1957 met vier groothandelaren uit de Nationale Federatie «MENOFER». De oorspronkelijke benaming van Supersanit was «UCS», *Union Commerciale Sanitaire*. De vier oprichters waren Limbu uit Stavelot, Ortmans uit Verviers, Kelleter uit Luik en Sanima uit Hoei. De grote bezieler was Jo Lincé. Hij was eigenaar van Limbu en van Inoxybel, een fabrikant van chroomnikkelstalen spoeltafels uit Stavelot.

Kort na de oprichting waren Baerts uit Sint-Truiden, Eucher uit Namen en Huet uit Courcelles bijgetreden. Mijn vader was in 1958 als achtste lid toegetreden. Op zijn hoogtepunt, eind jaren zeventig, telde de groep twintig leden. Na de toetreding van mijn vader, waren de belangrijkste nieuwe leden Vranckx uit Leuven, Tubeaugaz uit Brussel, Van de Kerckhove uit Gent, Calomic uit Brugge en Genin uit Arlon. Het uiteindelijke doel van de groep was België volledig overlappen om exclusiviteiten bij fabrikanten te verkrijgen.

Later werden nog enkele nieuwe leden aangeworven : Save uit Mons, Van Poucke uit Ninove en Sanik uit Geel. Door een gebrek aan cohesie binnen de groep is het verkrijgen van exclusiviteiten nooit gelukt, tenzij voor korte periodes of voor marginale producten. Maar in 1966 waren er grote verwachtingen van deze eerste groep van groothandelaren sanitair in België. Er was voordien alleen «SANISHIPPING» onder de leiding van Prosper Prist opgericht. In deze groep zaten alle belangrijkste groothandelaren van België: Prist, Facq, Rachin, Van Haelen, Dambois, Van Marcke en Givord samen aan tafel. Het doel van Sanishipping was grote merken zoals Friedrich Grohe, Geberit en Franke in exclusiviteit te behouden. Door zijn vriendschap met Prist wist mijn vader toegang tot alle merken te verkrijgen. Mijn vader was een diplomaat groot formaat.

Met Supersanit wilden we verder gaan en, naast exclusiviteiten, contracten, die een prijsvoordeel opleverden, met fabrikanten afsluiten. Dit soort contracten kwam tot stand in de eerste plaats met porseleinfabrikanten Boch Frères,

Ideal Standard en Sphinx. Later kwamen een hele reeks overeenkomsten met fabrikanten zoals Industria, Friedrich Grohe, Franke, Bulex, Junkers en Geberit tot stand.

Tijdens de eerste vergaderingen, die in Brussel bij Tubeaugaz gehouden werden, kon ik alleen maar luisteren, omdat ik door veel oudere leden zoals Pierre Van der Elst van Tubeaugaz overdonderd werd. Ik kreeg geen kans om een woord te plaatsen. De Brusselse markt, beheerst door Facq, Rachin en Van Haelen, gaf de toon aan. Die lieden kenden maar één kraanwerk en dat was Friedrich Grohe, de marktleider.

Mijn vader verdeelde «EICHELBERG» uit Iserlohn, de bakermat van de Duitse kraanwerkindustrie. Eichelberg was kwalitatief gelijk aan Friedrich Grohe, doch niet gekend in België. Op een gegeven ogenblik had ik de kans om Eichelberg voor Supersanit in exclusiviteit voor België te verwerven. De Waalse leden van de groep hadden geen contacten met Duitse fabrikanten omdat ze geen Duits kenden. Ik had goede contacten met Eichelberg, waar ik onderhandelde met Exportleiter Helmut Schnettker. Ik ben er echter nooit in geslaagd Supersanit warm te maken voor Eichelberg. De reden was dat het merk in België niet gekend was : *ce n'est pas connu*. Dat Supersanit bestond om het bekend te maken, daar was niemand achtergekomen.

Jaren later ondervond ik net hetzelfde met «GUSTAV SCHMIEDL», een Oostenrijkse kranenfabrikant, een kwaliteitsproduct. Mijn vader was de enige invoerder in België en ik bood het kraanwerk in exclusiviteit aan Supersanit aan. Er was iets uitzonderlijks aan Schmiedl. Zij bezaten een uniek, gebrevetteerd sluitingsmechanisme. Op een halve draai sloot de kraan, door middel van een soort remring, *Verschleißbremse*, letterlijk slijtagerem, op de stoel. Hierdoor kwam de dichting minder onder druk te staan en versleet trager. Door middel van een speciale sleutel kon men bovendien, in geval van lekkage, de dichting regelen. Het was de gedroomde argumentatie voor een verkoper en de kranen verkochten zich zelf. Voor Supersanit was dit te ingewikkeld om uit te leggen en de zaak ging niet door. Een gemiste kans te meer. En zoveel moeite voor niets.

Maar in 1966 was er nog veel hoop. De secretaris van Supersanit was
Luc Jacobs, een ideale organisator en onderhandelaar. Luc Jacobs was de
bedrijfsleider van de firma Sanima in Hoei. Van Luc Jacobs leerde ik hoe je een
leverancier tot het uiterste kon brengen. Jammer genoeg overleed hij enkele
jaren later aan een hartaanval.

Vanaf 1966 tot 1975 zet ik de bestellingsaanvragen voor Bayreuth stop, als
gevolg van de verhoogde attentie voor Katleen. Gelukkig is het jaar 1966
overvloedig met Wagner doordrenkt. De KVO geeft in 1966 liefst twee keer de
volledige *"Ring van de Neveling"*, een eerste keer in maart in het Nederlands,
met een volledige bezetting uit eigen huis, met een schitterende Marie-Louise
Hendrickx als Brunhilde en Marcel Vercammen die zowel Siegmund als
Siegfried zingt.

Een tweede *"Ring des Nibelungen"*, ditmaal in het Duits, met internationale
gasten, wordt in oktober gegeven. Brünnhilde is een uitstekende
Gertrude Grob-Prandl. Hierdoor hebben we het geluk Marie-Louise Hendrickx
als Sieglinde en Gutrune in het Duits te horen. Arnold van Mill zingt Hunding,
Fafner en Hagen. Siegfried is een uitstekende Hans Hopf, die ik in Bayreuth en
in Düsseldorf in deze rol hoorde. Ik kan er niet genoeg van krijgen en op
29 oktober 1966 zie ik *"Die Walküre"* in Düsseldorf met Astrid Varnay in één
van haar laatste Walküre-Brünnhildes.

Op 23 april 1966 had ik Astrid Varnay gezien in Düsseldorf als Isolde, de enige
rol die ik van haar nog niet kende. Martha Mödl had ik als Isolde in 1959 gezien.
Het waren twee totaal verschillende Isoldes en het zou voor mij zeer moeilijk
zijn tussen beiden te kiezen, alhoewel ik een lichte voorkeur voor Mödl heb door
het onwaarschijnlijk boeiende timbre van haar stem. In Düsseldorf zong
Martti Talvela een schitterende Marke, Horst Stein dirigeerde een enscenering
van Jean-Pierre Ponnelle. Het was een uitmuntende voorstelling die uiteraard in
mijn *Sternstunden*boek terechtkomt.

Het jaar 1966 was met Rigoletto op 8 januari gestart. Claudine Arnaud zong een uitstekende Gilda. Op 21 januari 1966 hoor ik Rita Gorr tijdens een Vocaal Concert. Zij zingt *Der Männer Sippe* en *Du bist der Lenz* uit *„Die Walküre"* en *Starke Scheite* uit *„Götterdämmerung"*. Noch Sieglinde, noch Brünnhilde zijn voor haar geschikt. De stem is niet mooi, ze is wel zeer krachtig. Vanaf de sol boven de notenbalk zijn de hoge tonen lelijk. Op 12 februari 1966 zie ik een *"Don Giovanni"* in de KVO onder Eduard Flipse met Andrea Nevry als Donna Anna en Berthe Van Hyfte als Donna Elvira. Het is niet de ideale *"Don Giovanni"* maar het is al bij al nog heel proper.

Het Festival van Vlaanderen haalt in 1966 een zeer hoog niveau. Vijf manifestaties verdienen een bijzondere aandacht. Op 3 mei 1966 zie ik in Antwerpen in de KVO *"Starkadd"* van Hegenscheidt met de zeer jonge Frank Aendenboom in de titelrol. Jan Decleir speelt er in het begin van zijn carrière een kleine rol in. Maar het beste moet nog komen.

Op 17 mei zie ik Margot Fonteyn in verschillende balletfragmenten door het voltallige *Royal Ballet* van de Covent Garden. Zij danst onder andere het pas de deux uit *"Het zwanenmeer"*. Ik merk een verschil in stijl tussen de Russische en de Engelse ballettraditie. In een tweede leven zal ik door mijn tweede vrouw, een ballerina, in dezen nauwkeurig onderricht krijgen.

Op 24 mei zie ik *"Der Prinz Friedrich von Homburg"* van Heinrich von Kleist door het Düsseldorfer Schauspielhaus met Ewald Balser in de rol van de keurvorst. Weer opmerkelijk Klaus Maria Brandauer speelt er een kleine rol in. Ik weet nu eindelijk wat theater is. Deze Prinz von Homburg is groot theater zoals ik daarna nog slechts zelden zal zien, en vanaf de jaren negentig in Vlaanderen volledig van het toneel zal verdwijnen. Dan zal er alleen nog animatie en entertainment, inclusief copulatie en urineren op de scène, in Bourla en Toneelhuis beschikbaar zijn. Om theater te zien zal je dan naar Parijs of Londen moeten gaan.

Op 26 augustus 1966, Katleens verjaardag, ze wordt eenentwintig jaar, geeft Schwarzkopf in de Opera van Gent, een liederenrecital. En ik sta voor de eerste keer in mijn leven voor een zeer zwaar dilemma : ik moet kiezen tussen Katleen en Schwarzkopf. Katleen heeft zo weinig respect voor mij, dat het absurd zou zijn attent te zijn voor een vrouw, waarvan mijn kleine teen voelt dat ze me bij de eerste gelegenheid zal bedriegen. Ik kies voor Schwarzkopf en ik heb er tot op de dag van vandaag geen spijt van. Elisabeth Schwarzkopf was absoluut subliem die avond van de 26ᵉ augustus. Zij zingt 26 liederen van Schubert, Schumann, Richard Strauß en Wolf en geeft nog drie bisnummers. Schwarzkopf zal me heel mijn leven bijblijven als iets unieks. Katleen zal een generale repetitie blijken te zijn en zal uiteindelijk vervagen, Schwarzkopf staat vandaag nog duidelijk voor mij.

Hector Matthys, de meest kleurrijke figuur op de zaak, gaat op 31 augustus 1966 met pensioen. Hector Matthys is de enige bediende die tegen Gerousse op een schitterende sarcastische manier durft te reageren. Gerousse vermijdt Hector Matthys zo veel mogelijk omdat zij weet dat ze van hem lik op stuk krijgt. Voortaan zullen we Hector Matthys moeten missen.

Nu komt een zeer teleurstellende vocaal concert van het Festival van Vlaanderen. Op 15 september zingen Rita Gorr en Marcel Vercammen een eerste bedrijf *"Walküre"* in het Paleis voor Schone Kunsten in Brussel. Rita Gorr is in de verste verte geen Sieglinde en zingt ongenuanceerd en veel te luid. Marcel Vercammen kennen we maar al te goed. In het Duitse origineel klinkt hij wel beter. Hendrik Diels dirigeert het Symfonieorkest van de BRT. Voor Katleen is het absoluut onbegrijpelijk dat ik zoveel aandacht besteed aan muziek.

Op 25 september 1966 zie ik in de Opera van Gent *"Les Huguenots"* met Tony Poncet in de rol van Raoul de Nangis. Je moet het hebben meegemaakt om het te geloven. Deze opera illustreert perfect *le ridicule a tué l'opéra*. Het is het einde van een tijdperk waarin de tenor voor het voetlicht treedt om zijn hoge C in de zaal af te vuren. *"Les Huguenots"* is alles waartegen Wagner heel zijn leven gevochten heeft. Je moet het wel ooit hebben meegemaakt.

En dan is er nog de meest onbegrijpelijk *"Lohengrin"* ooit. Op
19 november 1966, laat directeur Verbruggen, in de KVO, Elsa door
Jennie Veeninga als gast zingen, terwijl men de beste Elsa aller tijden in eigen
huis heeft. De titelrol is Sylvain Deruwe, die de partij aankan en een
aangenamere stem dan Marcel Vercammen heeft. Op 26 november zie ik een
"Lucia di Lammermoor" met Claudine Arnaud in de titelrol. Zij brengt het er
zonder kleerscheuren af. Op 13 december zie ik Rita Streich in een
liederenrecital met Geoffrey Parsons aan de piano. Zij zingt liederen van Haydn,
Mozart, Schumann, Wolf en Richard Strauß. Het is een stralende stem met
schitterende hoogte, waarvan de topnoten puur goud zijn. Het jaar 1966 was
muzikaal met 20 voorstellingen imposant.

In de loop van 1966 treed ik in correspondentie met Herrn Karl Ebelt uit
Eisenach in de voormalige DDR. Via een advertentie in een filatelistisch
tijdschrift zoekt Karl Ebelt een postzegelruil van Belgische tegen DDR-
postzegels. Ik ga erop in vermits ik Duitsland verzamel. Er volgt nu een
postzegelruil die tot 1975 zal aanhouden. Karl Ebelt schrijft perfect Nederlands,
hij was tijdens de vijandelijke bezetting als soldaat gekazerneerd in België. Het
meest opvallende is dat Karl Ebelt in de Johann Sebastian Bachstraße woont en
ik enkele jaren later naar de Mozartstraat zal verhuizen.

HOOFDSTUK XXXIV.

Het jaar 1967.

Het jaar 1967 met 22 voorstellingen was niet minder vruchtbaar op muzikaal gebied. Het jaar begint op 9 januari met één van de grote *Sternstunden* die ik het geluk heb te mogen beleven. Tijdens een vocaal concert met de Philharmonie onder de leiding van Daan Sternefeld zingt Lisa della Casa de *"Vier letzte Lieder"* van Richard Strauß. Dat is snoepen. Della Casa, die ik nog niet ken, is een wondermooie verschijning, een prachtige vrouw, waarvan je alleen maar kan dromen. Bovendien heeft ze een superbe timbre. Zij is dan 41 jaar oud, de ideale leeftijd voor een sopraan. De *"Vier letzte Lieder"* zijn als voor haar geschreven. In de hoge tonen bezit zij een onvoorstelbare *Strahlkraft*, die ik later van geen enkele zangeres gehoord heb. Het bevestigt de stelling dat iedere stem uniek is. Ze zingt ook nog een aria uit *"Giulio Cesare"* en de aria *Dove sono*, met dezelfde absolute schoonheid van timbre. Lisa della Casa wordt vanaf nu één van mijn favoriete sopranen.

Op 25 januari 1967 dirigeert André Cluytens het Nationaal Orkest van België in de Elisabethzaal. André Cluytens is een Antwerpenaar, heeft dezelfde voornaam, dezelfde initialen als ik en is ook oud-leerling van het Lycée d'Anvers. Daar houdt de gelijkenis op. André Cluytens dirigeert de zesde van Beethoven en het tweede pianoconcerto van Rachmaninof. Op 28 januari hoor ik een concertante uitvoering van *"La damnation de Faust"*.

Op 4 februari beleef ik een galavoorstelling van *"Boris Godoenof"* in het Russisch door het voltallige gezelschap van de Opera van Sofia, met een sensationele Ljoebomir Bodoerov als Grigori en een even fenomenale Julia Wiener als Marina. Deze beide zangers maakten de Poolse akte tot een waar genot. Vanaf deze avond behoort *"Boris Godoenof"* tot mijn lievelingsopera's. De Poolse akte is, ondanks de magistrale monologen van Boris, het hoogtepunt van deze opera .

Op 7 februari 1967 is er een vocaal concert in de Elisabethzaal met Maria Stader en het Kölner Kammerorchester onder de leiding van Helmut Müller-Brühl. Voor de pauze zingt Maria Stader een cantate van Bach. Zij is 55 jaar oud, de stem is ongewijzigd sinds ik haar in 1961 hoorde en heeft zo goed als geen vibrato. Haar trillers zijn heerlijk. Na de pauze zingt Maria Stader haar paradenummer *"Exultate, jubilate"*. Het live meemaken is een nog grotere belevenis dan de grammofoonplaat, die ik kende. Ook deze avond behoort tot mijn *Sternstunden*.

Op 11 maart zie ik in de KVO een *"Johannes Passion"* met Sylvain Deruwe als Evangelist. Zeer uitzonderlijk is een uitvoering, op 13 maart, van de *"Vespro della beata vergine"* van Monteverdi. Voor de eerste keer hoor ik een contratenor, in casu Alfred Deller, zo goed als de moderne heruitvinder van het vak. Alfred Deller is een uitstekend zanger, komt zeer mannelijk over, hoewel je bij de onnatuurlijke klank van de contratenor automatisch denkt aan verwijfdheid. Het is een exotisch fenomeen, dat anno 1967 bij een hoge uitzondering bleef. De terreur van de contratenoren zou eerst einde jaren negentig beginnen.

Op 16 maart woon ik een Wagner-concert in de Elisabethzaal bij. Isabel Strauss, een mooie expressieve dramatische sopraan en Hans Beirer zingen fragmenten uit de *"Ring des Nibelungen"*. Meest indrukwekkend is *Zu neuen Taten* en *Starke Scheite*. Isabel Strauss pleegt, samen met haar minnaar, enkele jaren later, als gevolg van een liefdesaffaire, zelfmoord. Een enorm verlies voor de Wagnerinterpretatie en de zang.

Het tegenovergestelde van Isabel Strauss is Astrid Varnay, die zo lang als mogelijk haar repertoire aanhoudt. Op 9 april zie ik één van haar laatste Isoldes in Düsseldorf. Varnay zal de partij nog zingen tot 1969, onder andere in Antwerpen. Dirigent is Horst Stein en regie voert Jean-Pierre Ponnelle. Martti Talvela is terug de ideale Marke.

Het mooiste komt op 16 april met *"Lohengrin"*. Marie-Louise Hendrickx mag van Renaat Verbruggen terug Elsa zingen in de plaats van Jennie Veeninga. Daarvoor krijgen we een totaal onbekende Lohengrin in de persoon van Frans Meulemans, waarvan kwade tongen beweren dat hij in Bayreuth een koorlid is. Marie-Louise Hendrickx zal vanaf nu meer en meer het *jugendlich-dramatische* vak voor het *hochdramatische* inruilen. Langzaamaan zal zij alle *hochdramatische* Wagnerrollen op haar repertoire nemen. In de maand mei zien we nogmaals *"La Traviata"* met Claudine Arnaud en *"Carmen"* met Mimi Aarden. Ik had een zwak voor de melodieënrijkdom van Verdi.

Karen is nu drie jaar oud en gaat naar de kleutertuin van Sint-Agnes in de Blijde Inkomststraat. Katleen heeft daardoor veel vrije tijd en gaat werken bij Miss Polly, een boutique in de Korte Gasthuisstraat, aanvankelijk hoofdzakelijk pullovers. Hierdoor wordt ze minder afhankelijk van mij en kan ze haar loon aan kleding en schoeisel besteden.

Het is de periode van populariteit van Catherine Deneuve, waarvan *"Belle de jour"* in de bioscoop loopt. In haar zelfoverschatting begint Katleen Catherine Deneuve te imiteren. Ze koopt dezelfde kledij, vooral gecentreerde mantels. Haar kapsel wordt nu aangepast en Katleen begint de koele, steriele schoonheid te spelen en, zoals *Belle de jour*, slaagt er wonderlijk in. Ze zal vanaf nu trachten het personage van *Belle de jour* te imiteren. Uit verveling zoekt ze erotische spelletjes. Katleen begint nu te praten over haar frigiditeit.

Katleen leest veel, ook het vervolg op *"Sexus"* van Henry Miller, *"Plexus"* en *"Nexus"*. Het is het soort amorele literatuur waarvan Katleen vol geniet : vulgair, pornografisch en barok. Hetzelfde geldt voor *"Ulysses"* van James Joyce. Ik merk dat Katleen even amoreel is als haar lectuur. Ze leest geen Yeats, noch Byron, om maar te zwijgen van Shakespeare. De grote klassieke Engelse dichters Shelley, Keats en Eliot leest Katleen niet. Katleen leest alleen romans, ook wel Jane Austen en de gezusters Bronte en magazines van het genre Vogue en Harpers Bazaar. In deze periode spreekt Katleen voor het eerst door de zaakvoerder van Miss Polly, Brian Redding, te zijn benadert. Volgens Katleen is de man getrouwd *voor het geld* van zijn niet erg mooie vrouw. Katleen steelt truien en debardeurs uit haar winkel voor heel haar familie.

Ik koop voor het eerst een vest van Harris Tweed in bruine visgraat bij Butch op de hoek van de De Keyserlei en de Anneessensstraat. Katleen krijgt haar allereerste elitaire trekjes en koopt een dobermann, die ze slechts enkele maanden behoudt en dan verder verkoopt uit desinteresse. Op 25 december 1967 vieren we voor het laatst Kerstmis samen met mijn ouders, op de Frilinglei. Het jaar daarna verhuizen mijn ouders naar de Mechelsesteenweg in Antwerpen, tegenover de Harmonie, in een residentieel appartementsgebouw, op de vijfde verdieping.

Het jaar 1967 is het jaar waarin mijn vader verschillende belangrijke beslissingen neemt en verschillende belangrijke aankopen doet. Op 12 januari 1967 koopt mijn vader het woonhuis Helmstraat 14 van politieagent Nauwens. Deze aankoop is het begin van een reeks aankopen die aan de zaak de mogelijkheid van een zeer belangrijke uitbreiding zal bieden.

In de loop van het jaar 1967 laat mijn vader op de zaak een geautomatiseerde telefooncentrale van Siemens installeren. Voorheen waren er twee telefoonlijnen met verschillende individuele telefoontoestellen. Diegene die de telefoon opnam had de lijn en kon deze overschakelen naar gelijk welk toestel via een eenvoudig selectienummer. De nieuwe telefooncentrale beschikte over vijf lijnen en vijfentwintig toestellen. De binnenkomende oproepen kwamen bij de telefoniste, die de verdeling deed, terecht. De telefooncentrale is nog volledig mechanisch.

Op 1 juni 1967 koopt mijn vader zijn allereerste boekhoudmachine, een Olivetti Mercator 5100. Het is nog vrij eenvoudig, verkoopfacturen, journaal en klantenrekening worden gelijktijdig gemaakt. Het is eigenlijk een factureermachine. Ook de loonboekhouding wordt hierop gemaakt.

In principe zou met deze boekhoudmachine de administratie eenvoudiger moeten verlopen. Het tegendeel is waar. Het personeelsbestand vermindert niet. Deze Mercator 5100 is het begin van de mechanisering van de administratie. Het is een vooruitgang maar in de beginperiode van de automatisering is er geen voordeel aan personeelsbesparing, integendeel.

Gelijktijdig met het opstarten van de eerste factureermachine zien verschillende formulieren het licht. Een typisch overbodig formulier van Gerousse is de *"facturatiestrook"*. Iedere levering krijgt vóór de facturatie een formulier om te kunnen factureren. Dit kon eenvoudig opgelost worden door een stempel of een teken, maar het woord eenvoudig staat niet in het woordenboek van Gerousse, die thans de leiding van de gemechaniseerde administratie op zich heeft genomen en dit is niet in het voordeel van de zaak.

Een administratief belastend document is de formulier *"Wijzigingen & Toevoegingen"*. Op dit document worden de wijzigingen en de toevoegingen van de klant aan zijn oorspronkelijk nog niet geleverde order genoteerd. De materie is zeer ingewikkeld en verreikend. Ik heb nooit een betere oplossing voor het probleem gevonden. In de huidige tijd druk je gewoon een nieuw order op je computer af. Toen was alles manueel en opnieuw afdrukken onmogelijk.

Telkens zich een probleem voordoet, creëert Gerousse onmiddellijk een werkwijze. De meest stompzinnige werkwijze is die van de onbetaalde contante factuur. Vermits een contante factuur erin bestaat om contant betaald te worden is een onbetaalde contante factuur een absurditeit. Gerousse heeft niet de neus om een probleem bij de wortel uit te rukken en zal er nooit in slagen een eenvoudige oplossing aan te reiken.

Dit soort werkwijzen zijn legio. Hieronder zal de zaak zwaar te lijden hebben. Het is het begin van een overorganisatie waardoor je door het bos de bomen niet meer ziet. Jammer genoeg heeft mijn vader dit niet ingezien en was hij van mening dat het zo hoorde. Hem treft geen enkele schuld, integendeel, de volledige schuld gaat naar Gerousse.

In februari 1967 maak ik me opnieuw lid van de Nationale Discotheek van België in de Jezusstraat. Wekelijks leen ik grammofoonplaten uit. Eén van die grammofoonplaten is een opname van *"L'incoronazione di Poppea"* van Monteverdi op VOX. Het is mijn eerste kennismaking met het werk, dat mij onmiddellijk uitermate boeit. Opvallend de twee aria's van Ottavia: *Disprezzata Regina* en *A Dio Roma* gezongen door Eugenia Zareska. De opname dateert van 1962 en is één van de allereerste van het werk, dat vrij laat herontdekt werd. Eugenia Zareska, een echte mezzosopraan, ken ik van een grammofoonplaat van *"Boris Godoenof"*, waarin zij Marina zingt.

Op 1 mei 1967 maak ik me lid van de Kon. Mij. Voor Dierkunde. Karen is drie jaar oud en Katleen kan met Karen naar de dierentuin, wat beiden een tijdlang zoethoudt. Mijn vader laat een nieuwe toonbank en fittingrekken voor het magazijn door aannemer Gedopt maken. Hij koopt voor het eerst Montarekken van Bruynzeel voor het archief. Voordien werden alle stapelrekken door eigen personeel zelf in elkaar getimmerd.

Op 4 juni 1967 zie ik Marie-Louise Hendrickx als Lisa in *"Het land van de glimlach"*, de enige reden om deze operette voor de derde en laatste keer te zien. Want Marie-Louise Hendrickx zingt alles : Elsa, Sieglinde, Isolde, Brunhilde, de *Tannhäuser*-Elisabeth, Kundry, de Heilige van Bleecker Street, Schuld en Boete, Tosca, Donna Anna, Katia Kabanova, Octavian, Agathe, Salome, Elektra, Herbergprinses, Marguerite, Amelia, de *Fidelio*-Leonore en nog veel meer. En dan laat Verbruggen haar een operette zingen, terwijl hij minstens drie Lisa's in eigen huis had ! De man heeft geen stijl en is een grote dikke boer.

Op 17 juni 1967 is er een vocaal concert in de KVO ten voordele van de sociale kas van het suppoostenpersoneel. Tijdens dit zeer gevarieerd en uitgebreid concert zingt Jennie Veeninga *Dich teure Halle* uit Tannhäuser en *Pace, pace* uit La forza del destino. Jennie Veeninga, die nog vrij jong is, amper dertig jaar, is beter op haar plaats in Verdi dan in Wagner. De KVO had haar alle kansen gegeven. Haar debuut in 1963 was in de KVO als Desdemona. Tot slot zingt ze nog het duet Aïda-Amneris samen met Maria Verbruggen.

Tijdens de vakantie, in de maand juli, terwijl Katleen en Karen in Knokke bij mémé verblijven, maak ik een korte operareis door Nederland en Duitsland. Aanleiding van deze reis is een voorstelling van *"Lulu"*, tijdens het Holland Festival, op 2 juli 1967 in Rotterdam. Lulu is Anja Silja, een rol die voor haar geschreven lijkt. Zeer opmerkelijk, Dr Schön wordt gezongen door Ramon Vinay, fin de carrière, terug als bariton. André Vandernoot leidt het Concertgebouworkest en Jo Dua voert regie. Het is een coproductie tussen de Munt en de Nederlandse Operastichting. De uitvoering is van het allerhoogste niveau. *"Lulu"* is het soort opera dat ik slechts eenmaal in mijn leven zal zien, net zoals die andere opera van Alban Berg *"Wozzeck"*. Je moet het gezien hebben, maar één keer is ruim voldoende.

Na *"Lulu"* zet ik mijn operareis verder doorheen de Duitse provincietheaters Dortmund, Bielefeld, Hannover en Kassel. Het is meer een verkenningstocht door een soort van repertoiretheaters waar wij geen weet van hebben. De kwaliteit is in alle theaters bijzonder goed en ik zie achtereenvolgens *"Die verkaufte Braut"*, *"Salome"*, *"Simon Boccanegra"* en *"Der Bettelstudent"*.

In september zie ik in de Opera van Gent *"L'Africaine"* van Meyerbeer met Tony Poncet in de rol van Vasco da Gama en Gilbert Dubuc in die van Nelusko. Het is een potsierlijke opera om nooit meer terug te zien. Tony Poncet kan er zijn legendarische hoge C's in laten schetteren. Het is de ideale opera voor Tony Poncet.

In het kader van het Festival van Vlaanderen is er op 5 september 1967 een galavoorstelling van *"Der fliegende Holländer"* in de KVO, in het Duits, met een aanvaardbare Senta van Maria Van Dongen en een zeer goede Hollander van Hubert Hofmann. Fritz Uhl zingt Erik en Frits Celis dirigeert uitstekend. Het niveau van de voorstelling ligt een heel stuk hoger dan de doordeweekse voorstellingen van Renaat Verbruggen.

In 1967 onderneemt Dr. Christiaan Barnard de eerste harttransplantatie ooit. Het jaar 1967 was een jaar van grote muzikale emoties en voor de rest een stilte voor de storm van 1968.

HOOFDSTUK XXXV.

Het jaar van mei 68.

Het jaar 1968 zal één van de meest bewogen jaren van de eeuw worden. Het jaar 1968 is het jaar van confrontatie, het jaar dat alles veranderde. Het jaar 1968 is een scharnierjaar, internationaal, nationaal en privé. Het jaar 1968 is het jaar dat Martin Luther King en Robert Kennedy vermoord worden. Het jaar 1968 is het jaar dat Richard Nixon als president van de Verenigde Staten verkozen wordt. Het jaar 1968 is het jaar dat Jan Verroken de regering Van den Boeynants over de kwestie Leuven laat vallen en dat, voor de eerste keer in de Belgische geschiedenis, een regering over een Vlaamse eis valt. Het is een keerpunt in de Belgische politiek, het einde van de unitaire staat en de aanvang van de federalisering onder Gaston Eyskens.

Het jaar 1968 is het jaar waarin Eddy Merckx zijn eerste grote overwinning in de Ronde van Italië behaald. Het jaar 1968 is het jaar van de aanvang van het terrorisme in Noord-Ierland en in Duitsland door de Baader-Meinhofgroep. Het jaar 1968 is het jaar van de Praagse lente, neergeslagen door Sovjettanks. Het jaar 1968 is het jaar van de eerste lange afstandsvluchten met de Boeing 747, van de toerisme-explosie en de aanvang van de vakantie-consumptie door het plebs. Renaat Braem roept in een pamflet België uit tot het lelijkste land ter wereld, terwijl hijzelf enkele monstertjes, zoals de politietoren aan de Oudaan, creëert. Het jaar 1968 is het jaar van de aanvang van grootse bouwwerken en van verdere afbraak van historische gebouwen, onder andere door monumentenmoordenaar Lode Craeybeckx, cultuurbarbaar en notoir socialist.

Maar het jaar 1968 is vooral het jaar van de studentenrevolte in Parijs, de geschiedenis ingegaan als «mei 68». Het directe gevolg hiervan is het aftreden van Generaal de Gaulle een jaar later. Het indirecte gevolg van «mei 68» is de afbrokkeling van de morele waarden. De vaderfiguur wordt vermoord, het huwelijk wordt naar beneden gehaald, het gezin wordt ondermijnd. «Mei 68» is de beweging van alles kan, alles mag en de uiting van nihilisme die niets in de plaats brengt, tenzij een verslechtering. Het fenomeen loopt volkomen gelijk met het karakter en de ingesteldheid van Katleen. Later zal blijken dat «mei 68» niets aan de maatschappij heeft veranderd. Het was een maat voor niets.

Het jaar 1968 is het jaar dat Jane Fonda als sensueel symbool in de film *"Barbarella"* de eerste echte babe wordt. Het jaar 1968 is het einde van een tijdperk en het begin van de seksuele revolutie.

In de schaduw van «mei 68» wordt Katleen het slachtoffer van deze seksuele revolutie en de liberalisatiegeneratie. Katleen wordt langzaamaan een product van «mei 68». Katleen veroordeelt het huwelijk vanaf «mei 68». Het huwelijk noemt Katleen een stukje papier, haar trouwring had ze al afgelegd. Zonder trouwring heeft ze meer mogelijkheden. Katleen vecht zich vrij. De gebeurtenissen van «mei 68» gebruikt ze als verantwoording. Katleen wordt een product van trends en mode en verliest haar identiteit.

Het is de aanvang van haar brillenmanie. De trend is zonnebrillen met grote ronde glazen met zwaar montuur. Katleen draagt ook een zonnebril wanneer het niet nodig is, om haar blik te verbergen, want vals wordt ze met de dag meer. Katleen toont zich tegenover mannen beschikbaar. Katleen draagt voor het eerst doorkijkblouses om mij uit te dagen. In een later stadium, begin 1970, zal ze doorkijkblouses zonder BH dragen. Katleen wordt gemakkelijk beïnvloed door modereclame in magazines. Katleen zal vanaf nu minder en minder kunnen leven zonder de luxe van kleren en schoenen. Gaandeweg wordt Katleen een courtisane.

Tijdens deze periode van contestatie wordt Katleen geleidelijk onstandvastig en labiel. Zij voelt de bodem onder haar voeten wegzinken en geraakt in paniek. Ik kan Katleen niet helpen door haar inconstante reacties. Alle oplossingen die ik aanbied, schuift Katleen hoogmoedig van zich af. Haar gezicht is expressieloos, emotieloos, monotoon. Ze wordt verschrikkelijk ijdel.

Katleen kan zich niet geven noch overgeven aan de voor haar te beperkte verlossingen. Mijn uitgangspunten zijn voor Katleen te eenvoudig. Katleen wil meer en veel en hier en ogenblikkelijk. Vanaf dit ogenblik is het duidelijk dat de relatie geen stand zal houden, hoeveel beide partijen ook zullen investeren in de instandhouding van het gezin. We leven vijf jaar samen en hebben nog zeven jaar te gaan en deze zeven jaren zullen uitermate moeizaam zijn. Katleen is te zelfstandig om een relatie en een gezin in stand te houden.

Het is grote mode om met vakantie te gaan naar Spanje. Katleen pikt hier onmiddellijk op in en zoekt een mogelijkheid om dit ook te doen samen met haar ouders. Het voorwendsel is dat haar ouders dan op Karen kunnen letten terwijl wij dan zogezegd een grotere vrijheid genieten. Haar ouders kunnen dan ook delen in de kosten. Via advertenties vindt Katleen een appartement in Salou ten zuiden van Tarragona, een honderd kilometer beneden Barcelona. Het appartement is vrij in augustus en de eigenaars ervan wonen in Kapellen. We maken een afspraak met de eigenaars, komen tot een akkoord en er volgt een huurovereenkomst.

Ondertussen heeft «mei 68» plaatsgehad en heeft Katleen daaruit meer vrijheid kunnen puren. Ze heeft me volledig in haar macht door haar lichaam dat zeer aantrekkelijk is. We reizen met Karen en de ouders van Katleen in de VW Variant van de zaak, door Frankrijk, over Reims, Dijon, Lyon, Nîmes en Montpellier in twee dagen met een overnachting in een hotel in Motélimar. De reis is penibel, er zijn nog geen of nauwelijks autowegen, het is bloedheet en iedere fles Perrier kost een fortuin. Er zijn verschillende bouchons door de steden Valence, Nîmes en Montpellier. De tweede dag is er vóór Barcelona een monsterfile met verschillende uren wachttijd door terugkerende Spaanse eendagstoeristen. De Spaanse wegen zijn niet aangepast aan geconcentreerde verkeerssituaties en toerisme.

De Spanjaarden zijn geen leuke mensen en ik krijg vanaf het eerste ogenblik op Spaanse bodem een aversie voor alles wat Spaans is, vooral de architectuur, die afschuwelijk is. De Gaudi kathedraal in Barcelona is weerzinwekkend lelijk en ik denk terug aan de schitterende bouwwerken in Italië. De taal is ruw en onafgewerkt tegenover het welluidende en gesublimeerde Italiaans. De Spanjaarden spreken hun taal slordig uit. De stierengevechten vind ik barbaars en gruwelijk. In vergelijking met Spaanse wijn is Italiaanse veel geraffineerder. Spaanse salami is niet te vreten, Italiaanse salami is daartegen een festijn. In Italië trekt alles me aan, in Spanje stoot alles me af.

De reis en het verblijf in Salou zijn een beproeving. Op vakantie gaan samen met je schoonouders is het allerlaatste. Het appartement in Salou was gelegen in een gebouw met drie verdiepingen tegen de kaap en buiten de gemeente. De ligging was mooi, een honderd meter van het strand met daartussen een pijnbomenverzameling. Het appartement was redelijk, het sanitair was rudimentair en regelmatig was er een leidingwateronderbreking. Katleens moeder kookte, slechts zelden gingen we in een taverne iets eten. Katleen las haar gekende pulplectuur op het strand. Daar werd ze zich bewust van haar verleidingskunsten, die ze tegen Spaanse jongetjes begon uit te spelen.

Katleen begint vanaf nu meer en meer uit te dagen. Soms lopen we langs de kust, tot het volgende dorp, Cambrils, waar enkele tavernes zijn. Hier dreigt Katleen ermee mij te bedriegen, waarop ik haar een slet noem. Katleen gaat deze belediging uithuilen bij haar ouders, die me daarop de les spellen. Het wordt te gortig en de vakantie wordt een hel. De breuk in het huwelijk is vanaf nu zeker. We zijn net vijf jaar getrouwd en Karen is iets ouder dan vier jaar en een heel leuk kind. Een scheiding of breuk in het huwelijk wil ik Karen niet aandoen. Karen is voor mij de enige reden om samen te blijven met Katleen.

De minachting van Katleen voor alles en in de eerste plaats haar vader, wegens diens beroep, is nu overduidelijk. Door zijn schuld is Katleen *de dochter van een gendarme* en dat is verschrikkelijk voor haar. Onder druk van zijn vrouw en dochter zal vader Van Zandweghe bij de Rijkswacht ontslag nemen en als klerk bij Notaris Hopchet gaan werken. Hij zal onder druk van zijn vrouw verhuizen naar een appartement op de Jan Van Rijswijcklaan 34. Om maar te zeggen hoe hoog moeder en dochter het in de bol hadden. De vakantie eindigde monotoon en gevoelloos. Het enige lichtpunt was Karen, mijn eerste dochter, toen vier jaar oud en een ontzettend leuk kind. De minachting van Katleen is voor mij steeds een raadsel gebleven. Zij had niets in de plaats te bieden.

Niets zou nog hetzelfde zijn en vanaf hier tot het bittere einde in juni 1975 zou het een Calvarieberg worden met als enig soelaas de muziek. Vanaf nu zal Katleen steeds agressiever en vijandiger worden. Door hoogmoed en ijdelheid gedreven, wou ze haar grote gelijk koste wat het koste halen. Ik gaf niet toe aan haar uitspattingen en het werd een zeven jaar durend tweegevecht. Met de jaren werd Katleens gezicht meer en meer expressieloos : vreugde en verdriet, verwondering en gramschap kon je er niet van aflezen. Ze was mooi en intelligent en ze wist het van zichzelf en gebruikte het als wapen. Soms was ze oogverblindend mooi en toch heeft ze het tot niets gebracht. Slechts op late leeftijd kende ze een plotse en kortstondige opflakkering als binnenhuisdecoratrice. Haar hoogtepunt was toen al voorbij.

Gelukkig bracht 1968 muzikaal enkele uitschieters om nooit meer te vergeten. Het jaar begon met *"De macht van het noodlot"* op 13 januari met Jennie Veeninga als Leonora en Ira d'Arès als Preziosilla. Jennie Veeninga is in deze opera beter op haar plaats dan in Lohengrin een jaar voordien.

Nu volgen twee *"Tannhäusers"*. De eerste in de KVO met Marie-Louise Hendrickx als Venus en Jennie Veeninga als Elisabeth, Vercammen zingt nog steeds de titelrol. Jennie Veeninga is een misbezetting als Elisabeth. Ik ben uiteraard bevooroordeeld. Marie-Louise Hendrickx is voor mij de beste Elisabeth aller tijden. In deze voorstelling gaat ze over van Elisabeth naar Venus, net zoals Astrid Varnay twintig jaar voordien. Ook Marie-Louise Hendrickx gaat geleidelijk over van *jugendlich-dramatische* naar *hochdramatische*. Het is ontzettend opwindend om deze overgang mee te maken. Marie-Louise Hendrickx blijft voor mij mijn leven lang één van de boeiendste zangeressen.

De tweede *"Tannhäuser"* was in de Munt met de Bacchanale in een choreografie van Maurice Béjart. Gré Brouwenstijn zong Elisabeth. Venus was een schitterende Isabel Strauss. Als toetje kregen we Paolo Bortoluzzi in de Bacchanale. Wat nu volgt is haast niet te geloven.

Op 27 april 1968 zingt Marie-Louise Hendrickx Salome en ik ben gelukkig aanwezig en het is een festijn. Marie-Louise danst zelf de sluierdans, wat toen nog niet zo vaak voorkwam. In vele gevallen was er een balletdanseres die de sluierdans deed. *"Salome"* was erg populair in Antwerpen. Richard Strauß had het werk in de KVO in 1936 gedirigeerd.

En het is niet gedaan, want we krijgen terug een volledige *"Ring des Nibelungen"* in de KVO, in het Duits, tijdens het Festival van Vlaanderen in de maand mei, dus tijdens de studentenrellen in Parijs. Catarina Ligendza zingt de drie Brünnhildes. Antwerpen krijgt een primeur, zij zou in 1971 deze Brünnhildes in Bayreuth zingen. Net zoals Marie-Louise Hendrickx is zij van *jugendlich* naar *hochdramatisch* geëvolueerd. En we hebben weer eens geluk, Marie-Louise zingt in deze Ring terug Sieglinde en Gutrune, uiteraard in het Duits voor de gelegenheid.

Op 2 juni zie ik een Duitse *"Carmen"* in Düsseldorf onder Rafael Frühbeck de Burgos met de meest ideale Micaëla denkbaar : Judith Beckmann. Zij heeft een lyrische sopraan en is het juiste stemtype voor Micaëla. Judith Beckmann is drieëndertig jaar oud en heeft ook nog de juiste figuur voor de rol. Micaëla is één van mijn favoriete partijen.

Op 26 juli 1968 zingt Astrid Varnay in het Kursaal van Oostende de *"Wesendonck liederen"* en *"Starke Scheite"*. De hoge tonen van *"Starke Scheite"* zijn nog even schitterend als toen ik haar in Bayreuth hoorde in 1960. Het werd één van de veel te zeldzame *Sternstunden*.

Op 3 oktober voert de KVO *"De Vrijschutter"* op, als herdenking van 75 jaar Vlaamse Opera. Op 3 oktober 1893 was het «Nederlandsch Lyrisch Tooneel» geopend met *"De Vrijschutter"*. Het allerbelangrijkste aan deze avond was dat

Agathe door Marie-Louise Hendrickx werd gezongen. Marie-Louise Hendrickx is een ideale Agathe en van hetzelfde kaliber als Elisabeth Grümmer.

In de Arenbergschouwburg zie ik Wim Sonneveld, de beste cabaretier van het Nederlandse taalgebied. De dictie van Wim Sonneveld is goddelijk. Hij heeft een toets vulgariteit, die voor cabaret noodzakelijk is en die Toon Hermans niet had.

Op 14 december 1968 zie ik Marie-Louise Hendrickx voor het eerst als Isolde in de KVO naast de Tristan van Marcel Vercammen en de Brangäne van Ira d'Arès. Martha Mödl en Astrid Varnay zullen eeuwig de twee beste Isoldes van de eeuw blijven, toch is Marie-Louise Hendrickx een prachtige Isolde met een uniek mooi timbre.

Op 27 mei 1968 wordt Frans Janssens, schrijnwerker van beroep, als keukenplaatser aangeworven. De keukendienst neemt een belangrijke uitbreiding onder de leiding van mijn broer Marco, die technisch zeer begaafd is. In de toonzaal wordt de afdeling keukens vernieuwd en belangrijk uitgebreid door «TIELSA», onze belangrijkste keukenmeubelenleverancier. Er staan nu 10 volledige keukens in de toonzaal. In verband met de vernieuwing van de keukenafdeling in onze toonzaal bezoek ik de fabriek in Bad Salzuflen, in het Teutoburger Wald, niet ver van Bielefeld. De fabriek is indrukwekkend belangrijk en de handelsbetrekkingen zijn uitstekend. Op 15 november wordt Robert Broeckx als toonzaalverkoper aangeworven. Het is onze eerste uitgesproken verkoper.

Het jaar 1968 is ook het jaar waarin op de zaak voor het eerst getornd wordt aan de risicopremie. Voordien ontving de installateur op de verkoopprijs aan de particulier een risicopremie van 20 %. De risicopremie was een verkapte commissie op aankopen van de particulier. De installateur kreeg zogezegd een risicopremie voor eventuele fouten die hij in de installatie van de door de particulier aangekochte apparaten zou kunnen maken. Absurd, vermits, wanneer het misliep, het alleen de groothandel was die voor de stommiteiten van de loodgieter mocht opdraaien.

De risicopremie was al eens opgetrokken van 15 naar 20 % in de loop van de jaren vijftig. En daarbij zou het niet blijven. Desco was reeds een tijdje bezig met het optrekken van de risicopremie. In een eerste fase gaf hij 25 % aan trouwe klanten, later aan alle installateurs. Wij konden niet achterblijven. We kozen voor een subtieler systeem. Bij ons bleef de risicopremie op 20 %. Aan trouwe klanten gaven we een bijkomende korting van 5 %. Het was het begin van een kortingenopbod, die eind jaren tachtig zou belanden rond de 40 %.

HOOFDSTUK XXXVI.

Het jaar 1969.

Het jaar 1969 is een jaar van vele gebeurtenissen. Het is het einde van het tijdperk de Gaulle, die als president van de Franse Republiek aftreed. Het jaar 1969 is het jaar van de eerste en laatste bemande landing op de maan en van het eerste supersonische passagiersvliegtuig Concorde. Olivetti lanceert als eerste een design schrijfmachine in rode kleur met de naam *Valentine*. In Woodstock heeft de eerste flowerpower *happening* voor vrede, liefde en begrip plaats en Eddy Merckx wint voor de eerste keer de Tour de France.

Stijn Streuvels, monument van de Vlaamse literatuur, overlijdt op 97 jarige leeftijd. In Nederland ontstaat een emancipatiebeweging die zichzelf *Dolle mina* noemt en de onafhankelijkheid van de vrouw eist. De slogan ervan is *baas in eigen buik*, simplistischer kon het niet, idioter ook niet : in hun buik waren ze al baas sinds de uitvinding van *de pil* in 1964. Jef Geeraerts schrijft *Gangreen*, een pornografische en racistische roman, waarin hij zijn seksuele escapades met zwarte vrouwen vertelt. Dit is gefundenes Fressen voor Katleen, die de roman verslindt.

Eric Van Zandweghe heeft in de Mozartstraat 7 een oud herenhuis anno 1890 gehuurd. Katleen is wild enthousiast en wil ook in een oud herenhuis wonen. Het huis in de Mozartstraat is zeer groot en Eric bewoont alleen het gelijkvloers. Twee verdiepingen staan leeg.

Vanaf begin 1969 begon Katleen aan een reeks pogingen om het huwelijk te redden. De eerste poging volgt nu. Zij tracht me te overtuigen om de twee verdiepingen in de Mozartstraat te bewonen en de huur van het huis te delen met Eric. Katleen doet uitschijnen dat dit onze relatie zal redden. In het redden van de relatie geloof ik niet, maar uit berekening laat ik me door Katleen overhalen. Ik geef haar niet de kans om mij later iets te verwijten. Zij zal alle kansen gekregen hebben om zichzelf te bewijzen. Ik laat haar vrij handelen. Op die manier is ze bezig voor een lange tijd, vermits in het huis alles geschilderd en ingericht moet worden. Zodoende heb ik ook even een rustpauze en kan ik me concentreren op mijn werk.

Katleen wil ook onze meubelen verkopen en een ander soort meubelen in de plaats aankopen. Ook hierin laat ik haar volledig vrij. Het interesseert me eigenlijk niet en Katleen is expert in dit soort aangelegenheden. Onze onderbuur op de Turnhoutsebaan 239 gaat in afzienbare tijd trouwen en Katleen, op dat gebied van onschatbare waarde, weet onze meubelen aan hem te verkopen : salon, eetkamer, dressoir, bahut en slaapkamer, alles wordt er doorgedraaid.

Katleen kan met het geld van de opbrengst, ook daarin is zij een meester, andere meubelen kopen. Daarvoor loopt Katleen met groot succes alle brocanteurs van Antwerpen en Knokke af, inclusief Leger des Heils, Spullenhulp en Hulp in Nood. Katleen is in haar element, zeer nuttig en heeft veel smaak. Ze koopt tafels, stoelen, kleerkasten, bijzettafels, schemerlampen, zetels, een volledige inboedel, inclusief een zeer mooie neorenaissancebibliotheek en een art deco schemerlamp. Wat ze heeft moet je haar laten.

Katleen eist veel aandacht op. Er is veel veranderd het voorbije jaar. Tussen 1969 en 1974, gedurende zes jaar, valt mijn operabezoek stil, met drie uitzonderingen, twee *"Tristans"* en één *"Walküre"*. Beide *"Tristans"* in de KVO waren in het Duits, de eerste op 6 maart 1969 was met Astrid Varnay in één van haar laatste Isoldes, de tweede op 7 december 1969 met Marie-Louise Hendrickx in het begin van haar Isoldecarrière. Beide zangeressen, totaal verschillend in hun interpretatie van de rol, zijn even boeiend om te beleven.

In het jaar 1969 koopt mijn vader een nieuwe auto Rover bij Beherman-Demoen. Het is zijn eerste auto met een automatische versnellingsbak, toen nog een vrij uitzonderlijk verschijnsel.

In deze periode koopt Supersanit een bouwgrond langs de autosnelweg Brussel-Namen, onmiddellijk na de afrit Bierges. Het duurt niet lang of er wordt een handelsgebouw met een grote stockeerhal en kantoren op gebouwd. Er wordt zelfs een toonzaal, die nooit gebruikt zal worden, voorzien. Hier zullen gedurende een lange tijd alle vergaderingen plaatsvinden.

De zaak groeide gestaag en barste uit zijn voegen. De huizen Helmstraat 10, 12 en 14 had mijn vader gekocht respectievelijk in 1951, 1956 en 1967. Nu werd de mogelijkheid geboden om de huizen Helmstraat 16 en 18 te kopen. Beide huizen werden bewoond door Van Cauteren, een blinde, voorzitter van de Nationale Blindenraad. Helmstraat 16 werd door mijn vader op 27 juni 1969 gekocht en Helmstraat 18 op 28 november 1969. Onmiddellijk daarna maakt mijn vader plannen om de huizen 14, 16 en 18 af te breken en in de plaats nieuwe handelsgebouwen op te trekken. De nieuwe gebouwen zouden inrit, parking, loskade en stockeerruimten omvatten. Het is de grootste uitbreiding van de zaak, ingegeven door de stijgende resultaten en de toename van de omzet.

Mijn vader neemt contact met architect René Bossaerts, dezelfde architect als voor de voorgaande verbouwingen. Toen Bossaerts de plans had getekend, riep mijn vader een familieraad samen, zoals hij steeds deed wanneer belangrijke beslissingen genomen moesten worden. Na enkele dagen had mijn vader op de bouwplans een kapitale fout van de architect opgemerkt : de hoogte van de inritten liet het binnenrijden van hoge vrachtwagens niet toe. Bossaerts had daar geen rekening mee gehouden en alleen het esthetische aspect, dezelfde hoogte als het bestaande gebouw Helmstraat 12, in acht genomen. Voor een architect niet direct een opsteker. René Bossaerts was geen groot architect, vooral pronkzuchtig.

Dat mijn vader de zware fout van architect Bossaerts had opgemerkt vond ik schitterend. Ik had een schuldgevoel dat ik deze fout niet had gezien.

In dezelfde periode werden de huizen die hoek vormden met de Helmstraat en de Turnhoutsebaan door de gemeente onteigend en afgebroken, om er een appartementencomplex met zeven verdiepingen en een grote winkelruimte op het gelijkvloers op te trekken. Mijn vader heeft getracht de gronden van de gemeente te kopen, maar het was zo goed als onmogelijk. De eigenaars van de onteigende huizen hadden een voorkeurrecht op de aankoop van de gronden van de gemeente. Eén van de eigenaars van de afgebroken huizen was Jules Roodhooft. Hij bezat een porseleinwinkel op de plaats waar het nieuwe gebouw zou komen. Er was ook nog een sigarettenwinkel en een kolenkot op deze plaats. Jules Roodhooft was bekrompen maar niet dom en had de grond van de hoek van de gemeente gekocht.

Mijn vader nam contact met Jules Roodhooft, om het handelsgelijkvloers van het op te richten complex te huren. Jules Roodhooft was een rancuneus mannetje met Hitlersnorretje en zwarte hoed, die het mijn vader nooit zou vergeven dat hij getracht had de gronden te kopen. Mijn vader heeft me herhaalde malen verteld hoe moeilijk het was met die man te onderhandelen. Hij sprak over de onvoorstelbare botheid van het individu, een kleinburgerlijk porseleinwinkeluitbatertje. Mijn vader, meesterlijk diplomaat, heeft het zover kunnen brengen dat Jules Roodhooft de winkel aan hem wou verhuren. De onderhandelingen sleepten maanden aan en de huurprijs was fenomenaal hoog.

De periode 1969-1970 was voor mijn vader bijzonder stresserend. De aankoop van de huizen 16 en 18, de afbraak ervan, de oprichting van het gebouwencomplex Helmstraat 14, 16 en 18 en de onderhandelingen over de huur van het handelspand Turnhoutsebaan 63 kwamen samen in een stroomversnelling.

Het jaar 1969 is het jaar dat de verschillende procedures van afhandelingen met bouwondernemingen intensief uitgebreid worden. Met de bouwbedrijven Dillen, Floré, Ilegems, Somers, Van Camp-Rijmenans, Wooncentrale, Cogghe en nog vele anderen worden bijzondere overeenkomsten afgesloten. Het zijn stuk voor stuk uitermate ingewikkelde procedures van aankoop van vaste samenstellingen van badkamers voor appartementen waarop de particulier eventueel, mits opleg, wijzigingen kan aanbrengen. We komen terecht in een labyrint van wijzigingen en toevoegingen waarvan de uitweg nooit zal gevonden worden.

Uiteraard had mijn vader met de procedures de beste bedoelingen. Hij trok er een zeer uitgebreide clientèle mee aan. We waren minstens voor tien jaar zoet met de uitvoering van de procedures. Eigenlijk was er maar één nadeel aan de procedures : de loodzware administratie die extreem hoge personeelskosten met zich meebracht.

Klanten en personeel kwamen om de haverklap aan mijn vader, door zijn enorme ervaring op sanitair gebied, de meest uiteenlopende vragen stellen. Sommige dagen kwam de ene klant na de andere met de meest onzinnige vragen over mineure problemen. Mijn vader moest dan iedere keer een zinnig antwoord weten te vinden. Na zo'n dag zei hij *vandaag was het vragen en antwoorden.* Dit was een kenmerkende uitspraak die exact zei waarover het ging. Mijn vader zei weinig maar wat hij zei was kernachtig.

Het gebeurde dat ik tijdens gesprekken over zaken met mijn vader ingewikkelde en ver gezochte woorden gebruikte. Mijn vader wees mij terecht met de opmerking " Gebruik niet te veel stadhuiswoorden. ". En mijn vader had altijd gelijk, ik gebruikte veel te veel weinig gebruikelijke woorden.

Einde 1968, begin 1969 begint Katleen elitaire trekjes te vertonen. Ze begint de verlovingsring van haar moeder te dragen. De ring had de initialen JC van Julia Cattoor als enig motief. De moederbinding was sterk bij Katleen. Julia Cattoor was de dochter van de dorpsslijter in Moerkerke. Zij was, volgens Katleen, onder haar stand getrouwd met een boerenzoon. Het misprijzen van haar vader was bij Katleen een obsessie.

Op 5 januari 1969 kopen we twee Perzische tapijten bij Van Caster, een *Kelijai* en een *Shiraz.* Kort daarop, op 21 januari koop ik een tweedehands MGB, bouwjaar 1963, met 80.000 km op de teller, voor 40.000 frank. Vermits het tellersysteem slechts vijf cijfers heeft, maakt mijn vader de terechte opmerking *als dat maar geen 180.000 km zijn.* Het vehikel reed nog goed, om de 500 km moest je er een halve liter olie bijgieten. Maar we konden nu met onze eigen automobiel décapotable rijden en Katleen was gelukkig, althans voorlopig, want haar verlangens zouden met de tijd sterk toenemen.

Alle aandacht wordt nu op de inrichting van de Mozartstraat 7 geconcentreerd. De verhuizing heeft plaats op 5 augustus 1969. Bij deze gelegenheid koop ik nieuwe huishoudapparaten, vijf in totaal : een gasfornuis, een wasmachine, een linnendroogkast, een vaatwasmachine en een koelkast. Ik dacht Katleen hiermede een plezier te doen, maar dat is allemaal *"niets"*, haar stopwoord . Waarvan akte. Wat Katleen in de plaats brengt is minder dan niets.

Door de constante groei van de zaak was er meer werk en moest personeel aangeworven worden. In de loop van 1969 worden drie bedienden en één verkoper aangeworven. Wim De Ridder, als inkoopbediende, op 1 april, Jan Pinxten, als algemeen administratief bediende op 1 september, Eric De Bock, als verkoper, op 1 november en Ludo Dujardin, als administratief bediende, eveneens op 1 november. Een teken aan de wand is dat op drie administratieve bedienden slechts één verkoper aangeworven wordt.

Jan Pinxten en Eric De Bock zullen uitgroeien tot kaderleden, de eerste als hoofd van de informatica, de tweede als chef toonzaal. Jan Pinxten groeide, in de afdeling boekhouding, geleidelijk van gewoon bediende tot specialist in de automatisering, eerst in de facturatie, later in alle boekhoudkundige verwerkingen, en uiteindelijk tot programmeur van de diverse computersystemen. Hij zou begin jaren tachtig de boekhoudster Gerousse overbodig maken. Eric De Bock werd snel de beste verkoper, overklaste de chef verkoper Robert Broeckx en werd zelf de chef verkoper en later hoofd van de toonzaal. Hij kende groeiende verkoopresultaten en werd de diplomaat van dienst voor zware gevallen. Eric De Bock was een van de steunpilaren van de zaak en in verschillende moeilijke situaties bleef ik steeds achter hem staan.

Alles komt in een stroomversnelling. Kort na de verhuizing naar de Mozartstraat op 5 augustus 1969, wordt Karen op 1 september in de Steinerschool op de Charlottalei ingeschreven. Katleen, die nu definitief op de elitaire toer is, heeft van een vriend van Stefan Van Zandweghe, Wim Lagrillière, gehoord, dat dit het je van het is. De Rudolf Steinerpedagogiek is een anti-autoritaire opvoeding en, vooral, artistiek. Want Katleen is nu plotseling zeer artistiek geworden. En, vooral, de zoon van Wannes Van de Velde gaat ook naar de Steinerschool. Katleen krijgt enorme streken en koopt modemerkkleding voor Karen bij David & Leslie, een kinderboutique voor snobs in de Jezusstraat. Karen is als vijfjarige een heel leuk kind ondanks het ridicule gedrag van Katleen.

Katleen wil nu plots koste wat het kost een tweede kind. Dit is de tweede poging om het huwelijk te redden. Ze wil echter geen zwangerschap, daardoor takelt haar lichaam te veel af. Het tweede kind moet een broertje voor Karen zijn en even oud. Er is dan ook maar één oplossing en die is adoptie. Het is grote mode om Aziatische kinderen uit Vietnam of Korea te adopteren. Katleen begint nu aan een strategie om mij voor zulke operatie te winnen, want ze heeft mij wel nodig : adoptie kan alleen door een echtpaar. Ik ben uitgesproken tegen adoptie, maar wil wel een tweede eigen kind. In geen geval wil Katleen daarvan weten en zij begint mij nu op alle mogelijke manieren te bewerken. Katleen verkondigt dat het de enige manier is om het huwelijk te redden. Ze gebruikt alle middelen, inclusief haar lichaam, om me te doen zwichten. Uiteindelijk geef ik toe, hoewel mijn ouders ook tegen adoptie zijn.

Zoals steeds is mijn vader schitterend en het enige wat hij erop te zeggen heeft is *denk aan later*, ermee bedoelende de erfenis van Karen. Hieromtrent informeer ik me en er blijken twee soorten van adoptie te bestaan, een gewone en een adoptie met homologatie. Bij de gewone adoptie valt de geadopteerde buiten de erfenisrechten. In het tweede geval staat hij gelijk met de eigen kinderen. Ik heb voldoende bewegingsruimte om te kiezen. Katleen onderzoekt alle mogelijkheden van adoptie en belandt uiteindelijk bij *Terre des Hommes*, een caritatieve instelling die weeskinderen uit Vietnam en Korea aan adoptiefouders helpt. De kosten voor het ganse gedoe belopen 35.000 frank en moet ik zelf alleen dragen. Om deze kosten te betalen verkoop ik mijn postzegelverzameling België op een veiling. Danzig en Beieren verkoop ik niet. De verzameling België was een verzameling prentjes terwijl mijn verzameling Danzig en Beieren echte filatelie was met echt gelopen stukken tijdens historische periodes, die afgesloten waren, Beieren in 1920 en Danzig in 1939. Beide gebieden zou ik gans mijn leven blijven uitbreiden.

Vanaf de vestiging in de Mozartstraat krijgt Eric Van Zandweghe, vermits hij in hetzelfde huis woont, een grote invloed op Katleen. Eric Van Zandweghe is een opgeblazen kikker die graag het hoge woord voert. Hij zit in de reclamesector en is een titeljager. Hij werkt op een reclamebureau in Brussel en noemt zichzelf afwisselend *advertising manager, account executive en accountdirector* of iets dergelijks, als het maar Engels is en goed klinkt.

Eric Van Zandweghe is het soort man die talent heeft maar het nooit efficiënt gebruikt. Arrogantie heeft hij voor tien. Dat heeft Katleen ook, alleen Stefan Van Zandweghe heeft het niet, heeft het ook niet nodig, hij is intelligent.

Het is de periode van kennismaking met Marcel Verschaeren, een letterzetter, bevriend met Eric, en ook in de reclamesector actief. Kennismaking eveneens met Hugo De Kempeneer, een cartoonist, gekend als Hugoké. Het wereldje van de reclame viert hoogtij : *C'est bon ton.* Katleen is in haar nopjes, ze wordt geëntoureerd door artistieke mensen. In het vooruitzicht van de uitbreiding van de zaak, laat ik twee maatpakken maken bij Dicky in de Sint-Gummarusstraat : een Prince de Galles en een zwart ribfluwelen pak.

HOOFDSTUK XXXVII.

Het jaar 1970. De opening van de derde toonzaal.

In het jaar 1970 zie ik geen enkele opera. Het is voor mij een uitermate druk jaar door de opening van de nieuwe toonzaal, de daarmede gepaard gaande grotere verantwoordelijkheid en extra werk, de adoptie van een kind en allerlei familiale omstandigheden te danken aan Katleen.

Het jaar 1970 is een jaar van grote veranderingen. Charles de Gaulle gaat op 9 november 1970 in de geschiedenis. Het jaar 1970 is het jaar van de modevervlakking en van de uniseks-mode. Het jaar 1970 is het jaar van de eerste verschijnselen van permissiviteit en tolerantie die de westerse maatschappij op z'n kop zullen zetten. Door de permissiviteit zal niets meer onder controle kunnen gehouden worden. In september 1970 wordt het Ballet van Vlaanderen, ontstaan uit het Ballet van de KVO, door Jeanne Brabants opgericht.

Op 2 februari 1970 beslissen we om een Koreaans weeskind uit een weeshuis in Seoul te adopteren. Na een reeks omslachtige formaliteiten en betaling van de reiskosten komt Sung Ho Lee in Zaventem op 15 mei 1970 met een KLM-vlucht Seoul-Brussel aan. Bij de eerste ontmoeting op de luchthaven is Katleen ontroerd, tot tranen toe bewogen, een emotie die zij uiterst zelden toont en die enkele jaren later vals zal blijken te zijn, zoals heel haar personage.
Sung Ho Lee, een heel open kind, spreekt alleen Koreaans en vertelt urenlang, dagenlang, lange verhalen in het Koreaans. Aan de intonatie kan je horen dat Vasco, dit is de naam die we hem geven, veel heeft beleefd. Vasco verblijft samen met Katleen gedurende drie dagen in het Instituut voor Tropische Geneeskunde Leopold II om allerlei onderzoeken, door de wet voorgeschreven, te laten uitvoeren.

Na de onderzoeken blijkt dat Vasco kerngezond is. Een procedure tot adoptie wordt door bemiddeling van *Terre des Hommes* op gang gebracht. Alles verloopt prima, alleszins het eerste jaar. Karen en Vasco spelen nu als broer en zus met elkaar, alleszins de eerstvolgende jaren, tot aan de puberteit. Beiden zijn nu bijna even oud. Vasco gaat ook naar de Steinerschool. Hij is naar schatting zes jaar oud, zijn exacte geboortedatum is niet gekend, hij is een vondeling.

Het gebouw Turnhoutsebaan 63 is thans, begin 1970, in de eindfase van afwerking. Mijn vader heeft eindelijk een huurcontract voor het gelijkvloers met Jules Roodhooft kunnen afsluiten. De huur van het handelsgelijkvloers zal op 1 juli ingaan. Zeer vlug zal blijken hoe belangrijk deze toonzaal voor de zaak zal zijn. Mijn vader gelast me met de inrichting van de nieuwe toonzaal. Samen met mijn vader beslissen we dat dit project te groot is om zelf uit te voeren. We zoeken een architect en mijn vader brengt me in contact met architect Leon Fux, een jood en goede klant van de zaak. Deze Leon Fux bracht vele klanten, meestal joods, aan. Het waren moeilijke klanten maar goede klanten en correcte klanten. Leon Fux aarzelt geen seconde en beveelt me Claire Bataille aan.

Claire Bataille is een beginnende interieurarchitecte en zal later uitgroeien tot één van België's toonaangevende architecten. Ik neem contact op met Claire Bataille en zij is geïnteresseerd in het project. Er volgen een reeks besprekingen, Claire Bataille maakt een grondplan op en ik geef mijn akkoord met haar voorstel. De conceptie van Bataille bestaat uit de verdeling van de ruimte in driehoeken. Zij verbindt de standen met houtwerk, gyprocplaten en melamineplaten. Een deel van de standen wordt betegeld, een deel is in formicaplaten. Bataille kiest de tegels en vertrekt met vakantie.

Op haar aanraden onderhandel ik over de levering van de tegels met Vilvordit in Vilvoorde. Het blijkt dat drie van de zestien door Bataille gekozen tegels uit productie werden genomen. De drie tegels behoren tot het merk CEDIT en ik heb het gevoel dat Vilvordit dit merk liever niet verkoopt. De tijd om een andere leverancier te zoeken heb ik niet, te meer omdat de bouwvakantie is begonnen en mijn vader een huurprijs betaald. Ik sta voor een dilemma. Ik neem de verantwoordelijkheid om de drie zogezegd uit productie genomen tegels door soortgelijke in gelijke afmetingen te vervangen. De meerderheid der tegels is wit, trouwens heel de toonzaal is voor 80 % wit, plafond en vast tapijt tussen de standen zijn donkerbruin.

Alles moet nu snel gaan, de opening van de toonzaal wordt gepland in september en intussen loopt een huurprijs van 39.000 frank per maand. De werken, uitgevoerd door het bouwbedrijf Ibens, lopen vertraging op. Mijn vader, begrijpelijkerwijze ongeduldig, betaalt iedere maand de huurprijs. Katleen wordt met de dag veeleisender, steun heb ik van haar hoegenaamd niet, in tegendeel. Zij ziet alleen zichzelf.

Begin maart 1970, tijdens de toonzaalbeslommeringen, zetten we een nieuwe boekhoudmachine, de Olivetti P 203, in bedrijf, die de vorige, Mercator, op termijn moet vervangen. Deze boekhoudmachine is geavanceerder, werkt sneller en kan meer.

Gerousse maakt gebruik, het woord misbruik is hier gepaster, van de introductie van de nieuwe boekhoudmachine om de "dienst" boekhouding nog meer te isoleren van de rest van de firma. Het is gebruikelijk om op de diverse nota's die binnen het bedrijf circuleren de initialen van de uitgiftepersoon te vermelden. Mijn vader is LC, mijn broer Marco is MC en Gerousse is CG. Vanaf deze periode noteert Gerousse op haar nota's niet meer CG maar wel C. Gerousse. Geleidelijk begint Gerousse een staat in de staat te creëren. Eigenlijk had mijn vader Gerousse beter op dit ogenblik buitengesmeten. Het zou ons niet zo veel gekost hebben, ze was nog niet zo lang in dienst en was goedkoop te vervangen.

In dit gezegende jaar 1970 gebeurt veel. Ik neem een reeks nieuwe producten in het gamma op. Met de opening van de nieuwe toonzaal moet ik met nieuwe en speciale artikelen komen. Ik had de voorgaande jaren op de beurs in Frankfort enkele vernieuwende producten gevonden. De belangrijkste vernieuwing was een badkamer in plexiglas van «RÖHM», een Duits fabrikant, voorheen gekend als «RÖHM + HAAS» uit Darmstadt. De vormgeving was revolutionair en de kleuren waren dat niet minder. Wastafel en badkuip, tweekleurig, boven oranje en onder bordeauxrood.

Verder waren er enkele minder revolutionaire vernieuwingen, zoals wastafels in geëmailleerd staal, douchecabines in felle kleuren en Italiaanse accessoires in kristal en kunststof. Nieuw en niet gezien waren de douchedeuren in accordeonvorm *Showerfold* van soepele kunststof, hetzelfde materiaal waarin de voedingsdozen *Tupperware* gemaakt werden. Vernieuwing was er ook op kraanwerkgebied. De eerste thermostaatmengkranen van Friedrich Grohe en de eerste eengreepsmengkranen van «MOEN» werden in de nieuwe toonzaal aangeboden. De wastafelonderbouwkast doet zijn intrede. Het is de eerste keer dat een badkamermeubel gepresenteerd wordt. De inrichting van de nieuwe toonzaal neemt veel tijd in beslag : alles moet perfect zijn. Het geeft me extra werk. Het is werk dat ik graag doe. De steun van Katleen is nul komma nul.

Door de opening van de nieuwe toonzaal heb ik de gelegenheid om de lay-out van de firma te vernieuwen. Voor de uitnodigingen van de opening moet ik met iets nieuw voor de dag komen. We zaten nog steeds met de donkerblauwe druk op lichtblauw papier. Het is de eerste keer dat Eric Van Zandweghe mij van enig nut is. Hij beveelt mij het lettertype *Clarendon* aan. Ik ben gewonnen voor zijn ideeën en hij maakt een uitstekend ontwerp van briefhoofd met de naam

cassiers

zonder hoofdletter in Clarendon. In een tweede fase ontwerpt hij onze slogan

Eigenlijk verpakken wij water.

in het lettertype *Times New Roman*. Deze lay-out zal ik gedurende dertig jaar consequent doorvoeren op alles wat met de firma te maken heeft : vrachtwagens, drukwerk, verpakkingsmateriaal, kleefbanden, reclamefolders, reclameborden, relatiegeschenken, dubbele meters, agenda's, asbakken, etc. Op het briefhoofd komt ook nog een ondertiteling : "Het fijnste sanitair. De mooiste keukens."

De vrachtwagens van de zaak zijn voortaan donkerbruin, de nieuwe firmakleur, met witte belettering. De naam **"cassiers"** in Clarendon is over de volledige lengte van de cabine, in die tijd revolutionair. Dit zal later door Desco gekopieerd worden.

Op 22 oktober 1970 wordt de nieuwe toonzaal feestelijk geopend met twee grote recepties, één voor de klanten en één voor de leveranciers, leden van Supersanit, familie, vrienden en collega's. Het was een evenement, waarover eenieder in de sanitaire wereld over gans België sprak. Na de toonzaal van Prist, die aanzien werd als de eerste moderne toonzaal van België, was de toonzaal van Cassiers de meest speciale en meest innoverende, beide in Antwerpen gevestigd. Het speciale was in hoofdzaak dat wit overheerste. Voordien was er in de toonzalen veel kleur. Kleur van het porselein bleef nog lang nazinderen, maar de toon was aangegeven, in de toekomst zou wit overheersen. Het was de aanvang van een nieuwe conceptie op het gebied van tentoonstelling van sanitaire apparaten door de groothandel. Onze toonzaal kreeg vele navolgingen, niet in het minst door Facq, die op dat ogenblik op toonzaalgebied nog niet was geëvolueerd, en die in een later stadium toonaangevend voor gans België zou worden.

Het is de beginperiode van Italiaans design in alles en nog wat : schemerlampen, meubelen, stoelen, tafels, etc… Claire Bataille wil in de toonzaal zo veel mogelijk design. De zwaarste stukken zijn drie zetels van Marcel Breuer uit het interbellum in verchroomd buizenstel met wit linnen zit en leuning. Mijn vader is tegenstander van wit linnen. Ik druk het er toch door, maar zal hem enkele jaren later gelijk moeten geven wanneer het witte linnen smerig en vuil is geworden en ik het door zwart leder zal moeten vervangen.

Een omslachtige onderneming is de verlichting van de toonzaal. Ik ben er weken mee bezig en vind uiteindelijk een toen zeer nieuwe plafondverlichting met spotlampen gemonteerd op een rail. Ik combineer de spotlampen met kopspiegellampen met een reflector. Het geheel geeft een warm effect maar kost een fortuin aan elektriciteitsverbruik. Het was moeilijk om mijn vader te overtuigen van de vrij hoge extra kosten van verlichting.

Katleen is verblind, niet door de toonzaalverlichting, en stink jaloers door mijn relatie met Claire Bataille en vraagt mij of ik haar wil voorstellen. De gelegenheid doet zich toevallig voor in een Grieks restaurant "*De twee Atheners*", waar ik met Katleen zit te dineren en waar toevallig ook Bataille met haar vader aan een tafel zitten. Ik wil Bataille niet storen maar zij komt mij zelf begroeten en ik stel Katleen aan haar voor. Bataille ziet Katleen zelf niet staan en praat met mij verder over haar werk en mijn werk. Het contact dat ik had met Claire Bataille was zeer goed. Zij bracht vele klanten aan. Katleen wordt door mijn familie niet geaccepteerd, vooral niet door mijn moeder en Alex, en blijkbaar ook niet door Claire Bataille. Katleen wordt meer en meer *fake*. Geleidelijk is een verergering in hautain, instabiel gedrag, belastend voor mijn activiteit, te bespeuren.

De definitieve doorbraak naar leugen en bedrog doet zich in 1970 voor. Liefde is blind en ik zie niet dat Katleen een kreng geworden is. Naar eigen zeggen is Katleen bovendien frigide. Haar frigiditeit komt voort uit het feit dat ze zich niet kan geven. Katleen zit gekneld, is geremd en geconstipeerd. Doordat Katleen zich niet kan overgeven, is seks bij haar louter technisch en heeft ze zelden een orgasme en dan slechts met de grootste moeite. De schuld geeft ze aan mij, ik ben geen goede minnaar, er niet over nadenkend of zij wel een goede minnares is. Katleen heeft nooit een echt hoogtepunt en begint daardoor frenetiek te masturberen.

Samen met de opening van de nieuwe toonzaal wordt de afdeling keukens uitgebreid. Mijn broer Marco houdt zich intensief bezig met de keukenafdeling en tekent zelf de plans. De keukens worden geplaatst verkocht en de installatie gebeurt door een plaatsersploeg, bestaande uit Frans Janssens en een helper. Later werd de keukenafdeling zo belangrijk dat een tweede plaatsersploeg werd aangeworven. Voorlopig doet het huis Helmstraat 18 dienst als houtopslagplaats.

Bovendien huurde mijn vader het hoekhuis Helmstraat 11, een leegstaand café, eigendom van Brouwerij Moortgat, recht tegenover de zaak. De huizen Helmstraat 11, 16 en 18 deden voorlopig dienst als noodopslagplaats voor keukenmeubelen, in afwachting van de verbouwingswerken. Tevens huurde mijn vader een garage op het Laar, eveneens als noodopslagplaats voor keukenmeubelen. Alle stockeerruimten barstten uit hun voegen en op dat ogenblik kwam er één van de schitterende uitspraken van mijn vader *"Je kunt er je pet zelfs niet meer leggen"*.

In deze periode, eind 1970, kopen we ons eerste televisietoestel, een Grundig in een witte kast op een verchroomde voet in de vorm van een wijnglasvoet. Voorheen keken we geen televisie. Met de komst van kleurentelevisie beslisten we een toestel te kopen.

Op 1 november 1970 opende Theo Bogers zijn nieuwe toonzaal aan de Helmstraat 1, de andere hoek met de Turnhoutsebaan, recht tegenover onze toonzaal. Bogers was van beroep een behanger die ook vast tapijt verkocht. In zijn nieuwe toonzaal lag de nadruk vooral op vast tapijt. Zijn dochter noemde hij Marina naar een liedje van Rocco Granata, dat toen in de mode was.

Op 5 november 1970 kocht ik een VW Kever cabriolet 1302 in wit met een zwarte kap. De MGB verkocht ik aan Marcel Verschaeren. Ik had Marcel Verschaeren gewaarschuwd dat het vehikel motorolie verslond naar rata van een halve liter per 500 km en dat een oliepijlcontrole minstens om de 500 km absoluut noodzakelijk was. In de kofferruimte had ik steeds een karton van zes literblikken *Lionoil*, de motorolie van Gust Vanheste. Marcel Verschaeren reed met zijn MGB naar Marseille zonder oliepijlcontrole onderweg, kwam er zonder olie aan, maar ook zonder motor. Hij liet het vehikel aldaar achter.

In 1970 wijzig ik mijn vestimentair gedrag drastisch. Het is het jaar van de grote veranderingen. Ik begin hemden *button down* te dragen, eerst van het merk *Arrow*, die ik bij Paul Dierckx koop. Ik koop mijn eerste regenjas Burberry bij Dicky in de Sint-Gummarusstraat. In het najaar bezoeken we Londen, een stad die me niet aantrekt. Ik profiteer ervan om Van Dyck in de National Gallery te bewonderen en een bezoek aan het British Museum te brengen. We vliegen vanuit Deurne naar London City met een propellertoestel. Heel even is de grote liefde van Katleen terug en lijkt het alsof ze zich wil geven, maar het lukt slechts gedeeltelijk en het duurt nooit lang bij Katleen. De Londense hotelkamer helpt amper. Hoeveel moeite we beiden ook doen om de relatie te redden, het is een flop.

Terug in Antwerpen, vanaf eind 1970, zal Katleen haar houding verstarren. Katleen staat onder sterke invloed van haar broer Eric, de snoever, die met een oude tweedehandse Rover rijdt. Eric Van Zandweghe bestaat uit bluf en opscheppen. Hij zweemt met Katmandoe, het hippieparadijs, een typisch modeverschijnsel van eind jaren zestig : *Dáár moet je zijn, dáár gebeurt het!* Katleen doet mee met alle modeverschijnselen en ontdekt haar nieuwe rol van courtisane.

Katleen is nu losgeweekt van mij en volledig onafhankelijk dank zij mei 68. Zij zoekt nu luxe in allerlei details tot *After Eight* chocoladetabletjes toe : een typisch KVZ-product. Sherry-consumptie hoort daar ook bij. Katleen is een *poule de luxe* geworden, een helleveeg. Katleen wordt boosaardig en is niet meer grappig. Ze is niet openhartig en begint te intrigeren. Zij is ogenschijnlijk boeiend of wil het zijn. Ik ben naïef, een open boek, zij is gevoelloos en immoreel. Katleen gooit alles wat ze niet gebruiken kan in de prullenmand. Katleen zegt tegen me dat voor haar één enkele man voor gans het leven te weinig is. Ze wil minstens drie of vier mannen in haar leven hebben, ze wil diversiteit. Ik weet waaraan me te houden. Ze is ten minste oprecht op dat gebied.

Katleen bezit alle kenmerken van een Streber. In deze periode ontdekt ze haar mogelijkheden om te verleiden. Met de medeplichtigheid van haar moeder, Julia Cattoor, die als babysitter fungeert, zal zij de vrije hand hebben om mij te bedriegen. De moeder speelt hierin een vuile rol, een vals spel. Katleen kondigt ook haar bedrog aan en zegt letterlijk : *Ik ga je bedriegen.* Ik weet niet wat te doen met deze zogezegde oprechtheid. Ik weet zelfs niet waar Katleen heen wil met dit soort van uitdagingen.

226

Eén van Katleens specialiteiten is het Marilyn Monroe-pruilmondje. Ze gaat nu voluit in attitudes en aanstellerij. Door haar poses creëert Katleen een nieuw personage. Hiervoor schminkt ze zich heel zwaar, vooral de oogcontouren. Ze is gemaakt, egoïstisch, egocentrisch, eerzuchtig, intrigante, uitdagend en arriviste. Hierdoor wordt Katleen langzaamaan instabiel en hysterisch. Katleen verslindt magazines van het genre Cosmopolitan, Vogue en Casa. Katleen luistert naar Nina Simone en Diana Ross en draagt enkele maanden een pruik. Deze gevoelswereld die ze heeft gecreëerd leidt haar enkele jaren later naar nymfomanie, waaruit ze slechts moeilijk zal loskomen.

Eén van haar stokpaardjes is speciaal willen zijn, Engels uitgesproken: *"special"*. Ze wil vooral *"good looking"* zijn. Alles wordt Engels. Ze heeft ambitie maar karakter voor geen cent. Ze wuift ieder argument weg met haar stopwoord *"dat is niets"*. Wat ze niet kan gebruiken gooit ze in de prullenmand. Katleen is poseuse en alumeuse.

Via de Steinerschool zoekt Katleen contact met ouders van klasgenootjes van Karen. Katleen gaat helemaal op in het alternatieve gedoe in zijn prille kinderschoentjes. Katleen heeft meteen een grote vis gevangen : Raphaël Ghislain. Raphaël Ghislain is een academisch kunstenaar, tekent bloemen en planten voor kalenders en plantenencyclopedieën van De Belder, conservator van het Arboretum in Kalmthout. Dit is het typische Steinerwereldje waar Katleen alleen maar van dromen kan. Raphaël Ghislain heeft drie zonen, David, Christophe en Olivier, op de Steinerschool en nodigt ons uit op een muziekavond bij hem thuis in Kapellenbos.

We worden er ontvangen op een glas wijn en Schubert. Raphaël Ghislain heeft een uitstekende opname van de strijkkwartetten van Schubert op het merk VOX. De uitvoering bevalt me dermate dat ik me verschillende strijkkwartetten van Schubert en Haydn op VOX aanschaf. Raphaël Ghislain tekent uitzonderlijk goed. In een vorig leven had hij meegewerkt aan een encyclopedie, had er duizenden tekeningen voor gemaakt en was er bijna gek van geworden. Hij maakte nu tekeningen van bloemen en planten voor De Belder, gereproduceerd door Photogravure De Schutter.

Via Raphaël Ghislain worden we uitgenodigd op een zomeravondtuinfeest in het Arboretum bij De Belder in Kalmthout. We ontmoeten aldaar het voltallige alternatieve wereldje. Katleen is in de wolken en lijkt eventjes gelukkig. Maar dat duurt bij Katleen nooit lang. Het overvolle jaar 1970 loopt ten einde zonder één enkel operabezoek.

HOOFDSTUK XXXVIII.

Het jaar 1971.

Ook het jaar 1971 zal zonder één enkel operabezoek verlopen. Op 1 januari 1971 wordt in België de BTW, de belasting op de toegevoegde waarde, als vervanging van de bestaande omzetbelasting, ingevoerd. Boekhoudkundig is het een kleine omwenteling, vermits het oude systeem van opeenvolgende taksen van 7 %, 7 ‰ of 14 ‰ overgaat in een eenheidsbelasting van 19 %. Voor Gerousse is het de gedroomde kans om zich te laten gelden. Ze kan de omschakeling van omzetbelasting naar BTW opblazen om haar werk en functie belangrijker te maken dan de werkelijkheid. Voor de verkoopprijsberekening is het een hele klus : voorheen waren de prijzen inclusief omzetbelasting, voortaan zijn de prijzen exclusief BTW. Ik moest gewoon de prijzen ontdoen van hun diverse taksen, zodat je een naakte exclusief belasting prijs bekwam.

Het jaar 1971 is het jaar van de toestemming in het Nederlandse leger, als eerste leger, en dit is typerend voor Nederland, van lange haardracht. Het is het begin van het einde van discipline en tucht in het leger. De toestemming maakt deel uit van de permissiviteit die volop aan de gang is. Het jaar 1971 is het jaar van de *hot pants*, sensuele ultrakorte shorts. Voor zover ik me kan herinneren, doet Katleen hieraan uitzonderlijk niet mee, hoewel het een typisch Katleenproduct is. Vermoedelijk is de reden dat ze hiervoor niet de juiste lichamelijke proporties heeft : ze heeft vrij korte benen zoals haar moeder.

Op 6 april 1971 overlijdt op 88 jarige leeftijd, in New York, Igor Stravinski, één der laatste giganten. Sjostakovitsj en Britten leven en componeren nog. Het jaar 1971 is het jaar van het eerste hamburgerrestaurant in België. Op de Grote Steenweg in Berchem gaat de allereerste Quick-hamburgertent van België open. Katleen wil als allereerste een hamburger uit een hamburgertent verorberen. Anno 1971 is het publiek in de hamburgertent beperkt en bestaat nog niet uit verwende kinderen of adolescenten met te veel zakgeld.

Door de nieuwe toonzaal floreert de zaak. Op 4 januari 1971 wordt Leo Lambert als technisch bediende voor de keukenafdeling, in volle uitbreiding, in dienst genomen. Leo Lambert tekent de keukenplans en volgt de keukenwerven op. De keukens worden door eigen personeel geplaatst. Mijn broer Marco heeft de leiding over de keukenafdeling, die nu zeer belangrijk wordt

Op 4 januari 1971 zijn er op de zaak drieëndertig personeelsleden in dienst tegenover twintig op 31 december 1966. In dezelfde periode daalt de omzet per hoofd van het personeel van 2.280.000 frank naar 2.000.000 frank. Het bedrijf heeft vanaf nu te kampen met een te lage omzet per hoofd en een chronisch kostenpercentage .

Het jaar 1971 is het jaar van de intellectuelencafé 's, zoals de VECU in de Moriaanstraat. Katleen doet onmiddellijk mee met de trend. Van een andere soort is *De muze* op de Melkmarkt, een hippie-café, vuil, smerig en stinkend.

Een grote rage in 1971 zijn de Passap-breimachines om truien en cardigans te breien. Katleen wil absoluut ook zo'n machine. Ik ben zo dom om alle wensen van Katleen in te willigen. Welgeteld één debardeur heeft Katleen er op gemaakt en daarna mocht ik de machine met verlies verkopen via een advertentie. Niets kon Katleen redden van de ondergang en zeker geen breimachine.

Maar Katleen heeft weer iets nieuws gevonden. Ze wil een buitenverblijf in Knokke. Ook dat krijgt ze voor elkaar, want ik ben nog altijd even dom, zoniet dommer. Het buitenverblijf, dat ik huur voor één jaar, heeft letterlijk niets en Katleen jaagt me op kosten voor renovatiewerken. Ook daarin stem ik toe en begin nu kosten te maken waar alleen de eigenaar van het huis beter van wordt. Het huis heeft zelfs een naam : *Les soleils* en is vrij gezellig, want smaak heeft ze wel. Het gedoe kost me echter een wastafel, een douchecabine, twee gaskachels, een inox spoeltafel, een keukenkraan, een geiser en enkele kleinere toebehoren. Maar dat is allemaal *"niets"*, het stopwoord van Katleen. Ze wil alles en onmiddellijk. Ik krijg kruimeltjes retour.

Om haar escapades te kunnen bekostigen, werkt Katleen in allerlei boutiques, achtereenvolgens bij Miss Polly, Jackie O, Laura Ashley en Versace : steeds een trapje hoger, als het maar *dashing* is, elitair met veel vertoon en veel bluf, daarin gesteund door haar broer Eric, de kampioen van de ronkende titels. Later zal Wim Lagrillière, een vriend van de gebroeders Van Zandweghe, van Eric zeggen: *"hij doet maar wat"* en *"hij is een verspilling aan talent"*. Eric Van Zandweghe stapelt de titels op, als het maar Engels is en goed klinkt, zoals *junior account executive*. Hij wil mij zelfs een titel aansmeren maar ik blijf liever gewoon zoon van de baas. Titels interesseren mij niet.

Eric Van Zandweghe is hoofdzakelijk oogverblinding en zegt tegen zijn zuster : *Je moet die man verlaten*. Ik paste niet in het wereldbeeld van Eric Van Zandweghe en werd uitgerangeerd. Katleen is gespecialiseerd in attitudes en minacht haar vader nog steeds om diens beroep. Uit frustratie koopt ze allerlei exotische thee en accessoires. Katleen heeft een verschrikkelijke acceptatiebehoefte en een nog grotere prestatiedrang. Hierdoor blijft ze constant geconstipeerd.

Dit is de periode dat Eric Van Zandweghe een verhouding heeft met een zekere Marleen Haentjes, een Oost-Vlaamse uit Mariakerke met een typisch accent van aldaar. Eric Van Zandweghe, die weinig ervaring heeft met vrouwvolk, stort zich in een avontuur met genoemde Marleen. Dit avontuur loopt slecht af : Marleen wordt zwanger na inname van vruchtbaarheidspillen. Het resultaat is catastrofaal : Marleen bevalt van een vijfling die één na één sterven. Later kreeg het koppel nog twee dochters zonder vruchtbaarheidspillen : Virginia en Celia. De relatie heeft echter toch niet stand gehouden. Marleen is later met een geneesheer getrouwd en heeft zelfs een badkamer bij ons gekocht.

Tijdens het jaar 1971 worden op de zaak de procedures nog vermeerderd. Een nieuwe procedure LL, lasthebber-lastgever, ziet het licht. Door de vele problemen met opdrachten gegeven door een particulier, die op naam van de installateur moeten worden gefactureerd, ontstaat deze bijzondere procedure. Sommige installateurs maakten problemen rond de facturatie op hun naam. Om beide partijen tevreden te stellen werd de procedure lasthebber-lastgever in het leven geroepen. De opdracht van de particulier werd zowel aan deze laatste als aan zijn installateur bevestigd en moest door beide partijen voor akkoord ondertekend worden. Dit soort van procedures gaf een zeer uitgebreide administratie voor de zaak.

Het is de periode van het heraanknopen van de vriendschapsbanden met Ivan en Maria, twee onderwijzers uit Jette. Maria, West-Vlaamse, is een jeugdvriendin van Katleen, uit de lagere school. Het paar heeft één dochter en is oersaai. Ivan was een adept van Kierkegaard, dat in gezelschap beter overkomt dan adept van Richard Wagner. Om de haverklap kwam Ivan met één of ander concept of theorie van Kierkegaard boven water. Aan dat soort mensen uitleggen waarvoor Richard Wagner stond, was onbegonnen werk. Ik heb nooit enige moeite gedaan om aan de entourage van Katleen, Richard Wagner uit te leggen. Nochtans Katleen zelf had enige voeling met Lohengrin, veel verder ging het niet. Lohengrin is de meest accessibele en de meest melodierijke opera van Wagner.

HOOFDSTUK XXXIX.

SUPERSANIT.

Het jaar 1971 is het jaar dat ik meer bij Supersanit betrokken word. Mijn vader had tot dan vele vergaderingen van Supersanit in Brussel in de kantoren van Tubeaugaz bijgewoond. Het was echter niet zijn ding, hij had ook te grote verantwoordelijkheden op de zaak om nog langer de werkzaamheden van Supersanit, die uitgebreid werden eind jaren zestig, te blijven volgen. Ik had reeds inkopersvergaderingen bijgewoond. Voortaan woonde ik ook de vergaderingen van de raad van bestuur, als volmachtdrager van mijn vader, bij. Deze vergaderingen zouden voortaan in de nieuwe gebouwen in Bierges plaatsvinden.

Na de dood van Luc Jacobs werd de Société Coopérative UCS, Union Commerciale Sanitaire, omgevormd tot een Naamloze Vennootschap met de nieuwe naam «SUPERSANIT». Alle leden werden aandeelhouder en ieder lid stortte 1.000.000 frank in het kapitaal, waarvoor het 700 oprichtersaandelen ontving. Om te beletten dat de aandelen verkocht zouden worden, werd een *syndicat titres* in het leven geroepen. Het aandelenbezit was erin geacteerd, de leden kregen de aandelen niet in handen, deze bleven in een bankkluis. De bedoeling van dit opzet was de leden aan elkaar te lijmen.

Supersanit is er, ondanks alle verwoede pogingen, nooit in geslaagd een eenheid te vormen. Het particularisme en provincialisme konden niet overwonnen worden, daarvoor waren de meeste leden te kleinburgerlijk bezig met hun eigen winkeltje. Wat een grootse samenwerking, een derde macht in de Belgische sanitaire wereld, had kunnen worden, zou door eigenbelang en kleinzieligheid uiteindelijk verwateren tot een kleinschalig groepje Waalse sanitaristen. Verschillende leden hadden het faillissement kunnen vermijden, door een intensievere en doorgedreven samenwerking. Daarvoor was echter visie nodig. Vele leden zoals Baerts, Vranckx, Tubeaugaz, Calomic en Van de Kerckhoven gingen failliet door grootheidswaanzin of gebrek aan cohesie met de groep.

Jo Lincé, de bezieler van Supersanit, heeft zijn doel niet bereikt. Hij had geen visie. Als Inoxybel bracht hij het op een gegeven ogenblik zeer ver. Hij werd de kampioen van de economische spoeltafel van 100 x 50 cm. Door de materiaaldikte te verminderen van 0,8 naar 0,7 mm spaarde hij niet alleen 12 % materiaal uit maar kon hij de voorheen gelaste kuip uit één stuk persen. Hierdoor waren geen laswerken meer nodig en bracht hij een zeer goedkoop product op de markt. Hij leverde hiervan fenomenale hoeveelheden aan Franse en Spaanse hypermarkten.

Het werd zijn dood als fabrikant toen de grote orders niet meer binnenkwamen, na oververzadiging van de markt en concurrentie. Zijn liedje was uitgezongen. Hij trachtte dan nog op de binnenlandse markt voet aan wal te krijgen, doch de concurrentie van Blanco en Franke was hem te zwaar. Hij legde de boeken neer. Het bedrijf werd door het Waalse gewest genationaliseerd en dan ging het pas definitief fout. Het faillissement was onafwendbaar. Een afgang van je welste. Echt Waals en syndicalistisch, zonder visie. Walen hebben geen visie.

De eerste voorzitter van Supersanit was Paul Capelle, een Luikenaar, bedrijfsleider van Baerts in Sint-Truiden. Hij was gespecialiseerd in centrale verwarming en kwam om de drie maanden met een revolutionaire ketel of brander, waarvoor hij één of andere exclusiviteit had weten los te krijgen. Na verloop van tijd bleek de exclusiviteit zeer lokaal te zijn en betrekking had op Sint-Truiden en omliggende dorpen, waardoor hij iedere credibiliteit verloor. Verschillende leden van Supersanit waren geobsedeerd door het woord *exclusiviteit*, maar op het ogenblik dat ze een echte exclusiviteit in handen hadden, lieten ze die in de kortste keren vallen. De kortzichtigheid van de Waalse sanitaristen heeft me steeds verwonderd.

Een bekwaam figuur binnen Supersanit was Luc Jacobs, de bedrijfsleider van Sanima in Hoei. Hij werkte dag en nacht en gaf zich volledig aan zijn werk en aan Supersanit. Hij werkte zeer systematisch en trachtte steeds alle leden rond één product te krijgen. Hij slaagde slechts gedeeltelijk en stierf vrij jong en plotseling ingevolge een hartaanval. Hij liet een gehandicapte dochter Chantal achter. Het schuldgevoel van de leden van Supersanit was zo groot, dat ieder jaar op de algemene vergadering een maandelijkse dotatie voor Chantal Jacobs gestemd werd, en dit gedurende vijfentwintig jaar.

Na de dood van Luc Jacobs werden twee externe medewerkers aangetrokken : Pol Cahay en Pierre Chainiaux. Hoewel beiden van opleiding boekhouders waren kreeg Chainiaux de boekhouding en Pol Cahay de algemene leiding. In een later stadium werd Chainiaux wegens onbekwaamheid en corruptie afgestoten en bleef Pol Cahay als gedelegeerd bestuurder alleen voor de algemene leiding. Hij nam na het vertrek van Chainiaux ook de boekhouding over. Pol Cahay was een zeer bekwaam en uitermate consciëntieus man. Het was voor Supersanit een geluk dat we op zo iemand konden rekenen.

Intussen had Supersanit een groothandelaar van Waver, Quinault, opgekocht. Deze operatie was bijzonder gunstig voor Supersanit. Quinault werd onmiddellijk omgedoopt in Supersanit en kon genieten van alle voorwaarden en prijzen van de groep. Supersanit kon nu alle kanten uit. Met de aankoop van Quinault had Supersanit de gebouwen en gronden in het centrum van Waver verworven. Waver was de ideale centrale ligging voor verdeling van goederen over het volledige grondgebied.

Er werd nu gedacht aan de overstap van het centrale depot in Bierges naar de gebouwen in Waver. Op het hoogtepunt van zijn uitbreiding en omzetgrootte, tussen 1970 en 1980, bleef Supersanit zowel in Bierges als in Waver met een centrale stock en een groothandel. De centrale stock, eerst in Bierges, later in Waver, was een belangrijk element van consolidatie. Deze stock kon op verschillende manieren gebruikt worden. Eén ervan was massa-aankoop van één product dat vervolgens tussen de leden verdeeld werd. Er waren nog verschillende andere methoden van aankoop via de centrale stock.

Onder het voorzitterschap van Pierre Van der Elst, dat volgde op dat van Pol Capelle, werd niets fundamenteels verwezenlijkt. Pierre Van der Elst, *Pietje* pour les intimes, was klein van gestalte en had daardoor een complex. Hij reed met de grootste Amerikaanse limousines, Chevrolet, Buick of Cadillac, om zijn gestalte te compenseren. Hij dacht uit eigenbelang aan zijn zaak Tubeaugaz en bereikte daardoor weinig of niets. Zijn sterkte was porselein, dat voor hem hoofdzakelijk bij Boch Frères uit La Louvière lag.

Zijn opvolger als voorzitter van Supersanit was Jacques Vranckx, de bedrijfsleider van de firma Vranckx uit Leuven. Jacques Vranckx had meer visie en handelde iets minder uit eigenbelang. Onder zijn voorzitterschap werd alles ruimer en werd Supersanit een echte groepering. Het porseleinaanbod werd verruimd door opname van Sphinx, Ideal Standard en Warneton.

Jacques Vranckx had een inkoper in dienst, een zekere Fernand Liboy, een Luikenaar. Aanvankelijk had hij veel praat en gedroeg zich alsof de firma Vranckx van hem was. Op een gegeven ogenblik wou Jacques Vranckx hem kwijt omdat hij te duur geworden was. Hij bracht het voor elkaar om hem door te verkopen aan de firma Eucher in Namen. Na verloop van tijd was hij ook daar te duur. Hij eindigde zijn carrière triest als secretaris van Menofer.

Jacques Vranckx was de sterke man voor Friedrich Grohe, het door iedereen gehate maar door iedereen verkochte Duitse kraanwerk. Toch zocht geen enkel lid van Supersanit de suprematie van Friedrich Grohe te doorbreken. De grootste zwakheid van de meeste leden van Supersanit was dat zij leverden wat door de klant gevraagd werd en de vraag niet creëerden door een ander product te promoten.

Mijn vader had reeds heel vroeg een agentschap van «EICHELBERG», een gelijkaardig kraanwerk uit Iserlohn, gelijk in kwaliteit maar volkomen onbekend op de Belgische markt. Mijn vader had nooit enig probleem van vraag naar Friedrich Grohe ondervonden en bood zonder meer Eichelberg aan. Hij had het zelfs zo ver gebracht dat Eichelberg in het Antwerpse een zulkdanige positie had ingenomen dat de installateur vroeg naar *een kraan van Eichelberg*.

Vermits Eichelberg zo goed als niet aanwezig was op de rest van de Belgische markt, stelde ik, na overleg met de fabriek, het aan Supersanit in exclusiviteit voor. Buiten het Antwerpse was Eichelberg niet gekend en mijn voorstel werd prompt afgewezen. Op de vergadering van Supersanit kreeg ik niet eens vijf minuten om mijn product te verdedigen. De kwaliteit en het interessante prijsvoordeel werden zelfs niet onderzocht. Het was de opdracht van een inkoopgroep om bekendheid aan een exclusiviteit te geven. Daarin investeren interesseerde Supersanit niet. Het moest klaargestoomd gepresenteerd worden. Supersanit is dan ook roemloos geëindigd. De Supersanitleden gingen voorbij aan het essentiële. Ik heb dit veel te laat ingezien, omdat ik bleef geloven in Supersanit. Ik stond gans alleen, geen enkel lid van Supersanit steunde mijn voorstellen. En toch was ik nooit verbitterd. Eigenlijk had ik op het einde leedvermaak met de kortzichtigheid van de Waalse leden.

De opvolger van Jacques Vranckx, als voorzitter van Supersanit, was Jo Lincé, de bedrijfsleider van Limbu. Ook hij was niet in staat een solide eenheid te smeden, ondanks de grote moeite die hij deed. Hij was de uitvinder van de naam «SUPERSANIT», een beetje simplistisch maar zeer effectief. Hij hield er onbegrijpelijke theorieën op na en bereikte nooit zijn doel. Hij was er voorstander van om een bepaald merk ten voordele van een ander merk te laten vallen. Jo Lincé was approximatief op het gebied van verkoopspolitiek. Zijn beste verwezenlijking was de naam «SUPERSANIT».

Een van de fabrikanten waarmee we door Supersanit in contact kwamen waren de gebroeders Bodart uit Brussel. Het waren echte "decolleteurs". Hun specialiteit was biconische koppelingen. In een latere periode fabriceerden zij hoekstopkranen uit messing, een kopie van Schell. Zij waren steeds goedkoper dan Schell, die echter zo sluw was hun kraanwerk door Bodart te laten fabriceren. Bodart was nooit verlegen om een vuile toer uit te halen, zoals het verkopen van Schell hoekstopkranen zonder merk in een witte verpakking. Het werd uiteindelijk zijn dood.

Begin jaren zeventig waren geisers een belangrijk artikel. De hoofdrolspelers op de Belgische markt waren Bulex, Renova, Junkers en Vaillant. Ieder van deze merken had zijn verdedigers : Renova was hoofdzakelijk een Brusselse aangelegenheid, Junkers was een Antwerps bastion, Bulex had in gans België een stevige positie, in die mate dat men niet meer sprak over een geiser maar over *een Bulex*.

Vaillant was een geschiedenis op zich. Op plaatsen waar Vaillant niet van de grond kwam, zoals in het Antwerpse, richtten ze zich tot de outsider, dit was de niet officieel bij Menofer aangesloten groothandel. Een typisch voorbeeld van outsider was Sanico, een vrijbuiter die de prijzen kraakte en algemeen als pestlijder werd aanzien. Daardoor had Vaillant in een later stadium de grootste moeite om op de reguliere markt te komen. Vaillant was ook een favoriet van de doe-het-zelf zaken zoals Brico. Toch wist Vaillant door merkbekendheid geleidelijk een aanwezigheidspolitiek te verwezenlijken.

Rond deze tijd schakelde het Antwerpse met de koperen buizen op het metrieke stelsel over. Antwerpen was als enige in België tot dan met Engelse duimafmetingen gebleven. De koperen buis voor watertoevoerleidingen was in Antwerpen zeer vroeg, tijdens het interbellum, door Britse ingenieurs via de AWW, de Antwerpse Waterwerken, in Engelse duimafmetingen ingevoerd. Na verloop van tijd was Antwerpen als enige regio in België overgebleven met duimmaten, wat vooral voor de fabricage van fittings een hindernis was.

Op een bepaald ogenblik werd door de verschillende instanties besloten in Antwerpen op metrieke maten over te schakelen. Het was een heel gedoe. In de overgangsperiode van Brits naar metriek stelsel was je verplicht er een dubbele voorraad op na te houden. Halve duim was 14,7 mm en werd 15 mm. Duim was 27,4 mm en werd 28 mm. De dubbele voorraad van buizen was de minste kwaal. De dubbele voorraad aan fittings was een hele klus.

Door de voorraden die almaar groter werden, waren de gebouwen Helmstraat 10 en 12 te klein geworden. Mijn vader liet de drie huizen Helmstraat 14, 16 en 18 afbreken om er een nieuw gebouw voor stockage, inrit, parking en loskade met onderkeldering en drie verdiepingen op te richten. De bouwwerken, uitgevoerd door Gaston Gedopt, dezelfde aannemer die de gebouwen Helmstraat 10 en 12 had uitgevoerd, waren belangrijk. Er kwam een betoningenieur, die iedere dag bij het storten van beton voor de funderingen en de draagzuilen kwam controleren, aan te pas. Mijn vader moest een lening bij de Antwerpse Hypotheekkas aangaan. Toen de werken voltooid waren zei mijn vader : *Nu is het aan de volgende*. Mijn vader sprak weinig, maar wat hij zei was zo kernachtig en doordringend, dat je er stil bij werd. Sommige van zijn uitspraken waren filosofisch. De meest filosofische uitspraak van mijn vader was : *Het is alles slechts geleend.* Een doordenker. Een andere uitspraak van een totaal verschillend kaliber was : *Je moet er geen mannekensblad van maken*, wat zoveel betekende als : *Maak het niet te bont*. Mannekensblad was het Antwerps voor stripverhaal.

HOOFDSTUK XL.

Het jaar 1972. De oprichting van CASSIMO.

Het jaar 1972 is een jaar van stilstand en besluiteloosheid. In Duitsland wordt de RAF, de Rote Armee Fraktion, een criminele terroristische organisatie, opgerold. Uit Nederland waait de Dolle-Mina-mode naar België over. De eerste protesten vanuit feministische milieus tegen Missverkiezingen duiken op. De films *"Cabaret"* met Liza Minelli en *"The Godfather"* met Marlon Brando brandmerken het jaar.

Op televisie zie ik de serie *"Les rois maudits"* van Maurice Druon met Jean Piat in de rol van Robert d'Artois. Groots van interpretatie. Muzikaal is 1972 een ramp : slechts één enkele operavoorstelling en dan nog een hele slechte op 11 maart in de Munt een *"Walküre"* met een veel te luide Rita Gorr als Fricka. Dit was mijn enige operabezoek tussen december 1969 en maart 1975. Onbegrijpelijk en toch waar. Katleen eiste zoveel aandacht op dat ik naast mijn werk op de zaak geen minuut vrije tijd voor mezelf overhield.

De belangrijkste gebeurtenis van 1972 is de oprichting door mijn vader van «CASSIMO». Mijn vader had met advocaat Leo Dreessen, de zoon van zijn vriend René Dreessen, over dit onderwerp een zeer uitgebreide correspondentie gevoerd. Leo Dreessen was de advocaat zowel van de zaak als privé van mijn vader. Het doel van de oprichting van «CASSIMO» was veelvuldig. In de eerste plaats het veilig stellen van de gebouwen. In de tweede plaats een veiligheid voor mijn moeder bieden. In de derde plaats fiscale voordelen uit de verdeling van de winsten puren.

Op 3 februari 1972 werd voor notaris Romain Coppin de acte van oprichting opgemaakt. «CASSIMO» werd opgericht als immobiliënvennootschap maar was eigenlijk een patrimoniumvennootschap. «CASSIMO» bestond uit de vijf gebouwen Helmstraat 10, 12, 14, 16 en 18 die als gevolg van afbraak- en verbouwingswerken tot een complex gevormd werden. Mijn vader werd gedelegeerd bestuurder en mijn moeder en de drie kinderen werden bestuurder.

De oprichting van «CASSIMO» was voor mijn vader een belangrijke aangelegenheid, bij wijze van spreken was dit zijn testament. Er werden 700 stichtersaandelen aan toonder uitgegeven. Op deze manier kon je alle kanten uit. Mijn vader wilde met de oprichting van «CASSIMO» een veiligheid voor mijn moeder inbouwen. In gelijk welk scenario na het overlijden van mijn vader zou mijn moeder steeds meerderheidsaandeelhouder zijn en zou ruimschoots van de huur van de gebouwen kunnen leven.

Rond deze tijd laat ik mijn baard groeien. In dezelfde periode had ik een conflict met de chef-verkoper Robert Broeckx. Zijn verkoopresultaten waren ondermaats. De verkopers gaven mij maandelijks hun verkoopresultaten door. Alle statistieken waren nog manueel. Veel hing af van betrokkene. Robert Broeckx smukte zijn verkoopresultaten op en vervalste ze. Ik had een speciale neus voor vervalsingen. Toen ik hem de feiten voor ogen hield, nam hij zelf ontslag en was ik van hem verlost. Ik had nu de handen vrij om Eric De Bock, de best presterende verkoper, chef-verkoper te maken.

Gerousse begint nu voor goed allerlei administratieve werkwijzen rond uitzonderingsgevallen te ontwikkelen. Gerousse kiest telkens voor de meest ingewikkelde oplossing in plaats van de administratie te vereenvoudigen, omdat het haar winkel aan de gang houdt. Gerousse creëert een resem formulieren om de administratie te verzwaren. Wanneer een gedeelte van een klantenorder van de handelsvertegenwoordiger niet onmiddellijk kan geleverd worden creëert Gerousse een *"saldobon"* in plaats van door de vertegenwoordiger een nieuw order te laten uitschrijven. Maar dit was te eenvoudig. Dit soort van werkwijzen is legio.

Op de wekelijkse directievergadering komt Gerousse af met een wild verhaal over de Bank Antverpia. Deze bank is sinds mensenheugenis klant van de zaak voor levering van allerlei materialen voor de renovatie van hun veelvuldige eigendommen in Mariaburg. De bank heette toen nog
"Bank van Sinte-Mariaburg". Volgens Gerousse zou de bank nu eisen dat wij bij hen een zichtrekening openen, waarop zij de betaling van onze facturen kan uitvoeren. Goedgelovig geven we toe. Het resultaat is een zeer omslachtige

administratie met extra werk, extra rekeningen in de boekhouding en extra overschrijvingen van bank tot bank. Waarom we Gerousse niet gestopt hebben is mij een raadsel.

Met Katleen gaat het bergaf. Haar onstandvastigheid neemt extreme proporties aan. Katleen is veranderlijk en wispelturig en heeft een nieuwe rol ontdekt, die van *femme fatale*. Het wordt haar beste rol. Katleen is een ijdeltuit en behaagziek. Soms is ze frivool, dan is ze weer aanmatigend, af en toe is ze zelfs lief, maar dat is steeds van korte duur. Dan is ze weer schaamteloos en arrogant en vindt zichzelf geweldig boeiend. Katleen leeft in een irreële Angelsaksische gevoelswereld, vluchtig en futiel. Katleen beweegt zich nu in artistieke milieus, die ze via de Steinerschool binnendringt. Alles wordt geïmiteerd. Ze leert een zekere Ines, moeder van Fiona, een klasgenootje van Karen, kennen. Het is allemaal verschrikkelijk artistiek, zegt Katleen.

Katleen is compleet over haar toeren en probeert nu alles uit. Zij is bevriend met Claudette Steenackers, de vrouw van notaris Armand Steenackers, telg uit een familie met hoog aanzien, kleinzoon van een senator, zoon van een notaris, vader van drie dochters en een zoon. Het kantoor van notaris Steenackers is gelegen Peter Benoitstraat 44, op 200 meter van de Mozartstraat 7. Katleen brengt heel wat tijd door in gezelschap van Claudette Steenackers, die een negatieve invloed op haar uitoefent. Armand Steenackers heeft verschillende affaires en de verstandhouding binnen het paar is louter zakelijk. Het paar wil niet scheiden voor de goede naam en voor de kinderen. Ieder gaat zijn weg en 's avonds zit het paar terug voor de haard.

Katleen, die zeer labiel is, neemt snel een loopje met de moraliteit, mede onder invloed van de Steenackers. Om mij uit te dagen, draagt Katleen meer en meer gewaagde kleding, doorkijkblouses en doorzichtige BH's. In een later stadium doorkijkblouses zonder BH. Katleen dreigt ermee mij te bedriegen *"voor de fun"*, een typisch stopwoord van haar. En dan, in de loop van de maand mei 1972, gebeurt iets nieuws, iets sensationeels. Een grote verrassing : Katleen wil nog een zoon. Katleen, die geen eigen kinderen meer wou na Karen, omdat haar lichaam hierdoor zou delabreren, die daarom een zoon heeft geadopteerd, wil plotseling toch een eigen zoon. Zij stopt met de antibabypil. Katleen beweert dat ze hiermede het huwelijk wil redden. Dit is de derde poging van Katleen om het huwelijk te redden.

Dit is echter nog niet het einde. Katleen heeft een nieuw spelletje ontdekt : partnerruil. Het is grote mode en Katleen begint met de gemakkelijkste prooi : de Steenackers. Wanneer dit uiteindelijk mislukt, gaat Katleen verder op zoek en belandt bij Ivan en Maria. Maria is een oude klasgenote van Katleen, lerares en getrouwd met een leraar. Beiden hebben een dochter, wonen in Jette en zijn oersaai. Katleen heeft sporadisch contact met hen. Op een avond, terwijl we bij hen thuis op een glas wijn zijn uitgenodigd, probeert Katleen het thema partnerruil aan te snijden. Maria, nogal droog en ernstig, lacht ermee en weigert pertinent en overtuigd.

Intussen is Katleen zwanger. Naarmate de zwangerschap vordert begint Katleen Vasco zwaar te mishandelen en te benadelen. Als straf voor een futiliteit sluit ze Vasco op in de kelder. Tijdens mijn afwezigheid, ik heb soms nog werk op de zaak, gebeuren er met Vasco lelijke dingen, die ik eerst jaren later verneem. Een buurvrouw in de Mozartstraat is getuige van de mishandeling van Vasco door Katleen en licht mij erover in. Ik schenk er onvoldoende aandacht aan omdat ik nog steeds achter Katleen sta, ten onrechte.

Af en toe onttrek ik me uit situaties die ik sowieso niet kan veranderen. In de Orangerie in Parijs loopt een tentoonstelling van *Georges de La Tour*. Georges de La Tour boeit me reeds geruime tijd en dit is een gelegenheid om zijn werken te zien. Deze tentoonstelling, die werken van over gans de wereld samenbrengt, zal zich nooit meer voordoen. Tijdens de maand juli stap ik gewoon op de trein naar Parijs en maak iets mee dat ik nooit meer zal meemaken. Ik zie in de Orangerie wel vijftig werken van de La Tour met daartussen de allergrootste meesterwerken zoals *"De valsspeler"* en *"De waarzegster"*, waarvan sommige uit New York en privé collecties komen. Ik ontdek nu pas voor goed *Georges de La Tour*, die vanaf nu voor mij de allergrootste schilder aller tijden wordt. Hij overtreft Rembrandt, die voor mij toch ook één van de allergrootsten blijft. Wat me vooral treft bij La Tour is het lichtspel met kaarsen en fakkels, dat me mijn leven lang blijft fascineren.

Het is de periode dat ik vaatwassers KitchenAid begin te promoten. KitchenAid was een buitenbeentje uit de USA en werd in het Antwerpse zo goed als niet verkocht. Een campagne met circulaire brieven levert een goed resultaat, met een verkoop van 25 vaatwassers het eerste jaar. Het product staat in zijn kinderschoenen maar zal dra hevige concurrentie krijgen. Het succes is van korte duur.

Op 2 november 1972 kopen we een nieuwe vrachtwagen Bedford 6 cyl. 5.420 cc diesel. De cabine wordt extra hoog en lang gebouwd voor transport van keukenmeubelen, omdat in deze periode veel keukens verkocht worden.

Vermoedelijk kan Katleen me niet meer boeien, vermits in deze periode een nieuwe hartstocht zijn intrede doet : bibliofilie. Louter toevallig ontdek ik een nieuw interessegebied. «BÄRENREITER», een muziekantiquariaat in Kassel, biedt allerlei Wagneriana aan. Tijdens de vakantie, in de maand juli, terwijl Katleen met de kinderen bij haar ouders in Knokke verblijft, reis ik naar Kassel. Ik ontmoet er een erudiete bibliothecaris, Herr Friedrich Suck, die over een indrukwekkende hoeveelheid Wagneriana beschikt. De man weet verschrikkelijk veel over muziek en boeken.

Ik koop een eerste druk *"Mein Leben"* uit 1911, een eerste druk Chamberlain uit 1896 en een derde druk *"Schriften und Dichtungen"*. Het onderwerp boeit me dermate, dat ik de eerstvolgende vijf jaar bij Bärenreiter een grote hoeveelheid Wagneriana en andere antiquarische boeken koop. Ik koop onder andere een *"Ma Vie"* in de vertaling van Valentin et Schenk in drie delen in een vroege druk uit 1912, *"The life of Richard Wagner"* van Ernest Newman in een mooie originele druk van Alfred Knopf, een hele mooie Glasenapp *"Das Leben Richard Wagners"* in zes delen. Bibliofiele boeken kopen zit er diep in en zal me niet meer loslaten.

Op de boekenbeurs in november wil Katleen, jaloers op mijn nieuw interessegebied, ook per se een boek. Het worden er veertien. Acht delen van het kookboek *Menu* van Wina Born en zes delen van *"Juliette"* van Marquis de Sade. Dit laatste is totaal onleesbare pornoliteratuur. Ik kom niet eens tot het einde van het eerste deel. Gelukkig kan ik enkele jaren later beide werken voordelig aan een boekhandelaar verkopen.

HOOFDSTUK XLI.

Het jaar 1973. De geboorte van Titus.

Het jaar 1973 is het jaar van de eerste oliecrisis en de autoloze zondagen. Dit laatste is een verademing. Het is het begin van de energiebesparingen en het begin van het besef dat de consumptiemaatschappij nergens toe leidt. Het is het einde van de Vietnamoorlog en het begin van het verschijnsel *Emmanuelle* met Sylvia Kristel, een Hollandse nulliteit met doorgezakt lichaam en een oersaai gezicht zonder uitdrukking : het summum van onbenulligheid. Katleen loopt haar achterna en wordt erdoor gefascineerd. Twee Pablo's gaan heen in 1973: Pablo Casals en Pablo Picasso, beiden op gezegende leeftijd.

Op 1 maart 1973 wordt op de zaak de *"servicekaart"* volgens aanwijzingen van mijn broer Marco gecreëerd. Het is het enige formulier op de firma dat echt zin heeft en dat zal blijven bestaan zolang de firma bestaat. De servicekaart is een formulier dat we opmaken bij iedere klacht van een klant om de adequate service na verkoop te kunnen aanbieden. Op deze steekkaart wordt alle nuttige informatie betreffende klant, order, klacht, apparaat, plaats van installatie en alle overige noodzakelijke gegevens genoteerd.

In 1973 zie ik geen enkele opera. Op 9 maart 1973 wordt Titus geboren. Katleen was op 8 maart opgenomen in de materniteit. Ik had op 9 maart een reeds lang afgesproken zakendiner met Frans De Cauwer in La Pérouse, het restaurantschip van Flandria, dat aan het ponton aangemeerd lag. Ik kon niet weten dat Titus uitgerekend op 9 maart op de wereld zou komen. Voor de veiligheid had ik mijn broer Marco, meegenomen. Het dejeuner was net beëindigd en bij de koffie krijg ik een telefoon uit het ziekenhuis : *De weeën zijn begonnen.* Katleen stond erop dat ik, net zoals bij Karen, aanwezig zou zijn bij de geboorte. Bij de geboorte van mijn eerste zoon, wilde ik alleszins aanwezig zijn. Ik laat Marco bij Frans De Cauwer in La Pérouse en vertrek naar het Middelheim.

Titus wordt geboren in het Middelheim ziekenhuis op 9 maart 1973 en gedoopt in de kapel aldaar. Zijn aanwezig bij het doopsel, buiten de ouders en Karen, beide grootouders. Katleen heeft het zo aan boord gelegd dat Vasco niet aanwezig is. Vasco staat dus niet op de foto's die tijdens en na het doopsel van Titus genomen worden door een vooraf door Katleen zorgvuldig bestelde fotograaf. Het resultaat is perfect : op de foto's staat de voltallige familie zonder Vasco. Het is duidelijk dat Katleen, berekenend zoals ze is, Vasco reeds gedumpt had. Katleen was gespecialiseerd in het dumpen van alles en nog wat, mensen had ze tot dan nog niet gedumpt, maar dat komt eraan. Iets of iemand, niet meer nuttig voor Katleen, ging onverbiddelijk in de papiermand en ze wil er nooit meer mee geconfronteerd worden. Borstvoeding geeft Katleen principieel niet omdat het de borsten nadelig beïnvloedt en haar borsten zal Katleen nog broodnodig hebben.

In juli, tijdens de vakantie, ga ik naar Bärenreiter in Kassel voor enkele Wagneriana, waaronder een eerste druk Kreowski *"Richard Wagner in der Karikatur"* uit 1907 in perfecte staat, met een oplage van 1.500 exemplaren. Ik koop ook een *"Köchel Verzeichnis"* in een originele druk van Breitkopf & Härtel. Ik kon er niet aan weerstaan en gebruik het sindsdien constant.

Op 30 oktober wordt het verzoekschrift voor adoptie van Vasco voor de Jeugdrechtbank, als gevolg van totale desorganisatie van *Terre des Hommes*, laattijdig ingediend.

Katleen is reeds een tijdlang op zoek naar een huis. Ze wil weg uit de Mozartstraat en wil een eigen huis. Begin november vindt zij het ideale huis Hertoginstraat 24. Het enige dat ze heeft moet je haar laten : ze heeft smaak. Het is een schattig huisje, gezellig en niet verkitscht door ondeskundige verbouwingen. Katleen verkondigt uitdrukkelijk en herhaaldelijk dat de aankoop van dit huis het huwelijk en de relatie zal redden. Ik geloof er niets van, maar uit berekening stem ik toe. Ik heb niets te verliezen. Op 13 november wordt de aankoop beslist en op 20 november wordt het compromis voor notaris Steenackers ondertekend.

Deze aankoop is de vierde poging van Katleen om het huwelijk te redden. De vier pogingen op rij zijn de adoptie van Vasco, de verhuizing naar de Mozartstraat 7, de geboorte van Titus en de aankoop van de Hertoginstraat 24. De vier pogingen vormen het bewijs dat een huwelijk dat vanaf de eerste dag op valse fundamenten opgebouwd werd niet te redden is, met gelijk welk middel niet. In ieder geval heeft Katleen nu werk voor enkele maanden met de opvolging van de renovatiewerken die ik laat uitvoeren. In hoofdzaak badkamer, centrale verwarming en keuken. De fraaie brede eiken planken vloeren worden afgeschuurd en geplastificeerd. Alles wordt geschilderd binnen en buiten. Ik zoek zelfs naar oude gietijzeren radiatoren met pootjes.

De renovatiewerken in de Hertoginstraat 24 zijn zeer uitgebreid. De gevel wordt volledig geschilderd in diepblauw met gele ramen en groene voordeur. Centrale verwarming wordt in alle kamers aangelegd, met een afzonderlijke warmwaterboiler voor de badkamer. Voordien was er geen verwarming in het huis. Er stond een kolenkachel in de veranda, een soort "continu", die zogezegd het ganse huis moest verwarmen.

Na korte tijd vervalt Katleen terug in haar kleinburgerlijke egocultuur. Volgens Katleens filosofie moet je vooral *good looking* zijn. Kapsel en brilmontuur worden regelmatig aangepast aan de noden van het ogenblik. Katleen vervalt in excentrieke vestimentaire uitspattingen. Ze heeft geen aandacht voor haar polshorloge, dat jarenlang onbeduidend blijft. Opvallend is de totale afwezigheid van *savoir vivre*. Katleen is erg futiel, alleen het ogenblik dat je beleeft telt, ze gaat voorbij aan het essentiële. Daarom zal ze later leeg achterblijven.

Katleen komt nu geleidelijk met allerlei sterke verhalen. Ze heeft een Hollander, een zekere Adri Hazebroek, ontmoet. Deze Hazebroek zou haar avances hebben gemaakt, maar Katleen is er niet op ingegaan omdat het een potsierlijk figuur is. Het toeval wil dat ik deze Hazebroek ken. Hij is de zelfverklaarde exclusieve invoerder van het Deense kraanwerk VOLA. Ik ken nog twee andere zelfverklaarde exclusieve invoerders van VOLA : de ene, Van Elewijck, is in het Antwerpse gevestigd, de andere, Modern Comfort Home, in het Brusselse.

Einde 1973, begin 1974 volgt terug een reeks sterke verhalen die oncontroleerbaar zijn. Katleen waarschuwt me een tweede keer dat ze me gaat bedriegen *voor de fun*. Katleen banaliseert de meest intieme aangelegenheid. Katleen herleidt de seksuele activiteit tot een dierlijke procedure waarin een goed orgasme overeenstemt met een goede ontlasting. Eigenaardig genoeg geraakt Katleen in hoge mate geconstipeerd. Een poosje later komt ze af met een verhaal over een zekere Johan, een vriend van haar broer Eric, waarmede ze me bedrogen heeft. Het is de eerste keer dat Katleen beweert me bedrogen te hebben. Het klinkt niet zeer geloofwaardig en ik ga ervan uit dat Katleen me gewoon blijft uitdagen.

Op regelmatige tijdstippen beweert Katleen me bedrogen te hebben met die of die figuur. Op deze manier passeren de revue : Marcel Verschaeren, Armand Steenackers, Jan Verheyen, onze huisdokter, Wim Lagrillière, die ik op dat ogenblik nog niet ken en een hele reeks individuen die ze me ongeloofwaardig beschrijft. Ik hecht er niet veel belang aan en ik ga ervan uit dat Katleen in hoge mate fantaseert en me vooral wil uitdagen. Toevallig krijg ik in dezelfde periode een boek over nymfomanie in handen en verneem tot mijn verbazing dat frigiditeit bij sommige vrouwen kan overslaan in nymfomanie. Waarvan akte. In een later stadium zal blijken dat deze beschrijving volkomen overeenstemt met de evolutie van het gedrag van Katleen.

Plotseling krijg ik het bezoek van Franske, de zoon van de buurvrouw in de Mozartstraat. Franske is minderjarig, ongeveer zeventien jaar oud en grote fan van de muziekgroep Jethro Tull. De jongeling doet zijn beklag over Katleen. Hij wordt lastig gevallen en werd door Katleen verkracht. Ik probeer de jongen te kalmeren, maar hij barst in tranen uit, omdat hij zijn bloemetje niet heeft kunnen reserveren voor zijn liefje. Katleen heeft zich schuldig gemaakt aan pedofilie. Vanaf dit ogenblik begin ik wel belang te hechten aan de afwijkingen van Katleen. Van de wip met Jan Verheyen krijg ik even later bevestiging van de vrouw van deze laatste, die de copulerenden heeft betrapt. De vrouw heeft ogenblikkelijk een scheidingsprocedure ingezet, die, zoals later zou blijken, zeer nadelig voor Verheyen was. Ik ben definitief een bedrogen echtgenoot, het laat me vrij onverschillig, vermoedelijk omdat ik niet één rivaal heb maar wel een hele reeks.

HOOFDSTUK XLII.

Het jaar 1974.

Het jaar 1974 is een triest jaar met één grote uitschieter: ik ontdek Maria Callas. Het is de moeite waard om in dit trieste jaar Maria Callas te ontdekken. Het jaar 1974 is het jaar dat uitgerekend in Nederland de eerste opeising voor abortus onder de leuze *baas in eigen buik* doorbreekt. Het is typisch dat deze eis eerst in Nederland weerklinkt. Echt calvinistisch.

In 1974 wordt Sylvain Deruwe directeur van de KVO en dit tot 1980. Het is het begin van het einde van de KVO als onafhankelijke instelling met eigen gezelschap. Zo goed Sylvain Deruwe als zanger was, zo slecht is hij als directeur van de KVO.

Tijdens het jaar 1974 bereikt de relatie met Katleen een absoluut dieptepunt. Het jaar 1974 is het jaar van de intrek in ons eigen huis Hertoginstraat 24. Op 25 februari wordt de aankoopacte voor notaris Steenackers verleden en op 7 juni trekken we in in de Hertoginstraat 24.

In juli 1974 ga ik voor de derde keer naar Bärenreiter in Kassel en koop er verschillende eerste drukken, waaronder de biografieën van Rossini, Donizetti en Bellini door Herbert Weinstock. Mijn interessegebied breidt zich uit naar de bel canto-epoque van Rossini, Bellini en Donizetti, mede door mijn ontdekking van Maria Callas.

In de loop van het jaar 1974 ontmoet ik voor het eerst Wim Lagrillière, een kennis van Stefan Van Zandweghe. Wim Lagrillière zat in de reclamesector op het hoogste niveau, niet zoals Eric Van Zandweghe. Hij was geassocieerd met Wim Van Hees in een eigen firma LVH, Lagrillière & Van Hees. Later werd zijn firma uitgebreid als VVL, Van Hees, Vlessing & Lagrillière. Katleen had hem beschreven als een zonderling die met een Citroën *traction avant* rijdt. Wat er ook van zij, vanaf de eerste ontmoeting met Wim Lagrillière leer ik een fenomenale pianist, Keith Jarrett, kennen. Keith Jarrett is een absoluut unicum in improvisatie, een genre op zich. Wim Lagrillière mag dan al een zonderling zijn, onze vriendschap is steeds interessant geweest en ik heb van Wim toch ook af en toe iets bijgeleerd over jazz, dat niet mijn gebied is.

Tijdens de tweede helft van het jaar 1974 gaat de relatie met Katleen nog verder achteruit. Katleen vraagt in september voor het eerst om uit elkaar te gaan. Ze spreekt over scheiden maar gaat er niet verder op in. Het interesseert me bitter weinig en ik ga er ook niet verder op in. Ik kan ook niet op alle vragen van Katleen ingaan. Het leidt nergens heen. Vandaag dit, morgen iets anders.

Bij het afhalen van Karen en Vasco aan de Steinerschool op de Prins Albertlei heeft Katleen sinds enkele jaren kennis gemaakt met de moeder van Fiona, een klasgenootje van Karen. De moeder, Ines Maclot, een boertige, niet opgevoede alternatieve, is grootsprakerig en heeft twee dochters, naast Fiona, een oudere dochter Petra, ook op de Steinerschool, enkele klassen hoger. Haar man, Guy Maclot, een leraar plastische kunsten aan de academie, heeft als hobby klavecimbelbouwen. De relatie tussen Ines en Maclot is er een van onverschilligheid, volledig dood, inexistent. Ines Maclot heeft sinds enkele jaren een minnaar, een zekere Roger. Maclot is hiervan op de hoogte en het laat hem volledig koud. Dit is gesneden koek voor Katleen, die dit soort toestanden razend interessant vindt. Ines Maclot is het soort vrouw dat haar pullover uittrekt om haar naakte borsten te tonen, om te bewijzen hoe aantrekkelijk zij voor mannen nog is.

Ines Maclot is pseudo-artistiek, schildert naïef, à la Douanier Rousseau, wel erg dilettantisch. Maclot woont in Ranst in een fermette tussen de velden. Alles is zeer pseudo- artistiek, witte muren, geen decoratie. Katleen is helemaal weg van het pseudo- artistieke gedoe. Door de alternatieve levenswijze der Maclots, vermindert tijdelijk de nood aan glitter bij Katleen. Het is zeer tijdelijk, zoals alles bij Katleen.

Petra Maclot, de zuster van Fiona, speelt dwarsfluit. Karen moet ogenblikkelijk dwarsfluit leren. Katleen verplicht mij, op leven en dood, een dwarsfluit voor Karen te kopen. Het kind zal er, tegen haar zin, amper drie maanden op oefenen en er hoegenaamd niets aan overhouden. En ik ben zo dom om alle eisen van Katleen in te willigen, de relatie was sowieso totaal kapot.

Klavecimbelbouw is in. Maclot bouwt in zijn vrije tijd klavecimbels, in navolging van een rits klavecimbelbouwers. Het is ergens begonnen in de Verenigde Staten door Wolfgang Zuckerman, van Duitse afkomst, die begon met klavecimbelkits om zelf te bouwen. Zuckerman wordt door Frank Hubbart nagevolgd. In Parijs is het Heugel en in België is het Walter Maene uit Sint-Eloois-Vijve die de toon zetten. Het is grote mode om klavecimbels te bouwen. De platenindustrie volgt met een reeks klavecimbelmuziek, hoofdzakelijk Bach. Sinds begin jaren zeventig is klavecimbelmuziek meer en meer aan de orde, vooral door de opnames van Gustav Leonhardt.

Katleen ziet een grote bloeiende handel in klavecimbels en stuurt me naar Parijs bij Heugel om een bouwdoos af te halen. Ik ben nog steeds aartsdom en ik doe het en begin een spinet te bouwen. Na verloop van tijd blijkt dat ik niet zo handig ben in het bouwen van spinetten en ik zet het onafgewerkte product in een hoek. Het was de bedoeling van Katleen om een fabriekje in spinetbouwdozen, door Frans Janssens te maken, op te starten. Katleen drijft het zover, dat ze Maclot op me afstuurt om de fabricage van spinetten te bespreken. Maclot deed heel gewichtig, alsof hij de uitvinder van de klavecimbel was. Hij had ook een zeer bijzondere eis, zijn naam mocht niet op de instrumenten staan, wat me bijna aan het lachen bracht. Alsof de naam Maclot ook maar iets zou betekenen.

Katleen heeft een goede relatie met Ines Maclot en maakt gedetailleerde afspraken met haar. Ines vraagt aan Katleen of ze geïnteresseerd is in Maclot en zo ja, krijgt ze hem cadeau met een strikje errond. Want Ines wil weg van Maclot en wil, samen met haar twee dochters, haar intrek nemen bij haar minnaar Roger. Katleen doet het ganse verhaal aan mij en zegt erbij dat ze met de gedachte om mij te verlaten en met de drie kinderen in te trekken bij Maclot, rondloopt. Het heeft het bijkomende voordeel dat we niet hoeven te scheiden, want misschien komt ze ooit wel eens terug. Mijn opinie wordt hoegenaamd niet gevraagd, wat me in de comfortabele situatie zet dat ik kan doen wat ik wil.

Katleen moet wel verschrikkelijk ongelukkig zijn met mij, dat ze noodgedwongen deze burleske oplossing met deze potsierlijke figuur aanvaardt. Maclot is zestien jaar ouder dan Katleen, klein, onbeholpen, met rotte tanden en is kettingroker. Een stuk onbenul dat er zelfs niet artistiek uitziet. Bovendien draagt hij een lachwekkende snor à la Groucho Marx. En daarmee wil Katleen samenleven. Ik begin me af te vragen wat voor soort monster ik wel moet zijn, dat Katleen zo'n slechte ruil wil maken.

Ines Maclot ziet in Katleen een gemakkelijke prooi om los te komen van haar man en in te trekken bij haar minnaar Roger. Ines, een geboren intrigante, doet er alles aan om het voor Katleen zo aantrekkelijk mogelijk te maken. Tussen Ines en Katleen worden nauwkeurige afspraken gemaakt over de financiën en wie aan wie en hoeveel alimentatie zal betalen. Nu komt Katleen bij mij op haar kousenvoetjes vragen hoeveel alimentatie ik voor de kinderen zou betalen. Ik antwoord haar dat ik dat soort van toestanden aan mijn advocaat moet voorleggen en er wordt verder niet meer over gepraat.

Nu begint een periode van negen maanden, tijdens dewelke Katleen twijfelt of ze het wel zou doen. Katleen wordt hoofdzakelijk aangetrokken door het pseudo-artistieke aspect van de zaak. Haar familie en kennissen raden het ten stelligste af. Voldoende voor Katleen om het te doen, want Katleen wil vooral epateren. Nu begint ook het uitdagen en valsspelen. Katleen heeft een tijd nodig om zich van mij los te weken. Ze moet ook de drie kinderen aan haar kant zien te krijgen. De kinderen worden mee betrokken in het bedrog. Het hoogtepunt bereikt Katleen de dag dat ze me vraagt mijn baard af te scheren en een snor à la Maclot te laten groeien. Ik barst uit in een schaterlach.

Katleen probeert verschillende alternatieven. Armand Steenackers mislukt, die wil haar alleen als minnares, niet als vrouw. Met Eric De Bock heeft Katleen het geprobeerd, ook dat is mislukt. Dit laatste bekent ze ook niet, ik lees het in haar dagboek, waarin ze schrijft : *De Bock is een kakvent.*

De relatie met Katleen is verwarrend. Uitgezonderd Franske van de buurvrouw in de Mozartstraat, heb ik geen enkel bewijs van de ontrouw van Katleen. En Franske van de buurvrouw van de Mozartstraat kan ook een ongelukje geweest zijn. Katleen is een meester in het fantaseren en voor de rest labiel en instabiel, inconstant en veranderlijk. Ze doet me denken aan de aria van de hertog in Rigoletto : *"La donna è mobile qual piuma al vento, muta d'accento e di pensiero"*. Vrij vertaald klinkt het ongeveer als volgt : " De vrouw is licht zoals een veder in de wind, veranderlijk in woorden en gedachten.". Deze aria illustreert het wezen van Katleen, komt zelfs volkomen overeen met het personage van Katleen.

Ik heb weinig keuze en moet de loeten van Katleen accepteren voor wat ze zijn. Ik heb drie kinderen ten laste *en bas age*. De situatie lijkt op een soort tweestrijd, waarin beide partijen uitkijken naar wie gaat winnen. De relatie met Katleen is zo goed als dood.

Ines en Katleen organiseren de kerstavond 1974 bij de Maclots in Ranst. Op deze Kerstreünie zijn aanwezig de Maclots met beide dochters, Katleen en ik. Na de maaltijd blijven Maclot en Katleen in gesprek op de sofa terwijl ik aan tafel het gesprek met de drie vrouwen verder zet. Op een gegeven ogenblik merk ik iets zonderlings achter mijn rug. Katleen zit met Maclot in een tweezit te zoenen, duidelijk als uitdaging. Mijn reactie, waar ik nog steeds trots op ben, is schitterend. Ik sta recht, ga naar Katleen, neem haar bij de hand en zeg *We gaan naar huis*. Katleen volgt me gedwee. Tijdens het buitengaan, verontschuldigt Maclot zich met een onderdanige *Het spijt me*. Tijdens de terugrit, in de auto, vraagt Katleen *En wat ga je nu doen?* Het is duidelijk dat Katleen dit heeft geënsceneerd, tactloos, zoals ze is. Ik ga er niet op in.

HOOFDSTUK XLIII.

Het jaar 1975.

Het jaar 1975 is het einde van een tijdperk. In 1975 overlijden Sjostakovitsj en Franco. Dmitri Sjostakovitsj is de laatste grote symfonicus en Franco is de laatste grote dictator. Op 1 maart 1975 gaat Alex Mulkens, één van de allereerste arbeiders van mijn vader, na 26 jaar dienst, met pensioen. Al die tijd was hij magazijnier geweest.

In 1975 neemt mijn vader contact op met «COBAC», de Belgische Credietverzekeringsmaatschappij. Hij laat alle professionele klanten verzekeren tegen wanbetaling. De administratie van de kredietverzekering is loodzwaar. Voor Gerousse is het een vette kluif, ze kan haar greep op de administratie nog vergroten. Alle professionele facturen worden gedurende zestig dagen verzekerd tegen wanbetaling, na zestig dagen bestaat de mogelijkheid om de betalingstermijn te verlengen tot negentig dagen. De voordelen van de kredietverzekering zijn, in geval van faillissement, uitbetaling van 85 % van het factuurbedrag. De nadelen van de kredietverzekering zijn dat je af en toe een klant, die laattijdig betaalt en niet meer verzekerd wordt, verliest.

Het is een materie op zich. In de vijfentwintig jaar dat ik me met kredietverzekering heb bezig gehouden, had ik er alleen maar problemen mee. Iedere keer dat een klant niet verder verzekerd bleef, ingevolge laattijdige betaling, trachtte mijn vader een oplossing om verder te kunnen blijven leveren, te vinden. In vele gevallen liep het slecht af.

Eén geval is tragisch, dat met het Bouwbedrijf Van Gelder uit Deurne. Van Gelder was een goede klant en bouwde appartementsgebouwen op de Ter Rivierenlaan. Van Gelder was ook een grootprater. Toen de betalingstermijnen almaar langer werden en COBAC aandrong op betaling en er geen reactie kwam, werd Van Gelder geschrapt. Raymond Van Gelder was een gangster en niet te vertrouwen. Ik had mijn vader duidelijk gemaakt dat leveren zonder verzekering een groot risico inhield. Er werd dan effectief niet meer geleverd

zonder betaling, maar er bleef een bestelde keuken op de privé naam van
Van Gelder te leveren. Mijn vader heeft deze keuken geleverd met de belofte
van Van Gelder om onmiddellijk te betalen. Het woord van Van Gelder was
echter evenveel waard als dat van Adolf Hitler. Korte tijd daarna ging
Van Gelder failliet en de keuken was niet betaald. Van Gelder had zoveel
schulden dat hij vluchtte naar Portugal. Vermits de levering van de keuken op
zijn privé naam was, hebben we getracht het crapuul in Portugal te vervolgen
door bemiddeling van Leo Dreessen en een Portugese collega uit Lissabon.
Portugal is echter zo'n middeleeuws land dat vervolging totaal onmogelijk werd
gemaakt. En dat land hebben we in de Europese Unie toegelaten.

Het jaar 1975 is het jaar dat ik Maria Callas, tot mijn grote schande, zeer
laattijdig, diepgaander begin te bestuderen. Ik kende Maria Callas alleen van
Casta diva en was eerst een jaar voordien met het beluisteren van volledige
opera's door haar geïnterpreteerd begonnen. Ik had me voordien hoofdzakelijk
bezig gehouden met Wagner, Mozart en Richard Strauß. Wat betreft
zangeressen hoofdzakelijk met Astrid Varnay en Martha Mödl. Met
uitzondering van de *"Norma"* met Maria Dolores in 1959, had ik weinig voeling
met het bel canto-repertoire van Rossini en Bellini.

In het begin van de jaren zeventig had ik de Bellini partijen met Joan Sutherland
leren kennen. In de eerste plaats *"La Sonnambula"* en *"Beatrice di Tenda"*.
Joan Sutherland was toen voor mij de perfectie op vocaal gebied. In het bel
canto-repertoire had ik nooit aandacht geschonken aan interpretatie. Voor mij
was het letterlijk *bel canto*, mooi gezang, en ik was tot dan niet blijven stilstaan
bij interpretatie van die mooie zang. Toen ik Maria Callas voor het eerst hoorde
in *"La Sonnambula"* en daarna in *"I Puritani"* klonk deze muziek totaal anders
en het was niet alleen de stem, het was meer dan dat, alsof ze iets toevoegde.
Het essentiële verschil was de interpretatie van de tekst. Bij Sutherland was die
volledig onbestaande, bij Callas was die voor ieder personage verschillend en
doordringend. Het meest merkwaardige was dat Callas de veelvuldige vocalises
bij Bellini ook interpreteerde, terwijl dat bij Sutherland, weliswaar perfect
gezongen, nietszeggend monotoon bleef. Bij Sutherland waren alle vocalises
identiek. Bij Callas was iedere vocalise aangepast aan het personage. Callas was
veel pregnanter en boeiender.

Het werd een obsessie, in die mate, dat ik Joan Sutherland niet meer kon aanhoren. Erger, ik constateerde dat haar timbre lelijk was. Bovendien zong zij alle partijen op dezelfde manier, zonder enig interpretatieverschil. Bij Callas is het timbre niet speciaal mooi, maar het is boeiend en aangepast aan het personage. Eén na één kocht ik alle opnamen van Maria Callas : *"Norma"*, *"La Sonnambula"*, *"I Puritani"*, *"Medea"*, *"Tosca"*, *"La Traviata"*, *"Aïda"* en alle andere. Ik was totaal verrast door de kwaliteit van Maria Callas, die tot dan, voor mij een prima donna was die de schandaalpers haalde. *"Norma"* door Maria Callas was voor mij een openbaring, net zoals *"Medea"*. Wat Astrid Varnay was voor Wagner, was Maria Callas voor het bel canto. Ik wist nu dat er na wereldoorlog II twee grote revoluties in de opera hadden plaatsgehad. De ene was Wieland Wagner met Neu-Bayreuth, de andere was Maria Callas met bel canto, en, merkwaardig, beide bijna gelijktijdig rond 1950.

Deze muzikale peripetieën waren een welkome verademing na de vele afstompende belevenissen met Katleen.

Een ander fenomeen in 1975 is Vivaldi. Aan de ene kant komt Claudio Scimone met zijn orkest *"I solisti Veneti"* met concerti op zeer hoog niveau en aan de andere kant komt Vittorio Negri met de eerste opname van *"Juditha triumphans"*, een revolutionaire opname. Het is het prille begin van de ontdekking van Vivaldi als operacomponist. Het zal enkele decennia vergen vooraleer de grote meerderheid der verloren gewaande operapartituren van Vivaldi in de bibliotheek van Turijn teruggevonden worden. Voorlopig hebben we onze handen vol met de ontdekking van *"Juditha triumphans"*, volgens specialisten, hoewel een oratorium, de beste opera van Vivaldi.

In de loop van januari 1975 vraagt Katleen voor het eerst uit elkaar te gaan zonder officiële scheiding. Enkele dagen later zegt ze *Ik hou niet meer van jou.* Waarvan akte. De manier waarop ze het zegt is gekunsteld en onnatuurlijk. De twaalf jaar dat onze relatie heeft geduurd heeft ze dit geen enkele keer gezegd. Waarom zegt ze dit nu na het incident in Ranst bij Maclot? Ik reageer niet en Katleen bindt een strijd op leven en dood met me aan. Ze bekent een hele reeks seksavontuurtjes met verschillende mannen. Dit laatste stelt me gerust, het wijst op de nymfomanie waarover ik gelezen had. In de zeer nabije toekomst zal blijken dat Katleen effectief nymfomane is. Maclot zal het, tijdens zijn relatie met Katleen, niet accepteren en haar daarvoor in elkaar slaan. Het enige doel van Katleen is zelfbevrediging, ze verlaat de plaats van het gebeuren ogenblikkelijk na het bereiken van haar doel. Eén keer bereikt ze zelfs haar doel niet. Het gebeurt in Ternat bij Marcel Verschaeren, zwaar diabeticus, die tijdens de seksoefeningen een hypo krijgt. Katleen slaat in paniek en vlucht weg, Marcel Verschaeren in grote nood alleen latende. Het is het verhaal van de heldin Katleen Van Zandweghe, die niet geïnteresseerd was in Marcel Verschaeren, maar enkel in het bereiken van haar zo moeilijk bereikbaar orgasme.

Vanaf februari 1975 begin ik terug het operamaandblad *Opera* te lezen. Geleidelijk kom ik terug in de beschaafde wereld. Het zal niet lang duren of alle poorten van de beschaving gaan terug open. Geleidelijk begin ik ook terug met operabezoek.

Half maart 1975 bezoek ik de Frankfurter Messe, die om de twee jaar in maart plaatsheeft. Het is de belangrijkste beurs voor sanitair en verwarming, waar zo goed als alle significante fabrikanten exposeren. Zoals steeds kies ik kwartier in het Aukamm Hotel in Wiesbaden, waar ook verschillende leden van Supersanit verblijven. De beurs was vanuit Wiesbaden zeer gemakkelijk per trein bereikbaar, slechts enkele minuten van het station van Frankfurt. Tijdens deze beurs heb ik enkele interessante contacten, onder andere met «HANSA», een zeer belangrijke kraanwerkfabrikant. 's Avonds is er dan in Wiesbaden een gezellig diner onder Supersanitleden.

Op 19 maart, de tweede avond, gaf de opera van Wiesbaden, het Hessisches Staatstheater, *"Martha"* van Friedrich von Flotow, een tijdgenoot van Richard Wagner. *"Martha"* was in 1847 in Wenen, de creatieperiode van Tannhäuser en Lohengrin, gecreëerd. *"Martha"* was toen een opera die je alleen nog in Duitsland te zien kreeg en was daar een kasstuk van het repertoire. De voorstelling van 19 maart was uitverkocht en ik kon slechts met moeite via het hotel een kaart bemachtigen. Gelukkig heb ik deze voorstelling gezien, ik zou later geen gelegenheid meer krijgen. Het was een echte Duitse Provinzbühnenvoorstelling in de goede zin van het woord. De effectvolle finale van de derde acte : *Mag der Himmel Euch vergeben*, werd zo mooi gezongen dat ik rillingen over de rug kreeg. Het deed me eraan denken wat ik de laatste vijf jaar, door *la Catin*, niet alles had moeten missen. Deze *"Martha"* was de ideale aanzet tot het heraanknopen met de kunstvorm opera.

De voorstelling was zo goed, dat ik de dag nadien, 20 maart, *"Der Barbier von Sevilla"* in het Duits gezongen, ging bijwonen. Almaviva werd gezongen door dezelfde zanger die de dag voordien Lionel had gezongen : Dieter Bundschuh, een echte Duitse lirico spinto, die ik twee jaar later als Narraboth in *"Salome"* zou zien.

Terug thuis in de Hertoginstraat krijgt de smaak me terug te pakken. Ik grijp terug naar de opera, na een jammerlijke onderbreking van vijf jaar. Marie-Louise Hendrickx zingt Kundry in de goedevrijdagsvoorstelling van *"Parsifal"* in de KVO op 28 maart 1975. Een goede reden om te gaan. Marie-Louise Hendrickx, die ik voor het eerst als Kundry zie, is fenomenaal. De titelrol werd gezongen door Sylvain Deruwe, een verbetering ten opzichte van de eeuwige Antwerpse Parsifal, Marcel Vercammen, die geen deel meer uitmaakte van het gezelschap. Op 19 april zie ik in de KVO een *"Gemaskerd bal"*, waarin alleen de Ulrica van Mimi Aarden het vermelden waard is.

Met Pasen brengt Katleen met de drie kinderen het weekeinde in Knokke door. Begin mei 1975 zegt Katleen : *Ik ga je verlaten tijdens het weekeinde van 5 juni, terwijl jij in München bent.* Ik had een gepland bedrijfsbezoek aan twee groothandelaren in München. Katleen had alle voorbereidingen genomen voor de overstap naar Ranst, naar Maclot, die Ines met haar twee dochters reeds naar de minnaar Roger had gestuurd. Ik vraag haar of ze wel zo zeker is van Maclot. Het blijkt onder controle te zijn, Maclot had niet veel nodig om verleid te worden naast een wijf zoals Ines. Katleen was gedurende het paasweekeinde in Ranst om Maclot uit te testen in bed, en het was nogal meegevallen. Katleen bekent haar leugen van het paasweekeinde in Knokke en, wat erger is, ze heeft de kinderen mee betrokken in het bedrog, tegen hun vader. Dit zal voor de kinderen in de toekomst onoverkomelijke problemen met zich meebrengen.

Later zal blijken dat dit laatste, het opzetten van de kinderen tegen hun vader, onherstelbare gevolgen voor de kinderen, en in hoofdzaak voor Titus, zal hebben. Ik vraag haar of ze goed heeft nagedacht en zeg haar dat er geen weg terug is. In feite staat Katleen sinds maanden in twijfel en heeft ze nu een beslissing genomen. Haar versie is : *Ik kan niet mijn ganse leven met één enkele man doorbrengen, ik wil minstens drie of vier mannen in mijn leven. Wees blij, je hebt me gehad als maagd en je hebt mijn jeugd gehad. Ik pleeg toch vroeg zelfmoord. De Hertoginstraat 24 is mijn afscheidsgeschenk.* Dit soort oprispingen was ik sinds twaalf jaar gewoon. Net voor mijn vertrek naar München op 3 juni 1975 zeg ik tegen Katleen : *Je hebt het lef niet om het te doen*, wel wetende dat ze het dan zeker zou doen.

Zonder me veel zorgen te maken vertrek ik naar München voor bedrijfsbezoeken bij twee belangrijke groothandelaren van de regio München, in het kader van interlandelijke uitwisselingen via de Federatie Menofer. We logeren in de Bayerischer Hof en ik heb één avond vrij op 4 juni. Als je in München bent en je hebt een avond vrij, dan is er slechts één mogelijkheid om die avond door te brengen en dat is in de *Bayerische Staatsoper*, temeer daar ik er nooit geweest was.

Op het programma stond *"Der Barbier von Sevilla"* in de Duitse vertaling, één der laatste uitvoeringen in het Duits. Ik had nog maar net een Duitse Barbier in Wiesbaden gezien. Kort daarop zouden alle opera's in de originele taal gezongen worden. Rosina was Janet Perry, een coloratuursopraan, jong en aantrekkelijk. Het beste aan deze Barbier was de schitterende regie van Ruth Berghaus. Het Bühnenbild was volledig wit evenals alle kostuums. Het was een schitterende Barbier.

Bij mijn thuiskomst uit München vind ik een leeg huis. Katleen heeft voor de eerste keer woord gehouden, ze heeft met de drie kinderen het huis verlaten.

Katleen heeft zelfs geen afscheidsbriefje achtergelaten. Eens te meer stelt ze teleur. Het minste dat ze had kunnen doen was een leuk afscheidsbriefje verzinnen, na twaalf jaar samenleven. C'est la moindre des choses. Ze heeft hoegenaamd geen stijl. En zij die er steeds op uit was alles met stijl te doen. Ze heeft alleen het hoogst nodige meegenomen: kleding, beddengoed en een paar waardeloze spullen. Katleen laat de mogelijkheid van een terugkeer open.

En dan bega ik een enorme stommiteit. Om me te verzetten tegen de shock, spring ik in mijn Kevertje en rij zonder na te denken richting Frankrijk, via Brussel, Charleroi en Reims en houd een halte in Châlons, waar ik overnacht. Bij het ontwaken, 's anderendaags, besef ik mijn grote blunder. Ik heb zelfs mijn vader niet gewaarschuwd en dit zal ik mezelf voor de rest van mijn leven niet vergeven. Ik ren naar het postkantoor, waar tot overmaat van ramp een poststaking aan de gang is. Na een heel palaver met het stakingspiket in het postkantoor van Châlons slaag ik erin, aan een speciaal loket, een telegram met de vermelding dat ik in goede gezondheid verkeer, naar mijn vader te sturen. Franse stakingspiketten zijn eleganter dan Belgische en bereiken ook meer.

De tweede dag rij ik verder naar het zuiden tot Vienne voorbij Lyon. In Vienne, na het avondmaal, ontmoet ik in de bar van het hotel een courtisane en 's anderendaags ben ik genezen en rij terug naar het Noorden.

Tot zover mijn shocktoestand, die gelukkig snel overwonnen was. In een eerste tijd onderneem ik niets en wacht af op wat staat te gebeuren. Van Katleen verneem ik wekenlang niets. Ik was eindelijk verlost van haar.

Vermits er hoegenaamd geen afspraken betreffende het alimentatiegeld voor de kinderen waren gemaakt, ging ik te rade bij Leo Dreessen, die me naar Paul Goossens, specialist in echtscheidingen, verwees. Later vernam ik dat Paul Goossens de beste echtscheidingsadvokaat van Antwerpen was.

Paul Goossens raadt me aan de overspeligen onmiddellijk te laten betrappen, omdat je in dergelijke situaties nooit weet wat er morgen kan gebeuren. Katleen zou bijvoorbeeld alimentatiegeld voor zichzelf kunnen eisen, wat ze later ook heeft gedaan, door op een ander adres dan Maclot te gaan wonen, want vals was ze gebleven. Ik stap naar de politie en dien een klacht in wegens overspel. Ik vraag ook aan Paul Goossens het alimentatiegeld voor de kinderen te berekenen. Paul Goossens laat het zelf berekenen door een vrederechter en ik betaal prompt iedere maand het bedrag.

De vlucht van Katleen was het gevolg van een tweegevecht dat ze dreigde te verliezen. We leefden ook in twee verschillende werelden, die met elkaar niets te maken hadden. Katleen zat vastgeroest in een Angelsaksisch patroon met elitair, lichtzinnig gedrag naar het frivole toe. Katleen was uitsluitend met haar uiterlijk bezig, innerlijk was alles nogal futiel. Door mijn opvoeding had ik een zekere moraliteit, cultureel zat ik in de Frans-Duitse sfeer. Katleen wist amper wie Goethe was. Er was een afgrond tussen ons. Dat we het twaalf jaar hadden volgehouden was een prestatie, hoofdzakelijk aan de aanwezigheid van de drie kinderen toe te schrijven.

Mijn adoratie van Richard Wagner was voor Katleen onoverbrugbaar. Zij trachtte zich af te zetten tegen Wagner door een geforceerde aandacht voor Bach. Dit was echter snobisme en zij dacht zich tegenover mij af te zetten met een andere zwaargewicht in de muziek. Later heeft ze aan Bach ook nog Villa-Lobos toegevoegd, maar ook dat was puur snobisme. Villa-Lobos klinkt zeer goed in de culturele wereld waarin zij zich dacht te kunnen bewegen.

In de loop van de herfst 1975 wordt het overspel van Katleen door de Rijkswacht, in Ranst ten huize Maclot geconstateerd en geacteerd en op 18 december 1975 komt de zaak voor de Correctionele Rechtbank van Antwerpen. Ik wacht de reactie van Katleen af om met haar te kunnen afspreken over de verdeling van het huis Hertoginstraat 24 met zijn inhoud.

Intussen had ik de programmatie van Bayreuth terug aangevraagd en kaarten voor de Festspiele van 1976, het honderdjarig bestaan ervan, besteld. De herdenking van de honderdste verjaardag van de creatie van *"Der Ring des Nibelungen"* in Bayreuth werd groots aangekondigd. Niet minder dan Pierre Boulez zou deze Ring dirigeren met Patrice Chéreau als regisseur.

Rond deze tijd wordt mijn aandacht op Goethe toegespitst. Het zal aanvankelijk wel snobisme geweest zijn. Wat er ook van zij, ik begin zijn *"Faust"* in een Nederlandse vertaling te lezen. Na verloop van tijd merk ik dat de *"Faust"*, weliswaar een cultureel erfgoed van het Westen, vrij saai is om lezen. Ik lees de *"Faust"* ook niet ten einde en ga over op *"Het lijden van de jonge Werther"*. Deze roman is de eerste roman en ook de enige roman die ik zal lezen en ook tot de laatste bladzijde zal lezen. *"Werther"* is een absoluut meesterwerk. Vanaf nu zal Goethe me niet meer loslaten en ik begin zelfs zijn gedichten te lezen, maar hier wel in de tekst en niet in een vertaling. De gedichten van Goethe kun je alleen in het origineel lezen. Ik begrijp nu eindelijk waarom zovele componisten, niet in het minst Schubert, een voorkeur gaven om Goethe te componeren. Goethe zelf was er niet gelukkig mee en had alleen respect voor Mozart.

In juli 1975, tijdens de vakantie, maak ik met mijn Kever een reis door Duitsland met als eerste stopplaats Kassel en als doel München. In Kassel had ik inmiddels de *Gemäldegalerie* ontdekt. Deze wereldberoemde schilderijenverzameling van een landgraaf uit de achttiende eeuw was het jaar voordien overgebracht naar *Schloß Wilhelmshöhe*, het kasteel van de landgraven van Hessen. Het kasteel ligt in een groene omgeving op een helling, met een immens groot *Schloßpark* met daarboven een waterval in cascadevorm.

De collectie van Kassel is onvoorstelbaar rijk aan Vlaamse en Hollandse meesters. Zij bevat het grootste aantal Rembrandts ter wereld, twintig doeken, meer dan het Rijksmuseum, het Louvre of de National Galery. Rubens, Van Dyck, Brouwer en Teniers zijn overweldigend vertegenwoordigd naast een schat aan werken van Dürer, Terborch, Jan Steen, Frans Hals en Terbrugghen.

Kassel bezit ook het grootste aantal doeken van Jacob Jordaens. Ik ben later nog verschillende keren teruggekeerd naar Kassel, alleen voor de *Gemäldegalerie*.

Vanuit Kassel reis ik verder naar München, waar, sinds ik daar de Barbier had gezien, de opera mij aantrok. In München kies ik terug het *Bayerischer Hof* als vaste stek, te meer omdat ik daar kaarten voor de opera kan krijgen. Bij mijn aankomst koop ik een kaart voor de voorstelling van *"Don Carlo"* op 18 juli 1975.

De dag van de voorstelling van *"Don Carlo"* bezoek ik in de voormiddag de *Alte Pinakothek*. In de namiddag maak ik een wandeling door München en stap in de Maximilianstraße een Engelse kledingboutique, *English House*, binnen. Ik begin een gesprek met de gerante van de boutique, een grote aantrekkelijke vrouw, slank, met veel allure. Het gesprek komt op de voorstelling van *"Don Carlo"* van dezelfde avond. De aantrekkelijke vrouw is uitermate geïnteresseerd in deze *"Don Carlo"*. Ik vertel haar dat ik slechts één kaart heb voor de voorstelling, die bovendien uitverkocht is. En nu doe ik iets dat ik in mijn ganse leven nooit heb gedaan, ik nodig de onbekende schoonheid uit tot een souper na de opera in een sjiek restaurant op de Maximilianstraße. Na enige aarzeling accepteert de onbekende schoonheid mijn invitatie. Ik ben verwonderd van de prestatie dat ik deze aantrekkelijke vrouw heb kunnen versieren en bewegen tot het aanvaarden van mijn uitnodiging.

Maar eerst is er om 18 uur de voorstelling van *"Don Carlo"*. Het wordt één van die voorstellingen om nooit te vergeten, met een sterbezetting: Ruggero Raimondi als Filips, Carlo Cossutta als Carlos, Katia Ricciarelli als Elisabeth en Brigitte Fassbaender als Eboli. Het mooiste was Eberhard Wächter als Posa, absoluut goddelijk. De directie van Georges Prêtre was groots. Deze voorstelling komt ogenblikkelijk in mijn register van de *Sternstunden*.

Na de voorstelling heb ik mijn afspraak met Ursula Wondrak, een Berlijnse, actrice, gescheiden, zonder kinderen en negen jaar ouder dan ik. We gaan naar ons sjiek restaurant op de Maximilianstraße, waar ik gereserveerd had. Het wordt een uitermate boeiende avond. Ursula is intellectueel en uitermate kunstzinnig. Tijdens het souper zegt Ursula *Kijk, wie naast ons zit.* Ik schrik me een aap, daar zaten in tête-à-tête Dietrich Fischer-Dieskau en Wolfgang Sawallisch, die heel vriendelijk naar ons glimlachten. Weer een moment suprême om nooit te vergeten. Beide beroemdheden hadden diezelfde avond een zangrecital.

Het souper met Ursula is perfect, de wijn is perfect en de avond uitermate belangwekkend. Ursula is een boeiende vrouw, die al wat heeft beleeft. Ze heeft *"Maria Stuart"* in Berlijn gespeeld en leeft reeds geruime tijd alleen in Schwabing, een voorstad van München. Momenteel depanneert zij een vriendin in de boutique. En zoals in vele klassieke films breng ik Ursula naar huis in Schwabing met mijn Kevertje en die avond beland ik in het bed van Ursula. Bij het ontbijt kreeg ik de symfonie N° 25 van Mozart door Bruno Walter voorgeschoteld, een sensationele uitvoering die ik niet kende. Is er een zaliger ontwaken denkbaar ?

Ursula was enorm belezen, zeer muzikaal en aantrekkelijk. De rest van mijn vakantie leefde ik samen met haar, nadat ik mijn koffer in het *Bayerischer Hof* had afgehaald. Ursula moest in die periode enkele kleine meubelen van München naar Salzburg verhuizen. We huurden een bestelwagen en reden ermee met de meubelen naar Salzburg. Of hoe men meubelen van München naar Salzburg verhuist. Tot mijn eigen verwondering kon ik rijden met een bestelauto.

Op 24 juli 1975 stond een *"Rosenkavalier"* op het programma van de *Bayerische Staatsoper*. Dirigent was Carlos Kleiber en het vrouwentrio waren Gwyneth Jones, Trudeliese Schmidt en Lucia Popp. De voorstelling was uitverkocht en ik was de wanhoop nabij. Ursula had me gezegd 's avonds één uur voor de voorstelling aan de kassa te gaan staan. Er zijn altijd kaarten die terugkeren.

Ik ging 's avonds aan de kassa staan met de hoop op geluk. En ja het bestaat, daar komt een man met een kaart op de tweede rij links en ik zie de mooiste *"Rosenkavalier"* uit heel mijn leven. Het is vooral een zaak van het orkest en Carlos Kleiber. De *Rosenübergabe* moet je gezien hebben in deze context om het mirakel opera te ervaren. Er zijn veel goede Sophies, maar Lucia Popp is één van de allerbeste. Trudeliese Schmidt is de ideale Octavian, slank, mannelijk met een tikkeltje vrouwelijkheid. Gwyneth Jones is interpretatief een mooie Marschallin, haar Duits is onverstaanbaar. Zonder aarzelen voeg ik deze voorstelling aan mijn lijst *Sternstunden* toe. Ik had in het interval van zes dagen twee keer een *Sternstunde* meegemaakt. Niet voldoende om de verloren tijd met Katleen goed te maken, maar wel op weg ernaar toe.

De liaison met Ursula heeft enkele weken geduurd. De afstand tussen Antwerpen en München en het leeftijdsverschil waren te groot en de liefde was te klein. Na enkele vluchten tussen Zaventem en München en omgekeerd zat het erop. Het was een boeiende relatie die onmogelijk kon blijven duren.

In augustus 1975 krijg ik een telefoontje van Christiane Ghislain, die blijkbaar enkele problemen heeft met haar man Raphaël Ghislain, waarmede ik enkele ontmoetingen had toen hij in Kapellenbos woonde. Hij woont nu met vrouw en kroost, drie jongens die op de Steinerschool zitten, in een fermette in Haasdonk. Muziek en kunst brengen ons terug samen. De man had enorme geldproblemen en ik verkocht voor hem enkele van zijn doeken en tekeningen om het gezin eten te geven. Gedurende de herfst en winter was ik regelmatig te gast bij de Ghislains in Haasdonk. Ook de kerstavond 1975 heb ik bij de Ghislains doorgebracht.

In september 1975 hoor ik op France Musique een mij totaal onbekende opera van Tsjaikofski: *"De maagd van Orleans"*. Van Tsjaikofski zijn anno 1975 alleen *"Jefgeni Onegin"* en *"Schoppenvrouw"* gekend. Het is een concertante uitvoering, de Franse creatie van het werk, uitgezonden door Radio France. Het werk is zo boeiend dat ik het ogenblikkelijk op een magneetband registreer. Het is één van mijn eerste opnames op magneetband. De titelrol, Irina Arkhipova, is sensationeel. Even later koop ik een grammofoonplaat ervan op de Russische

Melodia-label eveneens met Irina Arkhipova. Van de uitvoering op France Musique zal in 2006 een technisch betere transcriptie op CD, die ik uiteraard aanschaf, in de handel komen.

Vermits ik Katleen niet meer moet onderhouden, kan ik meer besteden aan boeken en platen. Ik koop de *Grote Nederlandse Larousse* in 25 delen in leder ; 12 delen zijn reeds verschenen, de overige 13 delen verschijnen a rato van 3 delen per jaar. Het is de beste encyclopedie van het Nederlandse taalgebied. In de *Bibliothèque de la Pléiade* bij Gallimard koop ik de volledige werken van Molière, Corneille, La Fontaine en La Rochefoucauld. Racine bezat ik reeds in een uitgave van de *Classiques Garnier*. Van Bärenreiter krijg ik toegestuurd *"The tenth muse"* van Patrick Smith in eerste druk van 1971. Het is het meest volledige en meest overzichtelijke werk over het operalibretto. En, te gek om rond te lopen, bij Church op de Mechelsesteenweg koop ik drie paar schoenen, een zwart, een bruin en een okergeel. Een klein fortuin. Vermoedelijk is het een soort viering van de verlossing.

In het kader van Europalia 75 Frankrijk is er een unieke tentoonstelling in het Paleis voor Schone Kunsten : *Van Watteau tot David* met schilderijen en tekeningen uit de Franse provinciale musea, met enkele topwerken van Watteau, Perronneau, Greuze en Chardin. Ik bezoek de tentoonstelling. Om de doeken en tekeningen in andere omstandigheden te willen zien, moet je heel Frankrijk doorkruisen. Deze gelegenheid zou nooit meer terugkomen. Na deze tentoonstelling word ik meer en meer verliefd op de Franse schilderkunst.

Samen met de Ghislains bezoek ik enkele conservatoriumconcerten. Op één van deze concerten speelt Sylvia Traey een pianoconcerto van Mozart. De Ghislains zijn goed bevriend met Eugène Traey en dochter Sylvia. Na het concert trachten de Ghislains mij aan Sylvia Traey te koppelen. Het kind heeft blijkbaar problemen met mannen. Sylvia Traey is zelfingenomen, uitsluitend bezig met Schumann en Brahms en bovendien niet eens mijn type vrouw. Het bleef bij een hoffelijke conversatie over muziek, tijdens dewelke ik me verwonderde over de naïviteit van het artistieke kind. En daarmee was de zaak afgesloten.

HOOFDSTUK XLIV.

Het jaar 1976.

Het jaar 1976 is een dramatisch jaar, waarin mijn vader, op 10 mei, zijn eerste hartinfarct, ingevolge de vele stress en beslommeringen, krijgt. Mijn vader was een overgevoelig man en daarmede heb ik te weinig rekening gehouden, omdat ik het gewoon toen niet besefte. Het verloop van de aandoening is zeer gunstig, mijn vader herstelt vrij vlug en voelt zich na enige tijd terug goed. En, wat niet had mogen gebeuren gebeurt, mijn vader begint terug te werken. Het advies van de geneesheren was unaniem : niet meer werken. Mijn vader is dan 68 jaar oud en had zich heel gemakkelijk kunnen terugtrekken, met twee zonen actief en constant aanwezig op de zaak. Vermits mijn broer Marco en ik slechts een gewone volmacht voor ondertekening bezaten, voert mijn vader een statutenwijziging in de PVBA door, met benoeming van vier directeuren, mijn moeder en de drie kinderen. In de praktijk komt het hierop neer, dat mijn broer Marco en ik volledige procuratie voor alle handelingen bekomen. Mijn vader blijft zaakvoerder en koopt zelfs een nieuwe auto, een BMW reeks 500. BMW was toen nog niet zoveel gezien als twintig jaar later.

Het jaar 1976 is het jaar dat de *Bayreuther Festspiele* 100 jaar bestaan. Dit wordt herdacht met een totaal nieuw en revolutionair concept : de Ring van Patrice Chéreau. Dirigent is Pierre Boulez, die trouwens Patrice Chéreau als regisseur aan Wolfgang Wagner had aanbevolen. Het wordt dus de eerste Franse Ring in Bayreuth. De eeuwfeestring van Patrice Chéreau zal de geschiedenis ingaan als één van de wonderbaarlijkste ondernemingen in Bayreuth. Eerst uitgejouwd, daarna bejubeld, heeft Patrice Chéreau de meest spectaculaire Ring van de eeuw gemaakt, zeer getrouw aan de tekst, aan de muziek en aan de dramaturgische bedoelingen van de componist. Van deze eerste Chéreau-Ring nam ik fragmenten uit *"Die Walküre"* met Peter Hofmann en Hannelore Bode op een magneetband op.

In dezelfde periode ontdek ik op France Musique een onwaarschijnlijk boeiend programma : *Tribune des critiques de disques*, dat iedere zondag wordt uitgezonden. Het panel, dat grammofoonplaatopnames beoordeelt en vergelijkt, onder de leiding van Armand Panigel, bestaat uit Jacques Bourgeois, Antoine Goléa en Jean Roy, drie eminente musicologen. Recente plaatopnames worden erin met oudere opnames van eenzelfde werk vergeleken. Iedere zondag zit ik bij de radio. Het is zo boeiend dat ik verschillende uitzendingen op magneetband vastleg.

Een van de eerste opnames die ik vastleg, is het concerto voor fluit KV 314 met Jean-Pierre Rampal, Marcel Moïse, Michel De Bost, Maxence Larrieu en Eugenia Zuckerman. Rampal komt als beste fluitist uit de bus, de beste opname voor het geheel is die met Eugenia Zuckerman met het English Chamber Orchestra onder de leiding van haar echtgenoot Pinchas Zuckerman, toen de meest recente opname. Het besluit van het panel was dat dit concerto met een kamerorkest gespeeld moet worden, alle oudere opnames waren met groot orkest. Het is, anno 1976, de eerste keer dat pertinent voor dit soort werken de voorkeur aan een kamerorkest in plaats van een groot orkest wordt gegeven.

We blijven bij de fluit met de concerti opus 10 van Vivaldi, waar in hoofdzaak *"La notte"* en *"Il gardellino"* aan bod komen. De besproken interpreten zijn Jean-Pierre Rampal, Michel De Bost, Severino Gazzelloni en Jean-Claude Veillant. De discussies gaan over blokfluit of dwarsfluit. De blokfluit klinkt nog valser dan de dwarsfluit. Met de dwarsfluit bestaat de mogelijkheid om een zuivere klank te bekomen. Het panel ontsnapt niet aan de beroemde opmerking van Mozart : *Nichts ist so falsch wie eine Flöte, es sei eine andere Flöte.* Het panel komt tot de slotsom dat Severino Gazzelloni de beste fluitist is. Unaniem stellen ze zich op tegen periode-instrumenten.

Gedurende de eerstvolgende drie jaren, van 1976 tot 1979, volg ik wekelijks de debatten op France Musique. Deze debatten, met hoofdzakelijk Jacques Bourgeois en Antoine Goléa als tegengestelde naturen, zijn onvoorstelbaar belangwekkend. De belangrijkste uitzendingen, die ik op magneetband vastleg, zijn *"Die Meistersinger von Nürnberg"*, *"Lucia di Lammermoor"*, *"Il Barbiere di Siviglia"*, *"Le Nozze di Figaro"*, *"Don Giovanni"* en *"Fidelio"*. De rivaliteit tussen Jacques Bourgeois en Antoine Goléa is goddelijk.

De KVO gaat verder achteruit onder de directie van Sylvain Deruwe. Een *"Aïda"* op 17 januari 1976 is erbarmelijk. Alleen de Amneris van Mimi Aarden blijft overeind. Ik neem me voor niet meer naar de KVO te gaan. Ik staak de bezoeken aan de KVO tot 1991, met uitzondering van twee Parsifalopvoeringen. Ook de conservatoriumconcerten zijn van een laag niveau en ook hier stop ik mijn bezoeken. Op 3 februari 1976 ben ik nog getuige van de prijsuitreiking aan de leerlingen van het conservatorium. Tussen hen zit Jozef De Beenhouwer die het hoger diploma met de grootse onderscheiding voor piano behaalt.

Bij gebrek aan beters in eigen land, schakel ik over op de Opera van Keulen, mij wel bekend van mijn soldatentijd. Bij de eerste voorstelling tref ik volop in de roos. Op 3 maart 1976 zie ik een sensationele *"Tannhäuser"* in Keulen met een onwaarschijnlijke Eva Randova als Venus, een schitterende Jean Cox in de titelrol en een prachtige Matti Salminen als de landgraaf. Een maand later, op 4 april 1976, zie ik aldaar een hele mooie *"Lohengrin"* met een schitterende Elsa van Hannelore Bode. Deze zangeres zou de eerste Sieglinde van Chéreau in Bayreuth zingen.

Op 8 april 1976 zie ik in de Munt *"L'Italiana in Algeri"* in een regie van Jean-Pierre Ponnelle. Het beste moet nog komen met Elisabeth Schwarzkopf, die ik op 29 april 1976 voor de laatste keer zie. Ze is dan 60 jaar oud maar nog steeds subliem. Schwarzkopf, begeleid door Geoffrey Parsons, zingt 23 liederen van Schubert, Schumann, Brahms, Richard Strauß en Hugo Wolf. Zij zingt onder andere „*Der Lindenbaum*" van Schubert en „*Morgen*" van Richard Strauß, twee liederen die ik nooit meer zal vergeten. Het is de laatste keer dat ik Elisabeth Schwarzkopf zie. Zij is nog steeds superieur.

Op 30 augustus 1976 zie ik in Gent, in het kader van het Festival van Vlaanderen, Christa Ludwig tijdens een zangrecital, begeleid door Erik Werba. Zij zingt 20 liederen van Schubert, Brahms, Mahler en Dvořák. Ludwig is dan 48 jaar oud en op het hoogtepunt van haar stemvermogen. Ook zij zingt: *"Der Lindenbaum"* en de vergelijking met de interpretatie van Schwarzkopf is verhelderend. Stilaan haal ik mijn schade, van de periode Katleen, in.

Op de zaak heb ik, door mijn vader voorbereid, contacten met bouwondernemer Somers, die een reeks appartementsblokken, onder de promotionele benaming «GREEN PARK», in Deurne opricht. Mijn vader brengt me ook in contact met bouwondernemer Floré die een groot appartementencomplex «HANSA» opricht.

In de loop van de lente 1976 bezoek ik Florence en de musea *Uffizi* en *Pitti* tijdens een zakenreis met Jacques Vermeiren, fabrikant van douchecabines «LE NATIONAL» en agent van enkele Italiaanse fabrikanten. Florence is waarschijnlijk de belangrijkste kunststad in de wereld. Het aantal absolute meesterwerken is er niet te tellen. In de *Galleria degli Uffizi* wordt mijn aandacht gevestigd op Perugino, Giorgione en Caravaggio. Het is twintig jaar geleden dat ik dit museum bezocht en ik herinner me nog de belangrijkste doeken. De fameuze Portinari-triptiek van Hugo Van der Goes is indrukwekkend en ik blijf er minutenlang met verbazing naar kijken. Het museum staat bol van de meesterwerken. Van de Italiaanse meesters is er een volledig overzicht vanaf de XIIᵉ eeuw. Er hangen een zelfportret van Ingres en een grandioos ruiterbeeld van Van Dyck. In de *Palazzo Pitti* hangen een groot aantal Rafaello's naast veel Van Dyck en Caravaggio.

's Avonds worden we in Florence in een ristorante, voor autochtonen, zonder toeristen, uitgenodigd. We krijgen de echte Italiaanse keuken, niet de door kookboeken vervalste versie ervan, geserveerd. De vrouw van Jacques Vermeiren staat op het punt hem te verlaten en is duidelijk op zoek naar een vervanging. Het toeval wil dat ik de avond in de ristorante naast haar zit. Vermeiren doet alsof hij het geflirt tussen zijn vrouw en mij niet ziet en gaat door met onderhandelingen met zijn committenten. Het geflirt met de vrouw van Vermeiren heeft na die avond nog enkele weken geduurd. Ik besefte vanaf het eerste ogenblik dat de vrouw alleen op luxe en geld uit was en dat was net wat ik niet nodig had, vermits ik nog niet zo lang geleden van dat soort avonturen verlost was. Wat ik echter kon meepikken heb ik niet aan mijn neus laten voorbijgaan. Ik herinner me zelfs de voornaam van die vrouw niet meer.

Terug in Antwerpen koop ik mijn eerste Callas-boek. Het is het eerste ernstige
Callas-boek, tijdens haar leven in 1974 verschenen, geschreven door de
Callas-specialist bij uitstek John Ardoin en rijkelijk voorzien van 306 foto's.

Tijdens de vakantie in juli maak ik een reis naar Kassel en München. In Kassel
breng ik een bezoek aan Herr Friedrich Suck en koop een reeks
wetenschappelijke werken in verband met de herdenking van
" 100 Jahre Bayreuther Festspiele". De afzonderlijke delen behandelen de
dirigenten, de regiestijl, de toneeltechniek, het toneelkostuum, Wagners
conceptie van het muziekdrama, de muziekkritiek, het drama van Richard
Wagner als muziekkunstwerk, een studie over instrumentatie van Wagner en het
Wagnertoneel van Ludwig II met een uitgebreide en rijke illustratie.

Vanuit Kassel reis ik verder tot München waar ik afstap in de *Bayerischer Hof*.
Ik ga niet naar de opera, wel naar de *Alte Pinakothek* en naar de *Glyptothek*. De
pinacotheek is goed voorzien van Dürer, en van Grünewald, Cranach en Hans
Baldung Grien. Er is merkwaardig veel Vlaams werk van Memling, Bouts, Van
der Weyden, Van der Goes, Bosch, Van Dyck, Rubens en Adriaan Brouwer. Het
is een zeer rijk museum dat je moet gezien hebben.

Ik bezoek daarna de glyptotheek met een onvoorstelbaar aantal Griekse en
Romeinse beeldhouwwerken. Het aantal borstbeelden is legio. De Romeinse
kopieën van Griekse originelen zijn schitterend. Volgens specialisten zijn de
Romeinse kopieën beter dan de Griekse originelen.

In München, op een avond, bezoek ik het *Hofbräuhaus*, waar Hitler zijn
toespraken hield en waar men bier in literpullen schenkt. Gelukkig zijn er ook
halve literpullen beschikbaar. Het is een immens grote zaal met lange tafels
waaraan iedereen bier drinkt. De serveersters lopen constant rond met in iedere
hand drie literpullen, samen zes liter. Je moet het minstens één keer hebben
meegemaakt. De avond eindigt in een striptent op de Platzl voor het
Hofbräuhaus en kost me een hoop geld voor weinig leute. Vermits ik Katleen
niet meer moet betalen, kan het er makkelijk af.

Op 14 januari 1976 vordert Katleen voor het Vredegerecht van Antwerpen 15.000 frank alimentatiegeld voor de kinderen in plaats van de 8.160 frank die ik sinds juni 1975 betaal. De vordering van Katleen was ingegeven door mijn klacht wegens overspel, iets waar zij niet mee kon lachen. Katleen was altijd al revanchistisch geweest. Ze wou haar wraak. De eis van Katleen wordt door de Rechtbank als ongegrond afgewezen. De advocaat van Katleen was vergeten dat ik 50 % van het alimentatiegeld moet betalen. De andere 50 % moet zij zelf leveren. Een klein detail. Katleen kent alleen maar rechten, van het woord plichten heeft zij nooit gehoord.

Toeval of niet, zes dagen later, op 20 januari 1976 wordt Katleen door de Correctionele Rechtbank van Antwerpen wegens overspel veroordeeld. Er zijn soms komische coïncidenties in het leven.

Op 13 oktober 1976 vraagt Katleen aan AG inlichtingen betreffende de hypotheeklening van de Hertoginstraat 24. Katleen betaalde niets aan de lening, ik betaalde integraal alle vervaldagen en er waren nog 18 jaren te betalen. Het was lichtgelovig van Katleen om te denken enig geldelijk voordeel te halen uit een transactie waarin zij alle voordelen en ik alle nadelen had. Katleen dacht alleen aan haar rechten, nooit aan haar plichten. Katleen heeft constant een chronische nood aan geld.

HOOFDSTUK XLV.

Het jaar 1977.

Het jaar 1977 is muzikaal een zeer rijk jaar en ook een muzikaal tragisch jaar door de dood van Maria Callas op 17 september. Toen het nieuws op de radio werd aangekondigd verkeerde ik in een shocktoestand. Met de dood van Maria Callas werd een hoofdstuk in de muziekgeschiedenis afgesloten. Diezelfde dag, 17 september 1977, heb ik haar Norma uit 1954 tot de laatste noot met een enorme emotionaliteit beluisterd.

Het jaar 1977 is belangrijk door de 400^e verjaardag van de geboorte van Rubens. De Stad Antwerpen, nog niet aan besparingen op het culturele vlak toe, richt een monumentale tentoonstelling in het Museum voor Schone Kunsten in. Uit het buitenland komen 109 schilderijen en 64 tekeningen, met enkele topwerken uit München, het Louvre, de National Gallery en het Prado. Schitterend zijn de Marchesa Brigida Spinola uit Washington en de Helena Fourment uit Lissabon. Werken die je normaal nooit te zien krijgt, tenzij je naar die steden reist. Het is de laatste keer dat belangrijke werken van Rubens hun thuishaven verlaten, de kosten van verzekering zijn te hoog. Het is de grootste Rubenstentoonstelling die Antwerpen ooit te zien kreeg. Ik bezoek de tentoonstelling vier keer.

Tijdens het jaar 1977 koop ik mijn allereerste videorecorder Sony Betamax. De eerste opnames die ik maak zijn *"Le nozze di Figaro", "Tannhäuser", "Tosca", "Der fliegende Holländer"* en *"La Bohème"*.

Op 22 maart 1977 ga ik, samen met Jean-Claude Baerts, de zoon van de eigenaar van Baerts in St.-Truiden, lid van Supersanit, naar de Frankfurter Messe. Ik rij met mijn Kevertje tot St.-Truiden waar ik Jean-Claude Baerts oppik en samen rijden we verder naar Frankfort. Tijdens de rit beluisteren we opera's op magneetband en tot mijn grote verbazing heb ik een nieuwe operafreak gekweekt. Naar gewoonte strijken we in het Aukamm Hotel in Wiesbaden, waar vele leden van Supersanit gelogeerd zijn, neer. 's Avonds, na het bezoek aan de beurs, is er een gezellige maaltijd onder Supersanitleden.

274

De tweede dag van ons verblijf, op 23 maart, gingen we naar de Wiesbadener Opera, waar *"Der Wildschütz"* van Lortzing gespeeld werd. *"Der Wildschütz"* is het beste werk van Lortzing en werd gecreëerd op 31 december 1842 in Leipzig, twee dagen vóór de creatie van *"Der fliegende Holländer"*. Ook Lortzing schreef zelf zijn libretto, zoals Richard Wagner, en werd door deze laatste volledig overschaduwd. Het was een enige gelegenheid om dit zelden opgevoerde werk te zien. Vandaag wordt het zo goed als niet meer gespeeld en dan alleen nog in Duitsland.

Op de Frankfurter Messe was het kraanwerk met keramische schijven in opmars. Ideal Standard was twee jaar vroeger met «CERAMIX» op de markt gekomen. Alle andere kraanwerkfabrikanten waren onmiddellijk in actie geschoten om een soortgelijke kraan te ontwikkelen. Met Ceramix had Ideal Standard een voorsprong van minstens twee jaar. Ceramix was een uitvinding van American Standard en sloeg in als een bom. De slagzin waarmede Ideal Standard de markt wilde veroveren was : *De nooit lekkende kraan.* Hansa uit Stuttgart was ook bezig om een keramische kraan te ontwikkelen. Hansa was gekend als oerdegelijk met zijn eigen eengreepssysteem op basis van een draaiende patroon. In Frankfurt legde ik contacten voor de toekomst. Hansa was in België zo goed als niet aanwezig op de markt, die volledig beheerst werd door Friedrich Grohe en Ideal Standard. Ik zocht een alternatief dat kwalitatief beter was zonder duurder te zijn, om te ontsnappen aan een monopolie, waardoor je constant in concurrentie stond. De Frankfurter Messe was de ideale plaats om de toekomst met nieuwigheden voor te bereiden.

Het jaar 1977 was ook het jaar van enkele avontuurtjes, waarvan dat met Tinny Sleypen het enige is dat ik me duidelijk herinner, vermoedelijk door haar erotische aanleg. Als vrijgezel was ik in deze periode tijdens het weekeinde soms op stap in de oude stad. Het speelde zich meestal af rond de Grote Markt en de buurt rond het Conscienceplein. Antwerpen was toen een veilige stad, er waren zo goed als geen vreemdelingen, tenzij diegenen die hier tijdelijk waren, via de haven, met een schip, voor hun beroep.

Op een avond ontmoette ik Julien Schoenaerts op de Grote Markt en we brachten de avond in verschillende etablissementen door. De man was heel gezellig en deed alsof we elkaar sinds jaren kenden. Op het Conscienceplein was een privé bar *Het Brandijzer*, waar ik ettelijke uren en nachten heb gesleten. Het was in *Het Brandijzer* dat ik op een avond Willy Van der Steen, samen met één van zijn veroveringen, minstens 25 jaar jonger dan hij, ontmoette. De man dronk whisky, net als ik, waardoor het gesprek op de vele verschillende soorten whisky kwam. Een ander gespreksthema van Willy Van der Steen waren vrouwen en dan hoofdzakelijk vrouwen van lichte zeden met grote boezems. Willy Van der Steen vertelde me dat vrouwen niet liever hebben dan dat je hun borsten bepotelt en de manier waarop je dat moet doen.

Laat op de avond of vroeg in de ochtend kon je in dat soort bars nog iets bijleren. Na het nodige aantal whisky's tekende Willy Van der Steen voor mij een Wiske. Ik had nu een origineel! Dit zijn de twee enige beroemdheden die ik ontmoette tijdens mijn strooptochten : Julien Schoenaerts en Willy Van der Steen.

Op 5 april 1977 zag ik in de Munt een "*Salome*" met Anja Silja. Ik had haar gezien in de rol in 1963, toen in de regie van haar minnaar Wieland Wagner. Nu was ze veertien jaar ouder, de dans der zeven sluiers was nog steeds knap. Vocaal was het een ramp, een afschuwelijk lelijk timbre en zo scherp als een mes. Ook Rita Gorr als Herodias was veel te luid zoals steeds en lelijk.

Vier dagen later, op 9 april, kreeg ik soelaas met Marie-Louise Hendrickx als Kundry in de KVO. Het was de periode van overschakeling van de volkstaal naar de originele taal en *"Parsifal"* werd in de KVO voor het eerst in het Duits door een volledig Vlaamse bezetting gezongen. Buiten Marie-Louise was alleen Sylvain Deruwe in de titelrol aanhoorbaar. De rest van de bezetting was van mindere kwaliteit. Frits Celis probeerde met het orkest de eer te redden, waarin hij aardig slaagde. Het was de laatste keer tot aan de era Marc Clémeur begin jaren negentig, dat ik de KVO betrad.

De KVO zou vanaf nu verder afzakken naar ongekende diepten, eerst met Deruwe als directeur, later met nog slechtere directeuren, waarvan ik me zelfs de namen niet herinner. Er werd gesold met de KVO dat het een lust was. Er werd gestaakt, in de opera? Er werd omgevormd, er werd gefusioneerd met de Opera van Gent. Dat werd dan Opera voor Vlaanderen. De kwaliteit kwam op een absoluut dieptepunt en ik ging niet meer naar de opera, tenzij in München, Bayreuth, Keulen, Düsseldorf of de Munt. Eerst Marc Clémeur zou begin jaren negentig de kwaliteit geleidelijk verbeteren en tot nieuwe hoogtepunten leiden.

Op 4 juli 1977 koop ik een nieuwe VW Kever cabriolet 1303 met een zwarte carrosserie en een beige kap, als vervanging van de vorige. Mijn vader verbaasde zich over de zwarte kleur van de carrosserie. Het was toen nog geen mode van zwarte auto's. Die mode zou eerst twintig jaar later beginnen.

In juli 1977, tijdens de vakantie, ga ik nogmaals naar Kassel en München met mijn nieuwe Kever. In Kassel heeft Herr Suck een buitenkansje voor mij bewaard. Het zijn twee werken van Robert Bory, die ik het jaar voordien besteld had. Het betreft twee monografieën van Wagner en van Mozart, beide in eerste druk en in perfecte staat. Die van Wagner uit 1938 op 550 exemplaren, die van Mozart uit 1948 op 320 exemplaren, beide genummerd, uiterst zeldzaam. Ik koop ook nog een biografie van Schubert door Brigitte Massin in eerste druk, zeer volledig en uiterst gedetailleerd. Een Duitser die een Franse biografie van Schubert aanbeveelt, il faut le faire.

Vanuit Kassel reis ik verder naar München en maak een halte in Würzburg, dat op de weg ligt en dat ik tot dan nog niet bezocht. Würzburg is vooral belangrijk om zijn *Residenz*, het paleis van de prins-bisschoppen, gebouwd begin 18ᵉ eeuw. Barok is niet mijn stijl, maar de residentie van Würzburg is de knapste barok die ik ooit zag. Het is het enige barokbouwwerk dat ik ken met een absolute eenheid van stijl.

Vanuit Würzburg reis ik verder naar München, waar ik afstap in de *Bayerischer Hof*. Aldaar verkrijg ik een kaart voor *"Elektra"* op 17 juli. Deze

"Elektra" mag ik in mijn *Sternstundenboek* schrijven. Dirigent is Karl Böhm, onovertroffen in dit werk. Vanaf de eerste maat ben je gehypnotiseerd door de spanning. Klytämnestra is Astrid Varnay en Chrysothemis is Leonie Rysanek. De titelrol zingt Ursula Schröder-Feinen. Dit trio zangeressen zorgt voor één van de boeiendste opera-avonden uit heel mijn leven. Als toetje krijg je Hans Hopf als Aegisth en Theo Adam als Orest. De vijfde maagd wordt gezongen door Lotte Schädle, ooit een gevierd Blondchen. Om maar het niveau van deze voorstelling te schetsen. Deze *"Elektra"* is één van de tien beste voorstellingen die ik ooit zag.

En dit was niet het einde van muzikale wonderen in 1977. In september en oktober zou ik nog drie absolute hoogtepunten meemaken. Op 9 september zingt Birgit Nilsson in het Paleis voor Schone Kunsten in Brussel de finales van *"Die Walküre"* en van *"Salome"*. De stem was nog bijzonder gaaf voor een 59 jarige zangeres. Ik was nog steeds verbaasd over het enorme volume van deze stem. Het was zeventien jaar geleden dat ik haar in Bayreuth hoorde en ik merkte zo goed als geen verschil in de kwaliteit van de emissie.

Op 19 oktober 1977 herbeleef ik Astrid Varnay als Klytämnestra en Ursula Schröder-Feinen als Elektra in de Munt in het kader van Europalia 77 door de Deutsche Oper Berlin. Varnay was gewoon subliem. Schröder-Feinen, een overgedimensioneerde *Hochdramatische*, Strauß- en Wagnerspecialiste, 41 jaar oud, op het absolute hoogtepunt van haar mogelijkheden, was indrukwekkend, net zoals in München. Zij had in zekere zin de rol van Varnay als Elektra overgenomen en had voordien ook Chrysothemis gezongen.

Op 28 oktober, nog steeds in het kader van Europalia 77, stuurt de Bondsrepubliek Duitsland het beste wat zij in huis heeft : Dietrich Fischer-Dieskau. De man zingt zonder onderbreking, in het Paleis voor Schone Kunsten, de *"Winterreise"* op een adembenemende wijze. Het was de tweede keer dat ik Dieskau in deze cyclus zag en hoorde. Twee liederen blijven voor altijd hangen : *Die Krähe* en *Der Leiermann*.

Op 18 augustus 1977 ontvang ik een brief van Karen, waarin ze zich beklaagt over Maclot. Het zou al een hele tijd slecht gaan tussen Katleen en Maclot. Ik ga er niet op in omdat het me niet interesseert. Tijdens de eerste dagen van oktober 1977 verneem ik van Karen dat Katleen Maclot verlaten heeft en dat zij tijdelijk onderdak in één van de leegstaande huizen, in de Isabella Brantstraat, van haar vriendin Claudette Steenackers, gevonden heeft. Katleen is in elkaar geslagen door Maclot en is daarop weggelopen. Er is een bijkomend probleem, en dat is veel erger : Vasco is met Katleen niet meeverhuisd naar de Isabella Brantstraat en is in Ranst bij Maclot gebleven.

Door de chaos met de drie kinderen, bega ik de grootste stommiteit uit gans mijn leven : ik neem Katleen terug binnen. Dit gebeurt op 5 oktober 1977. Vasco verblijft nog in Ranst en heeft aldaar zijn intrek genomen in een soort garage. Ik verneem voor het eerst dat de relatie tussen Katleen en Vasco beneden nul is en dat een verzoening, gelet op de stroefheid en onverbiddelijkheid van Katleen, onmogelijk is. De kortsluiting zou teruggaan tot einde 1972, in de Mozartstraat, terwijl Katleen zwanger was van Titus. Van Vasco verneem ik dat Katleen voor hem een monster is. Nochtans was het Katleen die perse een kind wou adopteren. Eens te meer ontvlucht Katleen al haar verantwoordelijkheden.

Geen nood, Katleen, experte in het vinden van snelle doeltreffende oplossingen, heeft alles voorbereid. Zij heeft contact met een zekere De Beukelaer uit Berchem die twee Koreanen heeft geadopteerd en die bereid is Vasco op te nemen. Alleen mijn akkoord ontbreekt nog. Ik bevind me in een onwaarschijnlijke Griekse tragedie, waarvan ik nu pas de eerste letter verneem. Na een gesprek ten huize De Beukelaer blijkt dat hij Vasco wil adopteren. De Beukelaer zorgt voor de papieren rompslomp bij de Jeugdrechter en de Vrederechter. Ik hoef alleen mijn akkoord te geven en de alimentatie te betalen. Want betalen mag ik. Katleen betaalt geen cent alimentatie, zodat de volledige last op mij valt. Katleen wilde per se een Koreaan adopteren, nu wordt Vasco, dertien jaar oud, gedumpt en ik moet de gebroken potten betalen. En dat is Katleen op en top : geen enkele verantwoordelijkheid en daar bovenop de anderen laten betalen voor haar stommiteiten.

Op 9 november 1977 krijgt Katleen van de advocaat van Maclot een aanmaning om een som van 70.000 frank terug te betalen. Katleen had vóór haar vlucht de bankrekening van Maclot leeggehaald bij wijze van vergelding voor bewezen diensten. Katleen was altijd al revanchistisch van aard. Stuk onbenul Maclot had het ook gezocht. Wie geeft er nu een volmacht aan een personage als Katleen? Katleen dreigt er nu mee Maclot aan te geven bij de fiscus voor zwarte invoer en zwarte verkoop van klavecimbels. Leuke levensgezellin.

Op 24 november 1977 laat Katleen zich in het Middelheim ziekenhuis steriliseren, omdat zij geen kinderen meer wil. Enkele dagen na de sterilisatie telefoneert Maclot toevallig met Katleen en het gesprek komt op de net uitgevoerde ingreep. Maclot, totaal ontredderd, roept uit : *En ik wilde nog een kind van jou.* Waarop Katleen ijskoud antwoord : *Kinderen wil ik alleen van Andries.* Waarvan akte : ook dit antwoord is berekend, Katleen moest in mijn gunst komen.

Begin december 1977 valt Katleen in een soort lethargie die langzaam overgaat in een ziekelijke treurnis. Eind december gaat Katleen met haar twee kinderen naar haar ouders, die inmiddels in Knokke zijn gaan wonen, zogezegd om te bekomen van de emoties. Ik telefoneer enkele keren naar Knokke om nieuws van Katleen te horen. Steeds krijg ik haar vader aan de lijn. Katleen kan niet aan de telefoon komen, ze is depressief. Katleen was steeds een meester in *mise en scène*, depressie is het laatste dat Katleen zou kunnen overkomen.

HOOFDSTUK XLVI.

Het jaar 1978.

Begin januari 1978 begeef ik me naar Knokke om poolshoogte te nemen.
Katleen is nog steeds in een diepe depressie, volkomen geënsceneerd, gehuld.
Uiteindelijk blijkt dat Katleen, door Maclot te verlaten, een grote stommiteit
heeft begaan. Katleen durfde mij niet een tweede keer verlaten. Ik heb haar
gerustgesteld en gezegd dat het voor mij niet veel uitmaakte. Hierop zat Katleen
te wachten. Zij is dan met haar kinderen op 21 januari teruggekeerd naar Maclot.
Nu was ik definitief van Katleen verlost.

Op 3 februari is Katleen akkoord met een scheiding met onderlinge
toestemming. Op 14 februari eist Katleen, steeds via haar advocaat, de meubelen
en 50 % van het saldo actief van het huis Hertoginstraat 24. Vermits er slechts
twee aflossingen betaald werden en ik gedurende zeventien jaar het huis verder
moet afbetalen, is de eis van Katleen niet alleen absurd maar ook zonder enig
fondament, te meer daar zij geen cent aan de aflossingen betaalde. Op
18 februari laat ik, via mijn advocaat, weten dat ik niet inga op de eisen van
Katleen. Als gevolg van de verzoening van 5 oktober 1977 moet ik, volgens
mijn advocaat, een nieuwe klacht wegens overspel neerleggen, wat ik stante
pede doe. Met Katleen weet je maar nooit, ik vertrouw haar voor geen cent.

Tijdens het jaar 1978 zie ik geen enkele opera. Ik koop des te meer
langspeelplaten van Maria Callas en Wagner. In de Belgische politiek wordt het
Egmontpact, met grote toegevingen door Vlaanderen, gesloten. Het betekent het
begin van het einde van de Volksunie. Op wetenschappelijk gebied gebeurt een
ramp voor de mensheid : de eerste proefbuisbaby in vitro wordt in Groot-
Brittannië uitgevonden. Alsof er nog niet genoeg mensen op de aarde zijn, gaan
ze er nu nog fabriceren.

Het belangrijkste feit van 1978 was de zeventigste verjaardag van mijn vader.
Hij voelde zich terug opperbest en was langzaamaan terug beginnen werken. Hij
nam wel meer vrije tijd en hield zich niet meer bezig met de dagelijkse leiding,

wel met belangrijke offertes. Eén van die offertes was een zeeschip van Cockerill Yards. Zeeschepen vragen bijzondere apparatuur, geschikt voor zeewater, en mijn vader deed niet liever dan die moeilijke toestanden te ontleden. Hij was er wekenlang mee bezig. Hij wou per se iets doen op zijn zaak. Mijn broer en ik hadden de dagelijkse leiding sinds zijn hartinfarct overgenomen. Hij zocht dan werkzaamheden, die er uiteraard in zo'n zaak altijd zijn.

Op 15 september 1978, zijn zeventigste verjaardag, zorgde het personeel voor een verrassing. Het schonk mijn vader als gelegenheidsgeschenk een zeventiende eeuwse kopergravure van de rede van Antwerpen. De originele gravure was niet ingekleurd. Gerousse, die de leiding van het geschenkcomitee had genomen, besliste dat het een later ingekleurd exemplaar moest worden. Eric De Bock vond dit een typische bemoeienis alla Gerousse. De niet ingekleurde originele versie was esthetischer en van een betere smaak. Gerousse had geen smaak.

Ik heb Katleen niet meer ten laste en kan enkele betere flessen wijn kopen. Van het uitstekende jaar 1975 koop ik Château Magdelaine, Vieux Château Certan, La Fleur Petrus, Pape Clément, Léoville Poyferré, Léoville Las Cases, Montrose, Lafite Rothschild en Brane Cantenac, van iedere wijn een kist van twaalf flessen. Bij Jan De Slegte in Rotterdam koop ik een eerste druk Burgersdijk uit 1884-1889 in linnen in perfecte staat. In de Jezusstraat in Antwerpen koop ik een eerste druk van *The Callas legacy* van John Ardoin, het belangrijkste boek over Callas. Het is een uiterst nauwkeurige analyse van al haar opnames.

Tijdens het jaar 1978 heb ik enkele kortstondige affaires met vrouwen, waarvan er slechts één van een zeker belang is geweest. Wally Kubiak, een roodharige jonge vrouw van dertig, alleenstaand, geboren in Limburg van een Poolse vader, is levenslustig en probleemloos. Zij bewoont een heel leuk appartement in de Bexstraat, op 500 meter van de Hertoginstraat. In juli brengen we samen onze vakantie door in Brignolles in de Provence op een domein van Wally's schoonbroer. We wonen in een kasteelvilla met zwembad en enkele hectaren wijngaard. Deze wijngaard was de laatste jaren verwaarloosd en Wally's schoenbroer was begonnen aan een grote snoei maar had te grote verwachtingen van wijnen, rood en wit, die nooit boven de kwaliteit van een streekwijn zouden uitgroeien. Ter plaatse proefde ik jaargang 1977, die niet slechter was dan een Roussillon of een Languedoc. Het is het verhaal van een man die geërfd heeft en met de erfenis een domein in de Provence koopt en denkt de zaak van zijn leven te hebben gemaakt.

HOOFDSTUK XLVII.

Het jaar 1979.

Het jaar 1979 is het jaar van Europa. Op 13 maart ontstaat de EMS, het Europees Monetair Stelsel, met een rekeneenheid, de «ECU», die de Europese wisselkoersen van de diverse munten in harmonie moet brengen. Het is de voorloper van de Europese munt, de «EURO». Groot-Brittannië doet niet mee, maar dat zijn we inmiddels gewoon, Britten voelen zich steeds beter dan andere Europeanen. Op 7 juni hebben de eerste rechtstreekse verkiezingen voor het Europees Parlement plaats.

Op 16 februari 1979 wordt Katleen een tweede keer wegens overspel door de Correctionele Rechtbank van Antwerpen veroordeeld. Op 15 maart dient mijn advocaat Goossens een eis tot echtscheiding in op grond van bepaalde feiten, in casu overspel. Op 2 mei verlaat Katleen stuk onbenul Maclot voor een tweede of derde keer, de tel ben ik kwijtgeraakt, en gaat op de Meir 75, boven een schoenwinkel, wonen. Katleen eist van mij een alimentatie voor zichzelf, want lef heeft ze wel. Ze zat in acute geldnood.

Op 23 mei wordt ik door de Rechtbank van eerste aanleg veroordeeld tot het betalen van een alimentatie van 15.000 frank per maand aan Katleen. Mijn advocaat had eens te meer juist gezien. Op 28 juni wordt de echtscheiding op grond van overspel door de Correctionele Rechtbank van Antwerpen uitgesproken en ben ik ontslagen tot het betalen van alimentatiegeld aan Katleen. Ik had welgeteld één maand alimentatie betaald en Katleen verkeert terug in acute geldnood. Op 19 november eist Katleen via haar advocaat de verkoop van de Hertoginstraat 24, als gevolg van onverdeeldheid. Ze had dus wel degelijk geld nodig. Daarmee heeft ze haar leven lang problemen gehad. Ik geef het dossier aan mijn advocaat en de zaak blijft zonder gevolg.

In navolging van mijn aankoop koopt Katleen een *Grote Nederlandse Larousse* voor Titus. Op 14 juni wordt de akte van adoptie van Vasco door

Jan De Beukelaer door de Vrederechter van Berchem opgesteld. Vasco is nu definitief door De Beukelaer geadopteerd.

Op 2 januari 1979 nemen we, op voorspraak van Gerousse, Flor Keersmaekers als bediende in dienst. Flor Keersmaekers is goed bevriend met Gerousse en is een bekwame kracht als administratief bediende. Hij had in de diamantsector een belangrijke vertrouwensfunctie uitgeoefend. Ten gevolge van een ernstig incident in verband met de verdwijning van een partij diamanten, was hij in verdenking gesteld en had zijn ontslag aangeboden. Hij was een hartstochtelijk operaliefhebber, had Bayreuth bezocht vanaf 1952 en kende Astrid Varnay persoonlijk. Hij reed naar Bordeaux om Varnay in een voorstelling te zien. Er bestonden dus nog grotere Varnay-freaks als ik. Ik reed alleen maar naar Düsseldorf om Varnay te zien. Hij was tevens een bewonderaar van Marie-Louise Hendrickx. Dit laatste getuigde van goede smaak en een kennis van zangtechniek.

Later zou Flor Keersmaekers Gerousse als niet collegiaal afwijzen en een abominabel wijf noemen. Gerousse werd door het voltallige personeel uitgespuwd. Mijn vader wees er me op dat ik het heel moeilijk zou hebben om Gerousse buiten te krijgen. Toen mijn vader dat zei, was het duidelijk dat ik ervoor moest zorgen om haar aan de deur te zetten. Mijn vader had reeds enkele jaren genoeg van Gerousse maar vond geen middel om haar buiten te smijten. Gerousse was verantwoordelijk voor de stress van mijn vader. Zijn hartinfarct was voor het grootste gedeelte haar schuld.

Tijdens de maand februari 1979 ontdek ik per toeval een reeks tweetalige libretti uitgegeven door "L'Avant-Scène Opéra", een Franse uitgever in Parijs. Deze uitermate belangwekkende uitgave, een zijtak van het reeds oudere " L'Avant-Scène Théâtre", verschijnt sinds 1976 om de twee maanden en geeft het integrale libretto in de originele taal met een Franse vertaling en een overvloed aan informatie over het behandelde werk met een rijke fotografische bijdrage. Ik bestel onmiddellijk alle reeds verschenen nummers die me interesseren : De Toverfluit, de volledige Ring, Aïda, Fidelio, Cosi fan tutte, Simon Boccanegra, Tosca en Otello. Vanaf dit ogenblik bestel ik alle libretti van de componisten die me interesseren : Mozart, Wagner, Rossini, Verdi, Puccini, Richard Strauß, Bellini, Donizetti, Weber, Händel, Gluck en nog enkele andere.

Tijdens de Frankfurter Messe in maart 1979 logeer ik in het Steigenberger Hof, waar Victor Van der Voort de groep Supersanit op een diner heeft uitgenodigd. Na het diner begint Monique de Zordo, de aankoopster van Van de Kerckhove uit Gent, mij op te vrijen en de avond eindigt in het bed van Monique. Nadien heb ik een kortstondige affaire met Monique de Zordo, die blijkbaar door haar echtgenoot zeer zwaar verwaarloosd wordt.

Tijdens de vakantie in juli reis ik naar München, waar ik logeer in het *Bayerischer Hof*. Aldaar kan ik een kaart voor *"Fidelio"* op 12 juli bekomen. Ik zit op de eerste rij op drie meter afstand van dirigent Karl Böhm. Wanneer de man in de orkestbak te voorschijn komt, wordt hij begroet door een stormachtig applaus. Hij dirigeert zonder partituur. Leonore is Hildegard Behrens, 42 jaar oud en op het absolute hoogtepunt van haar mogelijkheden. De avond van 12 juli is Hildegard Behrens in *supreme voice* en vanaf het kwartet *Mir ist so wunderbar* weet ik dat ik één van de grootste *Sternstunden* uit mijn leven zit te beleven.

Karl Böhm, twee keer zo oud als Hildegard Behrens, dirigeert de ganse voorstelling zittend op zijn dirigentenkruk. Op het ogenblik dat Behrens de grote aria *Abscheulicher! Wo eilst du hin?* moet aanzetten, veert Böhm recht en dirigeert de ganse aria rechtstaande. En er gebeurt iets magisch, het is alsof Böhm Behrens aanspoort tot meer vuur in de interpretatie van een aria die op zichzelf van Beethoven een grote dosis spetters heeft meegekregen. Ik krijg rillingen in de rug wanneer Behrens het centrale deel *Komm, Hoffnung* aanzet. Het is zo mooi gezongen, dat ik nadien denk dit nooit meer te zullen meemaken.

Böhm is indrukwekkend en onvoorstelbaar vitaal. De overige bezetting is om van te dromen : James King als Florestan, Helen Donath als Marzelline, Theo Adam als ideale boosdoener en Kurt Moll als Rocco. Regie was van Götz Friedrich. Ik had het geluk Karl Böhm nog te kunnen beleven. Karl Böhm was één van de belangrijkste Straußdirigenten. Hij stond voortdurend in contact met Richard Strauß in verband met de opvoeringen van diens werken.

Op 30 maart 1979 heeft mijn vader zijn tweede hartinfarct. Toen hij zich na zijn eerste hartinfarct goed voelde, was hij geleidelijk terug beginnen werken. Hij kon het niet laten, hoewel hij toen 70 jaar oud was en met pensioen had kunnen gaan. Hij had rijkelijk van de huur van de gebouwen kunnen leven. Hij had zijn zaak uit niets uit de grond gestampt, voortdurend uitgebreid en groot gemaakt met 40 personeelsleden. Zijn zaak was een voorbeeld van perfecte distributie met volledige tevredenheid van de klant. Van zijn zaak kon hij niet scheiden, hij was ermee getrouwd, het was zijn leven.

Na zijn tweede hartinfarct is mijn vader gestopt met werken. Hij was toen 70 jaar oud. Hij voelde zich ongelukkig omdat hij niets meer mocht doen. Vaak zei hij : *Ik kan toch niet op een stoel blijven zitten.* Zijn enige hobby, paardrijden, mocht hij niet meer beoefenen. Samen met mijn moeder ging hij veel naar de Belgische kust, naar Knokke. Hij begon ook meer te lezen, maar het was toch niet zijn ding. Op zijn gezicht kon je de ontgoocheling in het leven aflezen, alsof hij wou zeggen : *Is het maar dat?* Mijn vader was een man van weinig woorden maar zijn gezicht sprak boekdelen.

Op 15 september 1979 wordt mijn vader 71 jaar en ik geef hem het eerste deel van *"Les Rougon-Macquart"* van Emile Zola in een uitgave van "La Pléiade" van Gallimard cadeau. Ik wist dat hij deze literatuur zeer op prijs stelde en hij was er zichtbaar heel gelukkig mee. Het zal later voor mij een troost zijn dat het laatste cadeau dat ik aan hem kon geven in overeenstemming was met zijn wensen.

Eind oktober 1979 neem ik deel aan een zakenreis naar «TIELSA» in Schötmar bij Bad Salzuflen in de omgeving van Bielefeld. Tielsa was één van de belangrijkste Duitse keukenmeubelenfabrikanten. De reis verloopt vanuit Brussel per autocar en wordt georganiseerd door Frédéric de Schorlemer, agent van Tielsa in België. Frédéric de Schorlemer was innemend en zeer commercieel. Er namen hoofdzakelijk personeelsleden van groothandelaren aan deel. De groep telde ongeveer twintig deelnemers.

Tijdens het bezoek aan de fabrieken in Schötmar, maak ik kennis met Mireille, een Brusselette, keukenverkoopster bij Tubeaugaz. Zij was niet erg boeiend, gescheiden met een zoontje van zeven. Zij was wel uitzonderlijk sensueel en aantrekkelijk. Na het fabrieksbezoek nam ik terug contact op met haar en er volgde een verhouding die enkele maanden duurde, de langste verhouding sinds Katleen. Mireille woonde in Overijse in een vrijstaande woning en ik ging twee of drie keer per week bij haar overnachten. Het was een uitsluitend seksuele relatie die onmogelijk kon blijven duren. Seksueel was Mireille het beste dat ik tot dan had beleefd, inclusief Katleen. Zij bezat een zeer bekoorlijk lichaam en was uitzonderlijk erotisch.

HOOFDSTUK   XLVIII.

Het jaar 1980. De dood van mijn vader.

Het jaar 1980 begon tragisch en eindigde hoopgevend. Na zijn tweede hartinfarct heeft mijn vader niet meer gewerkt. Vermits hij niet meer mocht paardrijden en geen andere hobby had, bleven er voor hem niet veel bezigheden over. Hij las wel meer, de krant, *National Geographic* en af en toe een boek, maar in principe verveelde hij zich. Zijn zaak was zijn leven. Zijn zaak had men weggenomen en voor hem bleef er niet veel leven meer over. Mijn vader was teleurgesteld in het leven en dat kon je op zijn gezicht aflezen. Niet meer mogen werken was voor mijn vader een straf.

Mijn vader wou op de hoogte gebracht worden van wat op zijn zaak gebeurde. Ik trachtte dit zo goed mogelijk in te vullen. In belangrijke beslissingen vroeg ik steeds om zijn raad, wat hij zeer op prijs stelde. Een van de laatste maatregelen die ik met mijn vader besprak was het ontslag van Hilona Rasson. Rasson was een goede werkkracht geweest en had verschillende functies in de firma doorlopen. Door de opkomst van de computer, was er geen werk meer voor haar. Ik zocht een oplossing, maar vermits Rasson niet betrokken was in het proces van automatisering van de administratie, kon ik haar geen ander werk geven. Mijn vader, die steeds een zeer goede verstandhouding met Rasson had, zei me heel kordaat : *Gooi ze buiten!* Deze uitspraak had ik niet verwacht en ik schrok er enorm van. En dit is het laatste dat mijn vader in verband met zijn zaak tegen mij heeft gezegd.

Op 7 januari 1980 vroeg mijn moeder aan de telefoon om even langs te komen, mijn vader voelde zich niet goed. Ik ben onmiddellijk naar de ouderlijke woning gestapt. Mijn vader was zeer rustig, voelde een pijn op de borst. Ik heb ogenblikkelijk Dr Vangramberen, de huisarts, opgebeld en die kwam zeer snel. Vangramberen telefoneerde met de ambulance en zei tegen mij dat het niet goed ging. Toen hij door de brancardiers uit het appartement werd weggedragen, zei mijn vader tegen mij : *Weer hetzelfde liedje!* Dit is het laatste dat ik van mijn vader gehoord en gezien heb. Het stond duidelijk op zijn gezicht te lezen dat hij er genoeg van had.

Mijn vader werd opgenomen op intensieve zorgen van de Augustinus kliniek. Ik had een bang voorgevoel en gaf het telefoonnummer van Mireille aan Marco. Die avond van 7 januari was ik bij Mireille toen Chantal me vanuit de Augustinus kliniek opbelde met de mededeling dat mijn vader een hartinfarct had gekregen. Dertig minuten later belde Chantal me nogmaals om te zeggen dat mijn vader overleden was. Ik was niet in staat om auto te rijden. Mireille bracht haar zoontje naar haar ouders en reed me naar Augustinus.

In Augustinus zag ik mijn vader voor de laatste keer : hij lag opgebaard en maakte een onvoorstelbare indruk op mij. Hij was nog geen twee uur overleden. Zijn gelaatsuitdrukking was van een nooit geziene sereniteit. Om nooit te vergeten. Daarna ben ik met Mireille naar Marco gereden. De ganse familie was daar verzameld. Mijn moeder lag half bewusteloos op een sofa. Het was maandag 7 januari 1980 en mijn vader was overleden. De nacht bracht ik met Mireille in Overijse door. Ik vond het verschrikkelijk dat ik mijn vader niet had zien sterven.

Dinsdag 8 januari 1980 vroeg was ik in Borgerhout op de zaak en had begrafenisondernemer Timmermans uitgenodigd. Ik had drie dagen om alles voor te bereiden. De uitvaartplechtigheid zou mijn vader waardig zijn. De uitvaartliturgie zou plaats hebben op vrijdag 11 januari 1980 om 11 uur in de kerk van de Heilige Geest op de Mechelsesteenweg. Ik wou een gezongen Requiem. Mijn moeder was bevriend met Pieters, haar bovenbuur, groothandelaar in medische apparatuur.

Pieters was koorzanger en kende verschillende koorverenigingen. Hij zorgde voor de muziekuitvoering en kon een sopraan, een alt, een tenor en een bas samen krijgen. Op hun repertoire stond de Deutsche Trauermesse van Schubert, het mooiste Requiem ooit gecomponeerd. Deze Trauermesse werd tijdens de liturgie voor mijn vader indrukwekkend mooi uitgevoerd door de vier solisten met orgelbegeleiding.

De kerk zat barstensvol met familieleden, vrienden, kennissen, klanten, leveranciers, collega's en personeel. Vooral mannen zag ik huilen tijdens de liturgie. Oscar Van Dael, een jeugdvriend, en Freddy Rohatin, één van de oudste leveranciers, zag ik huilen in de kerk. We ontvingen 237 brieven en kaarten. Er waren zoveel bloemen en kransen, dat ik een tweede corbillard moest bestellen. Zeer vele bloemstukken en kransen kwamen van Duitse leveranciers Keramag, Blanco, Eichelberg, Ahlmann, Bette en Hans Grohe.

Na de liturgie gingen we naar de begraafplaats Schoonselhof. Het toeval wil dat mijn vader tussen Jan Van Rijswijck en Hendrik Conscience begraven werd en op het perk aansluitend aan het ereperk, waar de kunstenaars en de burgemeesters van Antwerpen liggen.

Daarna gingen we naar Salons De Laet in de Lamorinièrestraat, waar de laatste samenkomst van de familie, ter gelegenheid van mijn Plechtige Communie in 1954, had plaatsgevonden. De familie was uitgenodigd op een Antwerpse koffie. Tantes Juliette, Yvonne, Paula en Elza met kinderen, tante Mimi met oom Oswald en de ouders Bosendorf waren aanwezig. Tijdens dit soort familiebijeenkomsten worden alle aspecten van de overledene aangehaald. De meest opmerkelijke uitspraak kwam van tante Yvonne, de ongehuwde zuster van tante Juliette : *Hij heeft het leven gehad dat hij gekozen heeft!* Tante Elza en dochter Denise Cassiers, een cousine, waren aanwezig. Aan tafel had ik een gesprek met Denise, die zeer sterk op haar vader, mijn peter, leek. Toen ik haar vroeg wanneer haar vader gestorven was, heeft ze me geantwoord dat ze het niet juist wist. De leegheid van het personage kwam daar plots volledig naar boven.

Voor mijn moeder was de dood van mijn vader een harde klap. Mijn ouders waren vijfenveertig jaar samen. Mijn moeder zei weinig over mijn vader. Na zijn dood heeft zij gezegd dat mijn vader in vijfenveertig jaar niet eenmaal ruzie gemaakt had. Mijn vader was er niet toe in staat. Mijn moeder voegde er nog aan toe : *Geen woord hoger dan het andere.* Deze laatste uitspraak was treffend en kwam volledig overeen met het karakter van mijn vader.

Na de uitvaartplechtigheid werd het voor mij duidelijk dat ik wel een en andere verantwoordelijkheid had bijgekregen. Het was mijn gewoonte om twee of drie keer per week bij Mireille, mijn nieuw lief, te gaan slapen. Door het overlijden van mijn vader, de uitvaartplechtigheid en alles wat met een overlijden te maken heeft, had ik niet veel tijd voor Mireille. Ze hing dagelijks aan de telefoon. Ik trachtte haar duidelijk te maken dat ik even andere zorgen had en dat ze even geduld moest oefenen. Dat zat er blijkbaar niet in. De relatie was louter seksueel en heeft het daarom niet overleefd.

Nog in deze zelfde maand januari 1980, waarin mijn vader overleed, kreeg ik twee belangwekkende berichten. Het eerste was het antwoord van de Bayreuther Festspiele op mijn kaartenaanvraag. Het was voor de eerste keer sinds 1975 positief. Ik ontving, na vijf wachtjaren, alle voorstellingen van 1980, zijnde de Hollander, Lohengrin, Parsifal en de Ring. Bovendien waren het alle openingsvoorstellingen van einde juli en had ik de door mij aangevraagde categorie van plaatsen op de achttiende rij van het parket in het midden. Zonder meer de beste plaatsen van het Festspielhaus.

Het tweede bericht kwam eind januari : Herman Schiltz gaf zijn ontslag als voorzitter van de beroepsfederatie van de provincie Antwerpen, omdat zijn firma op het punt stond failliet te gaan. Quelle triste fin! Twee dagen later kreeg ik een telefoonoproep van Paul Van den Dael, de grote baas van Facq en nationaal voorzitter Menofer. Hij verzocht me mij kandidaat te stellen en ik vroeg enkele dagen bedenktijd. Nog twee dagen later belde Stéphane Van den Bogaert, zaakvoerder van De Jonghe-Erix in Bornem, me, hij was ondervoorzitter, en vroeg me hetzelfde. Hij signaleerde me dat Armand Berckmans, zaakvoerder van Sanal, al kandidaat was. Toen telefoneerde ik met Pierre De Decker, zaakvoerder van Desco, om hem het voorzitterschap aan te bieden. Hij bedankte ervoor en voegde eraan toe dat hij mijn kandidatuur zou steunen.

Twee weken later, tijdens de jaarlijkse algemene statutaire vergadering van de Beroepsvereniging Sanitair Antwerpen, waren alle leden aanwezig en was ik kandidaat samen met Armand Berckmans. Dit was nooit gezien : twee kandidaten voor het voorzitterschap. Bij alle vorige aanstellingen voor het voorzitterschap was er slechts één kandidaat. Dat was in 1939 Jozef Schiltz, in 1963 Prosper Prist en in 1972 Herman Schiltz. Er werd een geheime stemming gehouden en stemopnemer was Guido De Coninck uit Mechelen. De sfeer was om te snijden. De stemopnemer mocht alleen de meerderheid aankondigen en niet het aantal stemmen.

Ik werd verkozen tot voorzitter van de Beroepsvereniging Sanitair Antwerpen, waardoor ik zitting in de nationale en internationale vergaderingen verkreeg. Het was interessant om op de hoogte te blijven van alle nieuwe wendingen op nationaal en internationaal gebied. Voor de rest heb ik als voorzitter van de beroepsfederatie nooit het minste, dat voor het beroep nuttig had kunnen zijn, kunnen bereiken. Ik kon me troosten met de gedachte dat mijn drie voorgangers ook nooit iets hadden bereikt, mochten ze het ook al hebben gewild. Het beroep was als dusdanig niet bedreigd. De opkomst van de grote oppervlakten was al sinds eind jaren zestig aan de gang en volledig onder controle van de groothandel.

INNO en GB werden snel opgevolgd door bouwmarkten zoals BRICO, GAMMA, HUBO en anderen. De doe-het-zelf markt was in volle expansie en werd door de groothandel, in hoofdzaak Van Marcke en Calodar, beleverd. De controle van de distributie door de groothandel was een verworvenheid van MENOFER. Het was vooral Van Marcke die de controle over de distributie van sanitair en CV-materiaal in de hand wou houden. Hij alleen had de nodige contacten met fabrikanten en agentschappen om de rechtstreekse leveringen van producent aan bouwmarkten te beletten en dit was een voordeel voor de groothandel in zijn geheel.

De grote merken Hans Grohe, Friedrich Grohe, Franke, Ideal Standard, Sphinx, Geberit en anderen werden gemakkelijk in het gareel gehouden. Kleinere merken lieten zich soms verleiden om via tussenpersonen rechtstreeks aan bouwmarkten te leveren. Die merken werden dan door de groothandel geboycot. In grote lijnen verkocht de groothandel de grote merken, terwijl de bouwmarkten op de kleine merken aangewezen bleven.

Op de zaak begon ik eind januari 1980 aan een herstructurering van het personeel, dat met de tijd veel te zwaar uitgebouwd was. Mijn vader hield zich vast aan een solide organisatie en aan een verzorgd dienstbetoon. Op de dienst boekhouding zat een Gerousse die niet liever vroeg dan overorganisatie. Daardoor was het administratiepersoneel oververtegenwoordigd en woog veel te zwaar op de kosten.

De bruto winstmarge was in 1978 schrikbarend de hoogte in gegaan en bedroeg 62,42 %. Ik vroeg aan Pol Cahay, die expert boekhouder was, of we dit konden volhouden. Pol Cahay begreep niet dat het mogelijk was. De omzet bedroeg honderd en twaalf miljoen frank in 1979 met een personeelsbestand van veertig man. Dit was 2.800.000 frank per hoofd van het personeel zonder directieleden. De omzet per hoofd van het personeel was bij de Supersanitleden gemiddeld 4.000.000 frank. Er mocht een klein verschil zijn door onze hoge servicekwaliteit, maar hier was het verschil te groot. Een omzet van 160.000.000 frank realiseren was met de bestaande structuur onmogelijk. Er bleef maar één oplossing : afslanken!

In januari 1980 was het hoogdringend om uit te dunnen. Enkele dagen voor zijn dood had mijn vader zijn zegen gegeven om Hilona Rasson te ontslaan. Op 25 januari 1980 heb ik als eerste Rasson ontslagen door gebrek aan werk. In de loop van 1980 heb ik nog verdere vier werknemers ontslagen en ging één bediende met pensioen. Van de in totaal zes werknemers die het bedrijf in 1980 verlieten waren er drie van de administratie, twee van de keukenplaatsingsdienst en één verkoper. Tijdens de volgende zes jaar verlieten nog eens vijftien werknemers het bedrijf zonder vervanging. Deze afslanking gaf voorlopig ademruimte aan het bedrijf.

Enkele dagen na de dood van mijn vader kwam Gerousse bij mij en vroeg of ik van plan was iets aan het beleid te wijzigen. Ik antwoordde dat ik niet begreep wat ze daarmee bedoelde, maar dat ik erover zou nadenken. In wezen heb ik het beleid geleidelijk aangepast aan de noden van het ogenblik en heb ik de verkoopspolitiek ingrijpend herschapen.

Vanaf 1980 gaf ik een nieuwe richting aan het productengamma. « HANSA» zou als kraanwerk Ideal Standard en Friedrich Grohe vervangen. Ideal Standard had met zijn kraanwerk «CERAMIX» met keramische schijven gedurende vijf jaar een bijna monopolie weten te behouden. Hansa was niet blijven stilstaan en had met «HANSAMIX» een soortgelijke kraan ontwikkeld, technologisch een heel stuk verder gevorderd. De evolutie had ik de voorbije twee jaar op de voet gevolgd en ik begon nu geleidelijk Hansamix te introduceren naast Ceramix. Na verloop van tijd ben ik er in geslaagd Ceramix helemaal door Hansamix te vervangen. Wat ik vreesde werd bewaarheid. Ceramix was overal verkrijgbaar, bij de officiële groothandel, bij de outsider en in de grote oppervlakten. Met Hansamix waren wij de eerste in België die een beter alternatief aanboden zonder aanwezigheid in de grote oppervlakten.

In porselein zou ik geleidelijk Sphinx en Boch Frères vervangen door «CERABATI», later overgenomen door «DURAVIT». In de metalen bracht ik wijzigingen aan in zink en koper. In Frankfort had ik contacten gelegd met «RHEINZINK», één van de twee grootse zinkproducenten van Europa, met een hogere kwaliteit dan Prayon en Vieille Montagne. Bovendien was de prijs interessant. Rheinzink wilde de Belgische markt binnendringen. We waren één van de allereersten, zoniet de eerste, om Rheinzink in België te verkopen. In een later stadium heb ik Rheinzink bij Supersanit geïntroduceerd en zelfs een prijsvoordeel voor Supersanit als groep weten te bekomen. We hadden een prijsvoordeel ten opzichte van Desco, in die mate dat Frank De Decker me zei : *Ik weet dat U bij Rheinzink aan een lagere prijs koopt.*

Voor koperen buis schakelde ik van VTR over op «CUIVRE & ZINC». Hier was het een prijsvoordeel dat me deed beslissen over te schakelen. Bij iedere wijziging die ik aanbracht stelde ik me de vraag : *Zou mijn vader dit goedgekeurd hebben?* Ik vond het zo erg dat hij de veranderingen, vooral Hansa en Rheinzink, niet meer heeft beleefd.

Op politiek vlak bracht 1980, de tweede grote staatshervorming van het unitaire België met het ontstaan en de vorming van gewesten en gemeenschappen. Het was de aanvang van de federale staat. Om iedereen tevreden te stellen werden de instellingen zo ingewikkeld gemaakt dat dertig jaar later de gordiaanse knoop zou ontstaan.

Op cultureel gebied was 1980 rijk aan tentoonstellingen, waarvan de belangrijkste in juli in Keulen plaatsvond. De volledige schat, inclusief masker, van Toetanchamon werd voor de laatste keer door het museum in Caïro uitgeleend. Als je het nu wil zien, moet je naar Caïro, ik zag het in Keulen. Het beroemde gouden masker is technisch verbluffend. Meest opvallend bij dit masker is de geëmailleerde inleg in een ongezien nachtblauw. Een andere tentoonstelling van groot formaat was de Art-Deco tentoonstelling in Sint-Niklaas in mei 1980.

Wereldschokkend in 1980 was de nieuwe opnametechniek van muziek op een totaal nieuwe drager. De compact disc, die digitaal werd opgenomen, zou de analoge grammofoonplaat op korte tijd volledig verdringen. Ik verkocht al mijn grammofoonplaten via advertenties en kocht een CD-speler aan. Geleidelijk bouwde ik een CD-discotheek op en met de tijd kocht ik het volledige repertoire opera- en klassieke muziek van Monteverdi tot Sjostakovitsj op CD. Op korte tijd had ik 2.400 grammofoonplaten op vinyl verkocht.

In het jaar 1980 kocht ik tien kisten Château wijnen van jaargang 1978 : Troplong Mondot St.-Emilion, Latour en Clos René Pomerol, Marbuzet en Cos d'Estournel St.-Estèphe, Léoville Barton en Saint-Pierre St.-Julien, Labégorce Zédé Margaux, Pontet- Canet en Grand-Puy Ducasse Pauillac. Bij de Nederlandse Boekhandel schrijf ik in op een *Verzameld Dichtwerk* van Guido Gezelle in acht delen. Het is de meest volledige uitgave van zijn werken. Ik koop enkele boeken over Bordeaux- en Bourgognewijn door Hubrecht Duyker.

Via mijn advocaat Paul Goossens verneem ik dat Katleen geld nodig heeft. Ik krijg van Katleen de meest lachwekkende eisen en bedreigingen. Op 7 februari ontmoette ik Katleen op de Jeugdrechtbank in verband met de homologatie van de akte voor adoptie van Vasco door De Beukelaer. Zij droeg de kiem in zich om een Joan Collins type te worden. Blijkbaar was ze voor een derde of vierde keer weggelopen van Maclot. Ze zei letterlijk : *De mannen staan in de rij*, waardoor ik gechoqueerd was. Was ik daarmede ooit getrouwd geweest?

Tot mijn geluk was ik van die vrouw gescheiden. Katleen werkt als verkoopster bij Versace op de De Keyserlei en is nog steeds onveranderlijk koel, ongezellig, klinisch, superknap, geposeerd en gevoelloos, op het randje van de vulgariteit. Nu beginnen een paar absurde eisen van Katleen, vermoedelijk ingegeven door haar veroordeling wegens overspel en het verlies van haar eis tot alimentatie.

Katleen wil uit onverdeeldheid stappen en begint nu aan een onvoorstelbare reeks obstructies. Op 22 februari eist Katleen een tweede schatting van het huis Hertoginstraat 24 door notaris Yves Hopchet, op haar kosten. Deze Hopchet is de werkgever van haar vader en dus geen neutrale partij. Ik signaleer dit aan advocaat Paul Goossens, die deze informatie achter de hand houdt. Voorlopig laat ik Hopchet begaan ; het is op kosten van Katleen.

Op 6 maart kondigt Hopchet zijn bezoek voor schatting van het huis voor 25 maart aan. Op 19 maart komt Katleen terug op de schattingskosten en eist de deling van deze kosten en dreigt met de verkoop van het huis door een publieke veiling. Dit gebeurt in een stuntelige taal van de advocaat van Katleen, door mijn advocaat weggelachen. Om te beginnen kan het huis Hertoginstraat 24 niet verkocht worden zolang ik er in woon. Bovendien ben ik de enige partij die de afbetalingen aan de leningmaatschappij uitvoer. In principe moet Katleen de helft van de afbetalingen voor zich nemen, vermits wij het huis samen hebben gekocht. Om maar de absurditeit van Katleens eisen te situeren.

Los hiervan verplaatst Hopchet zijn aangekondigd bezoek van 25 maart naar 28 maart. Op 28 maart wordt het huis Hertoginstraat 24 door Hopchet op kosten van Katleen geschat. Na 28 maart horen we niets meer van Katleen en haar potsierlijke eisen tot plotseling op 1 juni een bericht komt dat de eis van verkoop van het huis ingetrokken wordt. Er volgt nu een periode van acht maanden van volledig stilzwijgen. En in deze acht maanden zou mijn leven totaal veranderen.

Bayreuth 1980 zat eraan te komen en dit zou een drastische ommekeer in mijn leven betekenen. Niet alleen waren deze Festspiele van een uitzonderlijk hoog kwalitatief niveau, ik zou er de vrouw van mijn leven ontmoeten.

Ik reisde naar Bayreuth samen met mijn broer Alex. We logeerden in de *Bayerischer Hof*. Een vriend van Alex, Jan Boon was eveneens op dat ogenblik in Bayreuth en had kaarten voor dezelfde voorstellingen als wij. Ik heb aldaar kennisgemaakt met Jan Boon, een echte operafreak met een onvoorstelbare kennis van deze kunstvorm.

De openingsvoorstelling van de Festspiele 1980 was op 25 juli met *"Parsifal"* in een lekker oubollige regie van Wolfgang Wagner, meesterlijk gedirigeerd door Horst Stein. De titelrol was Siegfried Jerusalem, die uitstekend zong net zoals alle anderen met uitzondering van Dunja Vejzovic, de slechtste Kundry ooit.

Ik had de gewoonte na het nachtmaal in de *Bayerischer Hof* nog een whisky in de bar van het hotel te drinken. In de bar zaten verschillende zangers van de voorstelling en er was nog een barkruk vrij naast twee jonge vrouwen in gezelschap van een jonge man. Ik bestelde mijn whisky, gezeten naast een aantrekkelijke blonde jonge slanke vrouw. Ik sprak haar aan en vroeg of zij in verband met de Festspiele in Bayreuth was. Groot was mijn verwondering toen ze dit bevestigde. Toen ik vroeg of ze ook als gast naar de voorstelling ging, antwoordde ze dat ze hier als medewerker was. Nog groter was mijn verbazing toen ik vernam dat ze op het toneel als Zaubermädchen in Klingsors tovertuin danste.

Ik was compleet overrompeld : een ballerina met een reeds gevulde carrière! Zij danste sinds vijf jaar in Bayreuth en niet alleen in *"Parsifal"*, maar ook in *"Tannhäuser"* in de bacchanale van de Parijse versie. Er bestond zelfs een video-opname van. Beatrice Haenni was een Zwitserse uit Bern en was ballerina vanaf haar zesde levensjaar. Zij was geëngageerd geweest in Lucerne, Zürich, Darmstadt, Dortmund en Mainz. Ik wist niet wat ik hoorde, een ballerina,

Zwitsers, Duitstalig, heel leuk in de omgang, jong, blond, aangenaam, supervriendelijk, noem maar op. Het tegenovergestelde van Katleen. Ik zou haar de rol van Micaëla gegeven hebben en Katleen die van Carmen. De avond verliep heel gezellig in gezelschap van Bernd Weikl, de Amfortas van de openingsvoorstelling en Siegfried Jerusalem, die ook aan de tapkast stonden.

Ik nodigde Beatrice Haenni uit op een diner 's anderendaags, na de voorstelling van de *"Hollander"*, in de *Bayerischer Hof*. Op 26 juli ging ik eerst naar deze *"Hollander"* met een schitterende Lisbeth Balslev als Senta en een fantastische Simon Estes in de titelrol. Robert Schunk als Erik was aandoenlijk. De regie van Harry Kupfer was de beste Hollander-regie die ik ooit zag.

Na deze voorstelling had ik mijn eerste diner intime met Beatrice Haenni. Tijdens dit diner en het gesprek dat ermee gepaard ging, werd het duidelijk dat Beatrice de meest ideale vrouw voor mij zou zijn. Bovendien liet Beatrice duidelijk blijken dat ik voor haar de ideale man zou zijn. Diezelfde nacht wist ik met zekerheid dat Beatrice de vrouw van mijn leven was. Ik was nu definitief verlost van Katleen, die in mijn leven geen rol van betekenis meer zou spelen. Don José had Carmen verlaten voor Micaëla. Een variante op het bekende verhaal.

We schreven 26 juli 1980 en op die dag begon mijn tweede leven. Ik was 38 jaar.

Mijn top 20 beste opera's aller tijden   <u>creatie</u>

1.	Le Nozze di Figaro	1786
2.	Don Giovanni	1787
3.	Cosi fan tutte	1790
4.	Medea	1798
5.	La Cenerentola	1817
6.	Der Freischütz	1821
7.	La Sonnambula	1831
8.	Norma	1831
9.	Lucia di Lammermoor	1835
10.	Tannhäuser	1845
11.	Lohengrin	1850
12.	La Traviata	1853
13.	Tristan und Isolde	1865
14.	Die Walküre	1870
15.	Aïda	1871
16.	Carmen	1875
17.	Jevgeni Onegin	1879
18.	Salome	1905
19.	Elektra	1909
20.	Der Rosenkavalier	1911

Mijn favoriete sopranen en mezzosopranen

1.	Elisabeth Grümmer	1911 - 1986
2.	Maria Stader	1911 - 1999
3.	Martha Mödl	1912 - 2001
4.	Elisabeth Schwarzkopf	1915 - 2006
5.	Hilde Güden	1917 - 1998
6.	Astrid Varnay	1918 - 2006
7.	Birgit Nilsson	1918 - 2006
8.	Lisa della Casa	1919 - 2012
9.	Irmgard Seefried	1919 - 1988
10.	Sena Jurinac	1921 - 2012
11.	Marie-Louise Hendrickx	1921
12.	Maria Callas	1923 - 1977
13.	Leonie Rysanek	1926 - 1998
14.	Janet Baker	1933
15.	Joyce DiDonato	1969

Mijn *Sternstunden*

1.	20.08.1956	Der fliegende Holländer	Bayreuth/Varnay/Keilberth
2.	29.11.1957	Die Walküre	Munt/Windgassen/Hotter
3.	21.02.1959	Tannhäuser	KVO/Hendrickx
4.	22.06.1959	Tristan und Isolde	Bayreuth /Mödl/Vinay
5.	10.08.1960	Die Meistersinger	Bayreuth/Grümmer/Windgassen
6.	14.08.1960	Lohengrin	Bayreuth/Grümmer/Konya
7.	17.08.1960	Die Walküre	Bayreuth/Varnay/Windgassen
8.	18.08.1960	Siegfried	Bayreuth/Nilsson/Hopf
9.	20.08.1960	Götterdämmerung	Bayreuth/Varnay
10.	9.07.1961	Le nozze di Figaro	A'dam/Schwarzkopf/Giulini
11.	30.08.1961	Hilde Güden	FV/Händel/Mozart
12.	18.10.1961	Maria Stader	Antwerpen/liederen
13.	24.12.1962	Der Rosenkavalier	Munt/Schwarzkopf
14.	23.06.1964	Schwarzkopf	A'dam/Schubert/Strauß
15.	2.09.1965	Elektra	Gent/Varnay/Mödl/Meyfarth
16.	17.11.1965	Schwarzkopf	PSK/Schubert/Brahms
17.	23.04.1966	Tristan und Isolde	Düsseld/Varnay/Talvela/Stein
18.	26.08.1966	Schwarzkopf	FV/Schubert/Strauß
19.	9.01.1967	Lisa della Casa	Antwerpen/Vier letzte Lieder
20.	7.02.1967	Maria Stader	Antwerpen/Exultate,jubilate
21.	26.07.1968	Astrid Varnay	Oostende/Wesendonck Lieder
22.	18.07.1975	Don Carlo	München/Prêtre
23.	24.07.1975	Der Rosenkavalier	München/Kleiber/Popp
24.	29.04.1976	Schwarzkopf	Munt/Schubert
25.	17.07.1977	Elektra	Münch./Varnay/Rysanek/Böhm
26.	19.10.1977	Elektra	Munt/Varnay/Schröder-Feinen
27.	28.10.1977	Fischer-Dieskau	PSK/Winterreise
28.	12.07.1979	Fidelio	München/Behrens/Böhm
29.	27.07.1980	Lohengrin	Bayreuth/Hofmann
30.	29.07.1980	Die Walküre	Bayreuth/Hofmann

INHOUD   BLZ

304